9/92

Les contes
d'Eva Luna

Isabel Allende

Les contes
d'Eva Luna

Traduit de l'espagnol
par Carmen et Claude Durand

Fayard

A William Gordon, pour les moments que nous avons partagés.

I. A.

Le monarque ordonna à son vizir de lui amener chaque soir une jeune fille vierge, et une fois la nuit écoulée, il ordonnait qu'on la tuât. Il en alla ainsi trois années durant, et dans la ville on ne trouvait plus aucune pucelle à soumettre aux assauts de cet intrépide étalon. Mais le vizir lui-même avait une fille d'une grande beauté appelée Schéhérazade. Très diserte, on avait plaisir à l'écouter...

Les Mille et Une Nuits.

Tu ôtais la ceinture qui enserrait ta taille, arrachais tes sandales, lançais dans un coin ton ample jupe — de cotonnade, me semble-t-il — et défaisais le nœud qui rassemblait tes cheveux en queue de cheval. Tu avais la chair de poule et riais. Nous nous tenions si près l'un de l'autre que nous ne pouvions nous voir, tous deux absorbés par ce pressant rituel, immergés dans la chaleur et l'odeur que nous dégagions conjointement. Je me frayais passage par tes chemins, mes mains sur tes hanches cambrées, les tiennes remplies d'impatience. Tu te lovais, tu m'explorais, tu m'enfourchais, tu m'enveloppais de tes jambes invincibles, et tes lèvres sur les miennes me disaient à mille reprises : viens. A l'instant crucial, nous éprouvions un avant-goût de l'absolue solitude, chacun de nous abîmé dans son gouffre brûlant, mais nous avions tôt fait de reprendre vie de l'autre côté du feu pour nous découvrir enlacés dans le désordre des oreillers, sous la blanche moustiquaire. J'écartais tes cheveux pour plonger mes yeux dans les tiens. Il t'arrivait parfois de t'asseoir à mes côtés, jambes repliées, ton châle de soie couvrant une de tes épaules, dans le silence de la nuit à peine commençante. C'est ainsi que je me souviens de toi, dans ce calme retrouvé.

Tu penses avec les mots, pour toi le langage est un fil

inépuisable que tu tisses comme si la vie se fabriquait en la racontant. Moi, je pense avec les images congelées sur la pellicule photographique. Pourtant, cette image-ci n'est pas gravée sur une plaque sensible, on la dirait plutôt dessinée à la plume, c'est un souvenir précis, parfait, aux chaudes couleurs et aux volumes suaves, comme une esquisse d'inspiration Renaissance emprisonnée sur un papier granuleux ou quelque toile. Instant prophétique renfermant toute notre existence, tout le vécu et l'à-vivre, toutes les époques en même temps, sans commencement ni fin. Je contemple à distance ce dessin où je figure moi aussi, spectateur et protagoniste à la fois. Je me tiens dans la pénombre, estompé par la brume de quelque voilage transparent. Je sais que c'est moi, mais je suis également l'observateur extérieur. Je suis au courant de ce qu'éprouve l'homme peint sur ce lit en bataille, dans une pièce aux poutres noirâtres sous ses voûtes de cathédrale, où la scène apparaît comme un fragment de cérémonie très ancienne. Je suis là-bas à tes côtés, mais également ici, seul, dans un autre temps de la conscience. Sur le tableau, le couple se repose après l'amour, la peau humide et luisante. L'homme a les yeux fermés, une main contre sa poitrine, l'autre sur sa cuisse à elle, dans une attitude de tendre complicité. Pour moi, cette séquence est à la fois récurrente et immuable, rien n'y change, c'est toujours le même placide sourire chez l'homme, la même langueur chez la femme, les mêmes plis qui marquent les draps, toujours la même ombre aux quatre coins de la chambre, la même lumière qui, filtrant de la lampe, vient effleurer sous le même angle ses pommettes et ses seins à elle, toujours le même châle en soie et la sombre chevelure tombant avec une égale légèreté.

Chaque fois que je pense à toi, c'est ainsi que je te vois, que je nous revois, à jamais immobilisés sur cette toile, hors d'atteinte des dégradations de la mauvaise mémoire. Il m'arrive, pour me changer les idées, de me camper longuement devant elle, jusqu'à avoir le sentiment de pénétrer dans l'espace du tableau et de n'être plus celui qui observe, mais l'homme allongé près de cette femme. Alors se rompt la tranquille symétrie de la peinture, et je perçois nos voix devenues toutes proches :

— Raconte-moi une histoire.

— Quel genre préfères-tu ?

— Raconte-moi une histoire que tu n'aies encore jamais racontée à personne.

Rolf CARLÉ.

Deux mots

Elle avait pour nom Belisa Crepusculario, non par certificat de baptême ou trouvaille maternelle, mais parce qu'elle-même l'avait cherché jusqu'à tomber dessus, et s'en était affublée. Elle faisait métier de vendre des mots. Elle sillonnait le pays, des régions les plus hautes et froides jusqu'aux littoraux brûlants, s'installant dans les foires et sur les marchés où elle montait quatre piquets et une toile de tente sous laquelle elle se protégeait du soleil et de la pluie en attendant sa clientèle. Elle n'avait nul besoin de bonimenter, car à tant aller par monts et par vaux, tout le monde la connaissait. Il y en avait qui guettaient sa venue d'une année sur l'autre et quand elle apparaissait au village avec son attirail sous le bras, ils faisaient queue devant son éventaire. Ses tarifs étaient justes. Pour cinq *centavos*, elle récitait des vers par cœur ; pour sept, elle améliorait la qualité des rêves ; pour neuf, elle écrivait des lettres d'amour ; pour douze, elle inventait des insultes destinées aux ennemis irréconciliables. Elle vendait aussi des histoires, mais il ne s'agissait pas d'affabulations, plutôt de longues et véridiques histoires qu'elle débitait d'une traite sans rien en omettre. Ainsi colportait-elle les nouvelles d'une bourgade à l'autre. Les gens la rémunéraient pour y ajouter la valeur d'une ou deux lignes : un petit est né, Untel est mort, nos enfants se sont mariés, les récoltes ont brûlé. En chaque lieu, une petite foule s'assemblait autour d'elle dès qu'elle commençait à parler, s'informant de la sorte sur la vie des autres, le sort de parents éloignés, les péripéties de la Guerre civile. A ceux qui pouvaient mettre cinquante *centavos*, elle offrait un mot secret capable de dissiper la mélancolie. Ce n'était évidemment pas le même pour tout le monde : c'eût été une escroquerie généralisée. Non, chacun recevait le sien en étant sûr que personne d'autre n'en usait à cette fin dans l'univers entier et même au-delà.

Belisa Crepusculario avait vu le jour dans une famille si misérable qu'elle ne disposait même pas de prénoms pour en doter ses enfants. Elle était née et avait grandi dans la province la plus inhospitalière, où les pluies se transforment certaines années en avalanches liquides qui emportent tout, et où, certaines autres, pas une seule goutte ne tombe du ciel, le soleil s'élargit jusqu'à occuper tout l'horizon et le monde se change en désert. Jusqu'à l'âge de douze ans, elle n'eut d'autre occupation ni d'autre loi que de survivre à cette faim et à cette lassitude séculaires. Au cours d'une interminable période de séche-resse, il lui échut d'enterrer quatre de ses jeunes frères, et quand elle comprit que son tour à elle arrivait, elle résolut de se mettre en marche à travers plaines en direction de la mer, pour voir si au fil de ce voyage elle parviendrait à déjouer la mort. La terre était érodée, coupée de profondes crevasses, semée de caillasse, d'arbres et d'épineux fossilisés, de squelettes de bêtes blanchis par la chaleur. De temps à autre, elle rencontrait des familles qui cheminaient comme elle vers le Sud, attirées par le mirage de l'eau. Certains s'étaient mis en route en emportant tous leurs biens sur leur dos ou dans des charrettes, mais c'est à peine s'ils pouvaient déplacer leurs propres os et au bout de quelques pas, ils devaient abandonner leurs affaires. Ils se traînaient péniblement, l'épiderme transformé en peau de lézard, les yeux brûlés par la réverbération du soleil. Belisa les saluait au passage d'un simple geste, sans s'arrêter, car elle ne pouvait gaspiller ses forces en démonstrations de compassion. Nombreux furent ceux qui tombèrent en chemin, mais elle était si opiniâtre qu'elle réussit sa traversée de l'enfer et atteignit enfin les premières sources, minces filets d'eau presque invisibles qui abreuvaient une végétation rachitique avant de se transformer, plus loin, en vagues rigoles, puis en bourbiers.

Belisa Crepusculario eut ainsi la vie sauve et le hasard voulut qu'elle découvrît de surcroît l'écriture. A son arrivée dans un village à proximité du littoral, le vent déposa à ses pieds une page de journal. Elle ramassa ce papier jaunâtre, friable, et resta un long moment à l'examiner sans en deviner l'usage, jusqu'à ce que la curiosité l'emportât sur sa timidité. Elle s'approcha d'un homme qui étrillait son cheval dans la même flaque boueuse où elle étanchait sa soif.

— Qu'est-ce que c'est que ça ? demanda-t-elle.

— La page sportive du journal, répondit l'homme sans montrer le moindre signe d'étonnement devant son ignorance.

La réponse laissa la fillette interdite, mais elle ne voulut point paraître effrontée et se borna à se renseigner sur la signification des pattes de mouche dessinées sur le papier.

— Ce sont des mots, ma petite. Là, par exemple, il est écrit que Fulgencio Barbo a mis K.O. le noir Riznao au troisième round.

Belisa Crepusculario comprit ce jour-là que les mots allaient en liberté sans appartenir à personne, et qu'avec un peu d'adresse, n'importe qui pouvait se les approprier pour en faire commerce. Considérant sa situation, elle en déduisit qu'hormis se prostituer ou s'employer comme souillon dans les cuisines des riches, bien peu nombreuses étaient les activités qu'elle pouvait exercer. Vendre des mots lui parut une alternative décente. Dès cet instant, elle se lança dans ce métier et jamais aucun autre n'éveilla son intérêt. Au début, elle proposait sa marchandise sans même soupçonner que les mots pouvaient également s'écrire ailleurs que dans les journaux. Quand elle s'en avisa, elle mesura les perspectives infinies de son affaire, préleva sur ses économies vingt *pesos* qu'elle versa à un curé pour qu'il lui apprît à lire et à écrire, et avec les trois qui lui restait, elle fit l'emplette d'un dictionnaire. Elle le compulsa de A jusqu'à Z, puis elle le jeta à la mer, car elle n'avait nullement l'intention de flouer sa clientèle avec des mots de conserve.

Quelques années plus tard, par un matin d'août, Belisa Crepuscularia se trouvait au beau milieu d'une place, assise sous sa toile de tente à vendre des arguments de justice à un vieillard qui réclamait en vain sa pension depuis quelque dix-sept ans. C'était jour de marché et un grand tohu-bohu régnait autour d'elle. Tout à coup, on entendit des galops et des cris, ses yeux se détachèrent des mots pour découvrir en premier lieu un nuage de poussière, puis une petite troupe de cavaliers qui avaient envahi l'endroit. Il s'agissait des hommes du Colonel, placés sous les ordres du Mulâtre, un géant connu dans toute la région pour la célérité de son couteau et sa fidélité à son chef. L'un comme l'autre, le Colonel et le Mulâtre avaient consacré toute leur existence à la Guerre civile, et leurs noms étaient irrémédiablement associés au fracas des calamités. Les guerriers avaient fait irruption dans le village comme une meute lancée à fond de train, suants et tumultueux, semant sur leur passage la terreur des typhons. La poulaille s'égailla en battant des ailes, les chiens filèrent se perdre on ne sait où, les femmes s'enfuirent avec leur progéniture et il ne resta bientôt plus sur la place âme qui vive en dehors de Belisa Crepusculario, laquelle n'avait encore jamais rencontré le Mulâtre et, pour cette raison même, fut toute surprise qu'il s'adressât à elle.

« C'est toi que je cherche ! » hurla-t-il à son intention en pointant sur elle son fouet enroulé, et avant qu'il n'eût fini de prononcer ces mots, deux hommes fondirent sur la fille, jetant bas sa tente et brisant son encrier, lui ligotèrent les mains et les pieds et la jetèrent comme un sac de matelot en travers de la croupe de la monture du Mulâtre. Puis ils s'en furent au grand galop en direction des collines.

Quelques heures plus tard, alors que Belisa Crepusculario était sur le point de rendre l'âme, le cœur changé en sable par le cahotement de la course, elle sentit qu'on faisait halte et que quatre poignes puissantes la déposaient à terre. Elle voulut se mettre debout et relever le front avec dignité, mais elle avait présumé de ses forces et elle s'effondra dans un soupir, sombrant dans quelque rêve obscur. Elle ne se réveilla qu'au bout de plusieurs heures avec les murmures de la nuit régnant sur le campement, mais elle n'eut pas le loisir de déchiffrer ces sons : en rouvrant les yeux, elle se retrouva sous le regard impatient du Mulâtre agenouillé près d'elle.

— Tu te décides enfin à te réveiller ! dit-il en lui tendant sa gourde pour qu'elle avalât une gorgée d'eau-de-vie mêlée de poudre et finît de revenir à elle.

Elle s'enquit de la cause de tant de rudoiements et il lui expliqua que le Colonel avait besoin de ses services. Il l'autorisa à s'humecter le visage, puis la conduisit aussitôt à l'autre bout du campement où l'homme le plus redouté du pays se reposait dans un hamac suspendu entre deux troncs. Elle ne put discerner ses traits, dissimulés par l'ombre mouvante du feuillage et par celle, indélébile, de si nombreuses années passées à vivre en hors-la-loi, mais à voir l'humilité avec laquelle s'adressait à lui son colossal aide de camp, elle se figura l'expression de mauvaiseté qui devait s'en dégager. Elle fut d'autant plus surprise par sa voix douce et bien modulée, semblable à celle d'un professeur.

— Tu es la marchande de mots ? lui demanda-t-il.

— Pour te servir, murmura-t-elle en sondant la pénombre pour mieux l'entr'apercevoir.

Le Colonel se leva et le faisceau de la torche que portait le Mulâtre l'éclaira en plein visage. La jeune femme découvrit son teint crépusculaire et son regard altier de puma, et elle sut d'emblée qu'elle se trouvait en présence de l'homme le plus seul au monde.

— Je veux devenir Président, lui dit-il.

Il était las de sillonner cette terre maudite au gré de combats inutiles et de défaites qu'aucun subterfuge ne parvenait à transformer en victoires. Cela faisait nombre d'années qu'il dormait à la belle étoile, piqué par les moustiques, se nourrissant de chair d'iguane et de bouillons de couleuvres, mais ces menus inconvénients ne constituaient pas une raison suffisante pour changer de destin. En vérité, ce dont il avait assez, c'était de lire la peur dans le regard des autres. Il aurait aimé entrer dans les villages sous des arcs de triomphe, au milieu des oriflammes bariolées et des fleurs, qu'on l'acclame et lui fasse présent d'œufs frais et de pain sorti du four. Il n'en pouvait plus de voir sur son passage les hommes prendre leurs jambes à leur cou, les enfants trembler, la frayeur faire avorter les femmes, et c'est pourquoi il avait décidé de devenir Président. Le Mulâtre lui avait suggéré de foncer sur la capitale et de forcer l'entrée du Palais au grand galop afin de s'emparer du pouvoir, tout comme ils s'étaient approprié bien d'autres choses sans demander jamais la permission à personne, mais le Colonel se refusait à n'être qu'un tyran de plus, comme il y en avait déjà tant sous ces latitudes, sans compter que ce n'était pas la meilleure façon de s'attirer l'affection des gens. Il avait dans l'idée de se faire désigner par un vote populaire à l'issue des assemblées électorales de décembre.

— Pour cela, j'ai besoin de m'exprimer comme un candidat. Peux-tu me vendre les mots dont on fait un discours ? demanda le Colonel à Belisa Crepusculario.

Elle avait accepté bien des commandes, mais aucune qui ressemblât à celle-ci, mais elle ne s'estima pas en situation de refuser, craignant que le Mulâtre ne lui tirât une balle entre les deux yeux, ou, pis encore, que le Colonel ne se mît à pleurer. Au demeurant, elle éprouvait un profond désir de lui venir en aide, car ce n'était pas pour rien qu'elle avait ressenti un chaud frémissement lui parcourir la peau, une puissante envie de caresser cet homme, de laisser ses mains errer sur lui, de le prendre et le serrer dans ses bras.

Belisa Crepusculario passa toute la nuit et une bonne partie de la matinée du lendemain à chercher dans son répertoire les mots appropriés pour un discours présidentiel, sous l'étroite surveillance du Mulâtre qui ne quittait pas des yeux ses robustes jambes de marcheuse et ses seins virginaux. Elle écarta les mots trop rudes et trop secs, les trop fleuris, ceux qu'un usage abusif avait fanés, ceux qui dispensaient des promesses improbables, ceux qui sonnaient faux, les confus et les ambigus, pour ne conserver que ceux qui étaient susceptibles de toucher en toute certitude l'entendement des hommes et l'intuition des femmes. Mettant à profit les connaissances qu'elle avait achetées pour vingt *pesos* au curé, elle rédigea la harangue sur un bout de papier, puis fit signe au Mulâtre pour qu'il dénouât la corde qui la tenait attachée par les chevilles à un arbre. On la conduisit de nouveau près du Colonel. A le voir, elle ressentit la même bouffée de frémissant désir que lors de leur première rencontre. Elle lui remit le discours et attendit, cependant qu'il contemplait le morceau de papier qu'il tenait du bout des doigts.

— Qu'est-ce que ça dit ? finit-il par demander.

— Tu ne sais pas lire ?

— Tout ce que je sais faire, c'est la guerre, répliqua-t-il.

Elle lut le discours à voix haute. Elle le lui relut deux fois encore, afin que son client pût le graver dans sa mémoire. Quand elle eut terminé, elle découvrit l'émotion qui se peignait sur le visage des hommes rassemblés pour l'écouter, et elle remarqua que l'enthousiasme faisait briller les yeux jaunes du Colonel, convaincu qu'avec de telles paroles, le fauteuil présidentiel ne pouvait lui échapper.

— Si, après l'avoir entendu trois fois, les gars restent encore la bouche ouverte, c'est que ce truc a du bon, Colonel, opina le Mulâtre.

— Combien je te dois pour ton travail ? demanda le chef.

— Un *peso*, Colonel.

— C'est pas cher, fit-il en entrouvrant la bourse qu'il portait pendue à son ceinturon, renfermant les restes de son dernier butin.

— En prime, tu as droit à un cadeau. Il te revient deux mots secrets, lui dit Belisa Crepusculario.

— Comment ça ?

Elle s'employa à lui expliquer que pour chaque paiement de cinquante *centavos*, elle offrait au client un mot à son usage exclusif. Le chef haussa les épaules, car il se moquait bien de ce genre de présent, mais il ne souhaitait pas se montrer discourtois vis-à-vis de quelqu'un qui l'avait si bien servi. Elle s'approcha alors sans hâte du siège en cuir de vache sur lequel il trônait et se pencha pour lui transmettre son cadeau. A ce moment-là, l'homme huma l'odeur de bête des bois qui émanait de cette femme, il sentit la chaleur de fournaise que dégageaient ses hanches, le terrifiant frôlement de sa chevelure, l'haleine de menthe sauvage qui susurrait à son oreille les deux mots secrets auxquels il avait droit.

— Ils sont à toi, Colonel, lui lança-t-elle en s'éloignant. Tu peux t'en servir quand il te semblera bon.

Le Mulâtre raccompagna Belisa jusqu'à l'orée du chemin, sans cesser de la contempler avec des yeux implorants de chien perdu, mais lorsqu'il tendit la main pour la toucher, elle arrêta son geste d'un flot de vocables inventés qui eurent le don de chasser en lui tout désir, car il crut qu'il s'agissait d'une de ces malédictions sur lesquelles il est impossible de revenir.

Durant les mois de septembre, octobre et novembre, le Colonel prononça le discours un si grand nombre de fois que s'il n'avait été confectionné de mots flambant neufs et garantis durables, l'usage aurait eu tôt fait de le réduire en cendres. Il parcourut le pays en tous sens, multipliant les entrées triomphales dans les villes, mais s'arrêtant également dans les hameaux les plus reculés, là où seules quelques traces d'immondices révélaient une présence humaine, pour convaincre le corps électoral de lui apporter ses suffrages. Tandis qu'il parlait, juché sur une estrade au milieu de la place, le Mulâtre et ses hommes distribuaient des bonbons et peignaient son nom sur les murs à l'aide d'une sorte de givre doré, mais nul ne prêtait cas à ces artifices de camelot, car tous étaient éblouis par la clarté de ses propositions et l'éclat poétique de son argumentation, gagnés à leur tour par son formidable désir de corriger les erreurs de l'Histoire et, pour la première fois de leur vie, se laissaient aller à la joie. Au terme de la harangue du candidat, la petite troupe tirait des coups de pistolet en l'air, allumait des pétards, et lorsqu'ils finissaient par se retirer, ils laissaient derrière eux un sillage d'espoir qui restait de nombreux jours à planer dans l'air comme le somptueux souvenir d'une comète. Le Colonel devint vite l'homme politique le plus populaire du pays. C'était un phénomène jamais vu que cet homme surgi de la Guerre civile, couvert de cicatrices et s'exprimant comme un doyen de faculté, dont le prestige gagnait peu à peu tout le territoire national, chavirant le cœur de la Patrie. La presse s'occupa de lui. De loin accoururent les journalistes pour l'interviewer, reproduire ses formules, et ainsi ne fit qu'augmenter le nombre de ses partisans et de ses ennemis.

— Tout va bien pour nous, Colonel, lui dit le Mulâtre au bout de douze semaines de succès ininterrompus.

Mais le candidat ne l'écoutait point. Il se répétait ses deux mots secrets, comme il lui arrivait de le faire de plus en plus souvent. Il les prononçait chaque fois que la nostalgie venait le meurtrir, il les murmurait dans son sommeil, il les emportait avec lui dès qu'il enfourchait sa monture, il les méditait juste avant d'entamer son fameux discours, il se surprenait à les savourer dans ses moments de distraction. Toutes les fois que ces deux mots lui revenaient à l'esprit, il sentait à nouveau la présence de Belisa Crepusculario, et ses sens se troublaient au souvenir de son odeur de bête des bois, de sa chaleur de fournaise, de son terrifiant frôlement, de son haleine de menthe sauvage, tant et si bien qu'il se mit à aller et venir comme un somnambule, et ses propres hommes comprirent alors que sa vie tournerait court avant d'atteindre le fauteuil présidentiel.

— Qu'est-ce qu'il t'arrive, Colonel ? l'interrogea à maintes reprises le Mulâtre, jusqu'à ce qu'un beau jour, n'en pouvant plus, son chef finît par lui avouer que s'il se trouvait dans un état pareil, la faute en était à ces deux mots qu'on lui avait enfoncés dans les entrailles.

— Dis-les-moi pour voir s'ils ne vont pas perdre leur pouvoir, lui demanda son fidèle lieutenant.

— Je ne te les dirai pas, ils n'appartiennent qu'à moi, riposta le Colonel.

Las de voir son chef se défaire comme un condamné à mort, le Mulâtre jeta son fusil sur son épaule et s'en fut à la recherche de Belisa Crepusculario. Il la suivit à la trace à travers l'ample géographie du pays et finit par la retrouver dans un village du Sud, installée sous la toile de tente de son officine, débitant son sempiternel chapelet de nouvelles. Il se planta devant elle, jambes écartées, l'arme au poing.

— Tu viens avec moi, ordonna-t-il.

Elle n'attendait que lui. Elle ramassa son encrier, plia la toile de tente, se couvrit les épaules de son châle et monta sans mot dire sur la croupe de son cheval. Ils n'échangèrent pas le moindre signe de tout le trajet, car le désir qu'avait d'elle le Mulâtre s'était mué en rage, et seule la terreur que lui inspirait sa langue bien pendue le dissuadait de la massacrer à coups de fouet. Il n'était pas davantage disposé à lui raconter que le Colonel errait comme une âme en peine, et que ce que tant d'années de combats n'avaient pas réussi à faire, un sortilège susurré à son oreille y était parvenu. Trois jours plus tard, ils arrivèrent au campement et il conduisit aussitôt sa prisonnière jusqu'au Colonel, devant toute la troupe rassemblée.

— Je t'ai ramené cette sorcière pour que tu lui restitues ses mots, Colonel, et pour qu'en retour elle te rende ta virilité, fit-il en appuyant le canon de son fusil contre la nuque de la fille.

Le Colonel et Belisa Crepusculario s'entre-regardèrent longuement, se jaugeant à distance. Mais quand elle s'avança et lui prit la main, à voir les yeux carnassiers du puma se remplir d'une infinie douceur, les hommes comprirent que leur chef ne pourrait jamais se délivrer du maléfice de ces deux mots démoniaques.

Une petite perverse

A onze ans, Elena Mejías était encore un jeune chiot sous-alimenté avec sa peau sans éclat d'enfant solitaire, les brèches de sa bouche dues à une dentition tardive, ses cheveux souris, et une ossature saillante qui paraissait disproportionnée pour sa taille, menaçant de percer aux genoux et aux coudes. Rien dans son allure ne laissait soupçonner ses rêves torrides ni deviner la créature passionnée qu'elle était en réalité. Elle passait inaperçue parmi le mobilier quelconque et les rideaux fanés de la pension que tenait sa mère. Elle n'était rien d'autre qu'une petite chatte mélancolique jouant au milieu des géraniums poussiéreux et des hautes fougères de la courette intérieure, ou bien encore transitant du fourneau de la cuisine aux tables de la salle à manger avec les assiettes du dîner. Rares étaient les fois où un client la remarquait et s'il le faisait, c'était uniquement pour lui ordonner de répandre de l'insecticide sur les nids de cafards ou d'aller remplir le broc du cabinet de toilette quand la carcasse cliquetante de la pompe refusait de faire monter l'eau jusqu'à l'étage. Épuisée par la chaleur et les travaux domestiques, sa mère n'avait pas le cœur à lui prodiguer des marques de tendresse, ni même le temps de la regarder, si bien que le jour où Elena commença à se métamorphoser en un être différent, elle ne se rendit compte de rien. Durant sa prime enfance, ç'avait été une petite fille timide et taciturne, s'amusant toute la sainte journée à des jeux mystérieux, parlant toute seule dans les coins et suçant son pouce. Elle ne sortait que pour se rendre à l'école ou au marché et ne semblait prêter aucun intérêt à la meute turbulente des gosses de son âge qui jouaient dans la rue.

La transformation d'Elena Mejías coïncida avec l'arrivée de Juan José Bernal, le Rossignol, comme lui-même s'était surnommé et comme le proclamait l'affiche qu'il avait punaisée au mur de sa chambre. Les pensionnaires étaient composés en majorité d'étudiants et d'employés de quelque obscure succursale de l'administration. Des messieurs-dames comme il faut, disait la mère qui se glorifiait de ne point accepter n'importe qui sous leur toit, uniquement des personnes de valeur exerçant une activité connue, des gens de bonnes vie et mœurs, suffisamment solvables pour verser le mois d'avance et disposés à se conformer au règlement de la pension, plus proche de celui d'un séminaire que des usages d'un hôtel. Une veuve doit veiller à sa réputation et savoir se faire respecter, je ne veux pas que mon établissement devienne un repaire de vagabonds et de dépravés, répétait à tout bout de champ la mère, afin que personne — Elena moins que tout autre — ne vînt à l'oublier. Une des tâches de la fillette consistait à surveiller les hôtes et à mettre sa mère au courant du moindre détail suspect. Ce travail d'espionne n'avait fait qu'accentuer son côté incorporel : sa présence silencieuse se fondait dans l'ombre des chambres, puis elle réapparaissait subitement, comme finissant par s'en revenir de sphères invisibles. Mère et fille s'activaient de concert aux multiples besognes de la pension, chacune s'immergeant dans sa routine muette, sans nul besoin de communiquer avec l'autre. Elles se parlaient en vérité fort peu, et quand elles le faisaient, profitant du répit de l'heure de la sieste, c'était à propos des clients. Elena s'efforçait parfois d'enjoliver l'existence grisâtre de ces hommes et de ces femmes de passage, transitant par chez elles sans y laisser de souvenirs ; elle les gratifiait de tel ou tel événement extraordinaire, les peignant en couleurs grâce au cadeau d'amours clandestines ou de quelque drame, mais sa mère avait un flair infaillible pour détecter ses affabulations. Elle devinait pareillement si sa fille lui dissimulait quelque information. Dotée d'un implacable sens pratique, elle avait une notion fort claire de ce qui se passait sous son toit, savait avec exactitude ce que chacun faisait à toute heure du jour et de la nuit, la quantité de sucre restant dans le garde-manger, pour qui sonnait le téléphone et en quel endroit était fourrée la paire de ciseaux. Ç'avait été une femme gaie et presque jolie dont les robes grossières avaient du mal à contenir l'impatience d'un corps encore juvénile, mais cela faisait maintenant tant d'années qu'elle se laissait absorber par mille détails mesquins que sa fraîcheur d'esprit et son goût de vivre avaient fini par s'étioler. Pourtant, quand Juan José Bernal débarqua en demandant à louer une chambre, tout changea brusquement pour elle aussi bien que pour Elena. Séduite par l'élocution prétentieuse du Rossignol et les indices de célébrité figurant sur l'affiche, la mère enfreignit ses propres règles et l'accepta comme pensionnaire, bien qu'il ne correspondît en rien à son image du client idéal. Bernal déclara qu'il chantait de nuit et devait subséquemment se reposer durant le jour, qu'il n'avait pas de travail pour le moment et ne pouvait donc régler le mois d'avance, qu'il était très vétilleux en matière d'habitudes alimentaires et d'hygiène, car il était végétarien et avait besoin de ses deux douches quotidiennes. Tout ébahie, Elena vit sa mère coucher sans commentaires le nouveau pensionnaire sur son registre, puis le conduire jusqu'à sa

chambre en coltinant avec peine sa lourde valise, cependant que lui-même portait sa guitare dans son étui et le
tube en carton où il conservait sa précieuse affiche.
Rasant le mur, la fillette les suivit dans l'escalier et ne
put s'empêcher de remarquer l'intérêt intense avec lequel
leur nouvel hôte considérait le tablier de percale collé au
fessier en sueur de sa mère. En pénétrant dans la
chambre, Elena appuya sur le bouton et les grandes pales
du ventilateur se mirent à tourner au plafond avec des
stridences de ferraille oxydée.

A compter de cet instant furent bouleversées les
habitudes de la maison. Le travail supplémentaire ne
manqua pas, puisque Bernal dormait alors que tous les
autres vaquaient à leurs occupations, qu'il occupait des
heures durant le cabinet de toilette, qu'il consommait des
quantités abasourdissantes d'une nourriture de lapin qu'il
fallait faire cuire à part, qu'il utilisait le téléphone à tout
instant et branchait le fer pour repasser ses chemises de
joli cœur sans que la propriétaire de la pension lui
réclamât des suppléments. Elena s'en revenait de l'école
alors que plombait le plein soleil de la sieste, quand la
journée s'alanguissait sous le terrible éclat d'une lumière
blanche, mais, à cette heure, leur hôte était déjà dans son
premier sommeil. Par ordre de sa mère, elle ôtait ses
sandales pour ne pas violer le repos artificiel qui paraissait
tenir en suspens la maisonnée entière. Jour après jour, la
fillette se rendit compte à quel point sa mère changeait.
Les signes lui en furent perceptibles dès le début, bien
avant que les autres occupants de la pension ne se
missent à chuchoter dans son dos. Ce fut d'abord l'odeur,
un tenace arôme de fleurs qui émanait de cette femme et
restait à flotter dans l'atmosphère des pièces par où elle
passait. Elena connaissait le moindre recoin de la demeure
et sa longue habitude de l'espionnage lui permit de
découvrir le flacon de parfum derrière les paquets de riz

et les boîtes de conserve de la réserve. Puis elle remarqua le trait de crayon foncé sur ses paupières, la touche de rouge sur ses lèvres, ses dessous neufs, son sourire immédiat dès que Bernal finissait par descendre à la tombée du jour, sortant de la douche, le cheveu encore humide, et venait s'asseoir à la cuisine pour engloutir ses singuliers ragoûts de fakir. La mère prenait place en face de lui et il lui narrait des épisodes de sa vie d'artiste, soulignant chacune de ses polissonneries d'un rire sonore qui lui montait du ventre.

Les premières semaines, Elena prit en grippe cet homme qui accaparait tout l'espace de leur maison et toute l'attention de sa mère. Lui étaient odieux l'aspect poisseux de ses cheveux brillantinés, ses ongles vernis, sa manie de se curer les dents avec un fin bâtonnet, aussi bien que sa pédanterie et l'aplomb avec lequel il se faisait servir. Elle se demandait ce que sa mère pouvait bien lui trouver : ce n'était qu'un aventurier de troisième zone, un chanteur de bar miteux dont personne n'avait entendu parler, peut-être même un souteneur, ainsi que l'avait suggéré à voix basse Mlle Sofia, une des plus anciennes pensionnaires. Mais voici que, par un chaud après-midi de dimanche, alors qu'il n'y avait rien à faire et que les heures semblaient s'être arrêtées de tourner entre les murs de la maison, Juan José Bernal fit irruption dans la cour avec sa guitare, s'installa sur un banc à l'ombre du figuier et se mit à gratter les cordes de son instrument. Les sonorités attirèrent tous les pensionnaires qui se montrèrent l'un après l'autre, d'abord avec une certaine timidité, sans bien comprendre l'origine de ce charivari ; puis, enthousiasmés, ils déménagèrent les chaises de la salle à manger et vinrent faire cercle autour du Rossignol. L'homme avait une voix plutôt vulgaire, mais chantait juste et non sans grâce. Il connaissait tous les vieux boléros et les airs folkloriques du répertoire mexicain, ainsi que des chants de guerre semés de blasphèmes et de gros mots qui firent rougir les femmes. Aussi loin que la fillette pouvait se souvenir, c'était la première fois que régnait à la pension une atmosphère de fête. Quand la nuit se mit à tomber, on alluma deux lampes à pétrole pour les suspendre aux branches et on apporta des canettes de bière ainsi que la bouteille de rhum réservée au traitement des coups de froid. Elena fit le service en tremblant, elle ressentait les paroles de dépit des chansons et les plaintes de la guitare dans chaque fibre de son corps, comme une fièvre maligne. Sa mère battait la mesure avec un pied. Puis elle se leva soudain, la prit par les mains et toutes deux se mirent à danser, imitées aussitôt par les autres, y compris Mlle Sofia, toute minaudante et secouée de rires nerveux. Pendant un certain temps, Elena se mut au rythme de la voix de Bernal, serrée contre le corps de sa mère, respirant son odeur nouvelle de fleurs, pleinement heureuse. Bientôt, cependant, elle remarqua que sa mère la repoussait insensiblement, se détachait d'elle pour continuer seule. Les yeux clos, la tête rejetée en arrière, elle ondulait à présent comme un drap séchant sous un vent léger. Elena s'éloigna et, peu à peu, les autres regagnèrent à leur tour leurs sièges, laissant la patronne de la pension évoluer seule au milieu du patio, abîmée dans sa danse.

A compter de cette soirée-là, Elena regarda Bernal avec des yeux nouveaux. Elle oublia qu'elle détestait sa brillantine, son cure-dents et son arrogance ; à le voir passer ou à l'écouter parler, elle se remémorait les airs de cette fête improvisée, la peau de nouveau en feu, l'âme de nouveau troublée, en proie à une fièvre sur laquelle elle ne savait mettre de nom. Elle l'observait de loin en catimini, et c'est ainsi qu'elle découvrit tout ce qu'elle avait été incapable de voir auparavant : ses épaules, son cou large et puissant, la courbe sensuelle de ses lèvres épaisses, sa denture parfaite, l'élégance de ses mains longues et fines. Elle fut saisie d'une insupportable envie de s'approcher de lui pour enfouir son visage contre son torse brun, écouter la vibration de l'air dans ses poumons et le bruit de son cœur, inhaler son odeur, une odeur qu'elle savait sèche et pénétrante comme celle du cuir tanné ou du tabac. Elle s'imaginait jouant avec ses cheveux, palpant les muscles de son dos et de ses cuisses, explorant la forme de ses pieds, se transformant elle-même en fumée pour s'introduire dans sa gorge et l'envahir tout entier. Mais si l'homme venait à lever les yeux et à rencontrer les siens, Elena courait se cacher dans le buisson le plus éloigné du jardin, tremblant de tous ses membres. Bernal s'était rendu maître de toutes ses pensées, elle ne pouvait plus supporter l'immobilité du temps passé loin de lui. A l'école, elle évoluait comme dans un cauchemar, aveugle et sourde à tout en dehors de ces images intérieures où elle ne voyait que lui. Que faisait-il à cet instant précis ? Peut-être dormait-il sur le ventre, étendu sur son lit, les persiennes closes, sa chambre plongée dans la pénombre, l'air chaud brassé par les pales du ventilateur, un sillon de sueur le long de sa colonne vertébrale, le visage enfoui dans l'oreiller. Dès le premier coup de cloche annonçant la fin des cours, elle courait jusqu'à la maison, priant qu'il ne se fût pas encore réveillé, qu'elle ait encore le temps de se faire un brin de toilette, de passer une robe propre et d'aller l'attendre, assise à la cuisine, feignant de faire ses devoirs afin que sa mère ne l'accable pas de corvées domestiques. Puis, quand elle l'entendait sortir en sifflotant de la salle d'eau, l'impatience et la panique la mettaient à deux doigts de rendre l'âme, convaincue qu'elle mourrait d'un transport de joie s'il venait à la toucher ou même seulement à lui parler, brûlant que cela arrive mais en même temps prête à disparaître entre les meubles, incapable de vivre sans lui mais tout aussi incapable d'endurer sa brûlante présence. Avec discrétion, elle le suivait partout pas à pas, le servait en veillant au moindre détail, devinait ses désirs afin de lui prodiguer tout ce dont il avait besoin avant même qu'il le demandât, mais elle ne cessait de se mouvoir comme une ombre de sorte que son existence passât inaperçue.

Le nuit venue, Elena ne parvenait pas à trouver le sommeil, puisqu'il avait quitté la maison. Elle abandonnait son hamac et s'en allait errer comme un fantôme à l'étage, rassemblant tout son courage pour s'introduire en catimini dans la chambre de Bernal. Elle refermait la porte derrière elle et entrouvrait les persiennes afin de laisser les reflets de la rue pénétrer et baigner de leur éclat les cérémonies qu'elle avait conçues en vue de s'approprier les lambeaux d'âme dont les objets personnels de cet homme restaient imprégnés. Dans la glace noire et lustrée comme une flaque de boue, elle se contemplait longuement : lui-même s'y étant miré, les empreintes des deux images avaient quelque chance de se superposer et de s'étreindre. Elle s'approchait de la surface de verre, les yeux écarquillés, se voyant elle-même avec ses yeux à lui, déposant sur ses propres lèvres un baiser dur et froid mais qu'elle se figurait brûlant comme une bouche d'homme. Elle sentait le contact du miroir contre sa poitrine, les minuscules cerises de ses seins se durcir, lui donnant à éprouver une douleur sourde qui descendait en elle pour s'installer en un point précis situé entre ses cuisses. Elle cherchait coup sur coup à faire renaître cette douleur. Elle sortait de l'armoire une des chemises et les bottes de Bernal, dont elle s'affublait. Avec d'infinies précautions, elle faisait quelques pas dans la chambre, veillant à ne point faire de bruit. Ainsi vêtue, elle farfouillait dans ses tiroirs, se peignait avec son peigne, suçait sa brosse à dents, léchait son savon à barbe, caressait son linge sale. Puis, sans savoir ce qui la poussait à agir de la sorte, elle ôtait la chemise et les bottes et s'étendait nue sur le lit de Bernal, humant goulûment son odeur, invoquant sa chaleur pour s'y emmitoufler. Ses doigts parcouraient chaque pouce de son corps, à commencer par la forme bizarre de son crâne, les cartilages translucides de ses oreilles, les orbites de ses yeux, la cavité de sa bouche, et ainsi de suite vers le bas, dessinant les os, les plis, les angles et les courbes de ce puzzle insignifiant auquel elle se réduisait ; elle aspirait à devenir énorme, lourde et dense comme une baleine, elle s'imaginait en train de se remplir d'un doux liquide poisseux comme du miel, gonflant et grandissant aux dimensions d'une gigantesque poupée jusqu'à envahir tout le lit, toute la chambre, toute la maison de son corps turgescent. Épuisée, il lui arrivait de s'endormir quelques minutes, en larmes.

Un samedi matin, depuis la fenêtre, Elena vit Bernal s'approcher par-derrière de sa mère occupée à laver du linge, penchée sur le baquet. L'homme posa la main sur sa taille et la femme ne bougea pas, comme si cette main pesante avait fait partie intégrante de son corps. Malgré la distance, rien n'échappa à Elena du geste d'appropriation de l'homme, de l'attitude de reddition de sa mère, de ce courant d'intimité qui les unissait aux termes d'un formidable secret. La fillette sentit une poussée de sueur la tremper de la tête aux pieds, elle ne pouvait plus respirer, son cœur était comme un oiseau affolé entre ses côtes, ses mains et ses pieds parcourus de coups d'aiguille comme si son sang bouillonnant allait lui jaillir par le bout des doigts. A compter de ce jour, elle se mit à espionner sa mère.

L'une après l'autre, elle découvrit les preuves qu'elle recherchait, d'abord de simples regards, un bonjour trop prolongé, un sourire de connivence, le soupçon que leurs genoux se rencontraient sous la table ou qu'ils inventaient des prétextes pour rester en tête à tête. Une nuit, enfin, alors qu'elle s'en revenait de la chambre de Bernal où elle avait accompli ses rituels d'amoureuse, elle entendit comme un bruit d'eaux souterraines en provenance de la chambre de sa mère, et elle comprit alors que pendant tout ce temps, tandis qu'elle le croyait en train de gagner son pain à chanter de nuit, Bernal se trouvait de l'autre côté du couloir, et tandis qu'elle couvrait de baisers l'empreinte qu'il avait laissée dans le miroir, qu'elle reniflait les traces de son passage dans les draps, il était tout bonnement avec sa mère. Grâce au savoir-faire qu'elle avait acquis au bout de tant d'années pour se rendre invisible, elle traversa la porte fermée et les vit abandonnés au plaisir. L'abat-jour à franges du lampadaire diffusait une lumière tiède qui lui révéla les amants au lit. Sa mère s'était métamorphosée en une créature ronde et rose, opulente et gémissante, une ondulante anémone de mer toute en tentacules et en ventouses, en bouche et mains et cuisses et orifices, roulant et s'enroulant, collée au grand corps de Bernal qui, par contraste, lui parut rigide et gauche, agité de mouvements spasmodiques, comme un bout de bois secoué par une inexplicable bourrasque. Jusqu'alors, la fillette n'avait jamais vu un homme nu, et ses singularités la laissèrent interdite. Le sexe masculin lui parut si empreint de brutalité qu'il lui fallut un certain temps pour surmonter son épouvante et se contraindre à le regarder. Bientôt, cependant, face à cette scène, sa fascination fut la plus forte et elle put la contempler avec toute l'attention requise pour apprendre de sa mère les gestes qui avaient réussi à lui ravir Bernal, gestes plus efficaces que tout son amour à elle, que toutes ses prières, ses rêves, ses appels silencieux, ses cérémonies magiques pour le convoquer à ses côtés. Elle était persuadée qu'en ces caresses et ces chuchotements résidait la clé du mystère et que si elle parvenait à les faire siens, Juan José Bernal viendrait partager le hamac qu'elle suspendait chaque nuit à deux crochets dans la chambre aux armoires.

Elena passa les jours suivants dans un état crépusculaire. Elle perdit tout intérêt pour ce qui l'entourait, y compris pour Bernal lui-même qui ne fit plus qu'occuper un compartiment réservé dans sa tête, et elle sombra dans une réalité fantastique qui se substitua complètement au monde des vivants. Elle continua d'accomplir les gestes quotidiens par la seule force de l'habitude, mais son âme était absente de tout ce qu'elle faisait. Quand sa mère remarqua son manque d'appétit, elle le mit au compte de l'approche de la puberté, bien qu'Elena fût à l'évidence trop jeune encore, et elle prit le temps de la faire asseoir en face d'elle pour la mettre au courant de la mauvaise blague d'être née femme. La fillette écouta dans un silence fourbe le fastidieux discours sur les malédictions bibliques et le sang menstruel, convaincue qu'une chose pareille ne lui arriverait jamais à elle.

Le mercredi, pour la première fois en près d'une semaine, Elena se sentit faim. Elle s'introduisit dans la réserve, armée d'un ouvre-boîte et d'une cuillère, engloutit le contenu de trois boîtes de petits pois, puis ôta son habit de cire rouge à un fromage de Hollande qu'elle croqua comme une pomme. Elle se précipita aussitôt au jardin et, pliée en deux, vomit un salmigondis verdâtre sur les géraniums. Le mal au ventre et le goût aigre dans la bouche lui rendirent le sens des réalités. Cette nuit-là, elle dormit paisiblement, entortillée dans son hamac, suçant son pouce comme au temps du berceau. Le jeudi, elle se réveilla toute fringante, aida sa mère à préparer le café pour les pensionnaires, puis prit son petit déjeuner avec elle à la cuisine avant de partir en classe. Parvenue à l'école, en revanche, elle se plaignit de fortes crampes d'estomac et fit tant et si bien, se tordant sur son banc, demandant la permission d'aller aux toilettes, qu'au bout de la première moitié de la matinée, la maîtresse l'autorisa à retourner chez elle.

Elena fit un long crochet pour éviter les rues du quartier et s'approcha de la maison par le mur de derrière qui donnait sur un ravin. Elle parvint à franchir le mur et à sauter dans le jardin en courant moins de risques qu'elle ne s'y fût attendue. Elle avait calculé qu'à cette heure, sa mère était au marché, et comme c'était le jour du poisson frais, elle mettrait un bon moment avant de revenir. A la maison ne se trouvaient que Juan José Bernal et Mlle Sofia, laquelle n'allait pas travailler depuis une semaine à cause d'une crise d'arthrite.

Elena dissimula ses livres et ses souliers sous un massif de fleurs et se faufila dans la maison. Elle gravit l'escalier, collée au mur, retenant sa respiration, jusqu'à ce qu'elle entendît la radio tonitruer dans la chambre de Mlle Sofia, ce qui la rassura. La porte de Bernal céda immédiatement. L'intérieur était plongé dans l'obscurité et comme elle venait de quitter le soleil matinal qui resplendissait au-dehors, elle resta un long moment sans rien distinguer, mais elle connaissait la chambre par cœur, elle en avait arpenté l'espace à maintes reprises, savait l'emplacement de chaque objet, en quel endroit précis le parquet craquait, à combien de pas de la porte se trouvait le lit. Malgré tout, elle attendit que sa vue s'accoutumât à la pénombre et que se dessinât le contour des meubles. Au bout de quelques instants, elle put distinguer également l'homme étendu sur le lit. Il n'était pas couché sur le ventre, comme elle se l'était représenté tant et tant de fois, mais sur le dos, par-dessus les draps, vêtu d'un simple caleçon, un bras déployé, l'autre ramené sur sa poitrine, une grosse mèche de cheveux rabattue sur les yeux. Elena sentit d'un seul coup toute la peur et l'impatience accumulées en elle jour après jour disparaître sans laisser en elle la moindre trace, comme nettoyée et habitée par le calme de celle qui sait ce qu'il lui reste à faire. Elle eut l'impression d'avoir déjà vécu un pareil instant à de nombreuses reprises, observa qu'il n'y avait rien à redouter, qu'il ne s'agissait après tout que d'une cérémonie un tantinet différente des précédentes. Elle se débarrassa à gestes lents de son uniforme d'écolière, mais ne poussa pas l'audace jusqu'à ôter sa culotte de coton. Elle s'approcha. Elle pouvait déjà mieux contempler Bernal. Elle s'assit au bord du lit, à faible distance de la main de l'homme, s'arrangeant pour que son poids n'ajoutât pas le moindre pli à ceux qui marquaient les draps, elle se pencha insensiblement jusqu'à ce que son visage se trouvât à quelques centimètres du sien et qu'elle fût à même de sentir la chaleur de son souffle et l'odeur douceâtre de son corps, et c'est avec d'infinies précautions qu'elle s'étendit à ses côtés, dépliant chaque jambe avec soin pour ne pas le réveiller. Elle attendit, prêtant l'oreille au silence de la chambre, puis elle se décida à poser sa main sur le ventre de l'homme en une caresse quasi imperceptible. Ce contact propagea en elle une vague de chaleur suffocante et elle crut que les battements de son cœur, résonnant dans toute la maison, allaient le tirer du sommeil. Elle eut besoin de plusieurs minutes pour recouvrer ses esprits et quand elle eut constaté qu'il ne bougeait toujours pas, elle se détendit et laissa sa main reposer de tout son poids, si léger, en fait, qu'il ne troubla en rien le repos de Bernal. Elena se souvint des gestes qu'elle avait vu sa mère accomplir et tout en glissant ses doigts sous l'élastique du caleçon, elle chercha la bouche de l'homme et y appliqua ses lèvres comme elle l'avait fait tant de fois face au miroir. Encore endormi, Bernal gémit et enlaça d'un bras la fillette cependant que son autre main s'emparait de la sienne pour la guider et que ses lèvres s'entrouvraient pour lui rendre son baiser, tout en murmurant le prénom de sa maîtresse. Elena l'entendit nommer sa mère, mais, au lieu de se dégager, elle se blottit encore plus étroitement contre lui. Bernal la prit par les hanches, la fit venir et l'installa sur lui en même temps qu'il amorçait les premiers mouvements de l'amour. Ce n'est qu'à ce moment-là, sentant l'extrême fragilité de ce squelette d'oiseau contre sa poitrine, qu'un éclair de lucidité perça la brume cotonneuse du sommeil et qu'il ouvrit les yeux. Elena sentit le corps de l'homme se rétracter, elle se sentit empoignée par la peau du cou et repoussée avec une telle violence qu'elle se retrouva sur le plancher, mais elle se redressa et revint vers lui pour le prendre à nouveau dans ses bras. Bernal lui envoya une torgnole en pleine figure et bondit au bas du lit, terrorisé par Dieu sait quels tabous et cauchemars immémoriaux.

— Perverse, petite perverse ! vociféra-t-il.

La porte s'ouvrit et Mlle Sofia apparut sur le seuil.

Elena passa les sept années suivantes dans un internat de bonnes sœurs, puis trois de plus dans une université de la capitale, avant d'être admise à travailler dans une banque. Entre-temps, sa mère avait épousé son amant et tous deux avaient continué à gérer la pension de famille jusqu'à ce qu'ils eussent réuni des économies suffisantes pour se retirer dans une petite maison de campagne où ils cultivaient œillets et chrysanthèmes pour les vendre en ville. Le Rossignol avait suspendu son affiche dans un cadre doré, mais jamais il ne rechanta nuitamment en public, ce dont nul ne se plaignit. Jamais il n'accompagnait sa femme quand celle-ci rendait visite à sa belle-fille, pas plus qu'il ne demandait de ses nouvelles, afin de ne pas remuer ses propres incertitudes, mais il se reprenait souvent à penser à elle. L'image de la fillette était demeurée intacte en lui, les années ne l'avaient point effleurée, elle continuait d'être cette enfant luxurieuse, réduite à quia par l'amour, qu'il avait repoussée. En fait, au fur et à mesure que passaient les années, le souvenir de ces os ténus, de cette menotte sur son ventre, de cette langue de bébé dans sa bouche, ne faisait que grandir, au point de tourner à l'obsession. Lorsqu'il enlaçait le corps alourdi de sa femme, il lui fallait se concentrer sur ces visions d'Elena, l'invoquer avec minutie pour réveiller l'élan de jour en jour plus relâché du plaisir. L'âge venant, il se rendait dans les magasins de confection pour enfants et faisait l'emplette de petites culottes de coton pour prendre son plaisir en les caressant tout en se caressant lui-même. Puis il avait honte de ces instants d'égarement et il brûlait ces petites culottes ou les enterrait profondément au jardin dans une vaine tentative pour chasser leur souvenir de son esprit. Lui vint le goût de rôder autour des écoles et des jardins publics pour reluquer à distance les fillettes impubères qui ressuscitaient pour lui, l'espace de quelques instants trop fugaccs, l'abîme de cct inoubliable jeudi.

Elena avait vingt-sept ans quand elle remit pour la première fois les pieds chez sa mère afin de lui présenter son fiancé, un capitaine de l'armée qui la suppliait depuis un siècle de bien vouloir l'épouser. Par une de ces fraîches fins d'après-midi de novembre, les jeunes gens débarquèrent, lui vêtu en civil afin de ne point trop jouer les prétentieux en s'exhibant en tenue militaire, elle les bras chargés de cadeaux. C'est avec des transes d'adolescent que Bernal avait attendu cette visite. Il s'était inlassablement miré dans la glace, scrutant sa propre image, se demandant si Elena y verrait des changements ou si, dans son esprit à elle, le Rossignol était demeuré à l'abri des outrages du temps. Il s'était préparé à cette rencontre en choisissant chacun de ses mots et en imaginant toutes les réponses possibles. La seule chose qui ne lui avait pas effleuré l'esprit, c'est qu'en lieu et place de la créature de feu pour qui il avait passé sa vie à se tourmenter pourrait apparaître devant lui une femme aussi réservée qu'insipide. Bernal se sentit floué.

A la tombée de la nuit, quand se fut dissipée l'euphorie des retrouvailles et que mère et fille eurent échangé les dernières nouvelles, on sortit les chaises au jardin pour prendre le frais. Dans l'air flottait l'odeur des œillets. Bernal proposa de déboucher une bouteille de vin et Elena le suivit pour chercher des verres. L'espace de quelques minutes, ils se retrouvèrent seuls, face à face dans l'étroite cuisine. Alors l'homme qui avait attendu si longtemps cette occasion retint la femme par un bras et lui débita que tout cela n'avait été qu'un terrible malentendu, qu'il dormait à poings fermés, ce matin-là, qu'il ignorait ce qu'il avait bien pu faire, qu'il n'avait au grand jamais voulu la flanquer par terre ni la traiter ainsi, qu'elle voulût bien le prendre en commisération et lui accorder son pardon afin de voir s'il pourrait ainsi recouvrer son bon sens, car durant toutes ces années l'ardente envie qu'il avait d'elle l'avait harcelé sans relâche, lui consumant les sangs et lui corrompant l'esprit. Elena le regarda d'un air ébahi, ne sachant quoi répondre. De quelle petite perverse voulait-il parler ? Pour elle, l'enfance était devenue une période très reculée et la douleur de ce premier amour repoussé était restée bloquée dans quelque casier hermétique de sa mémoire. Elle ne gardait aucun souvenir de ce lointain jeudi.

Clarisa

Clarisa était née à l'époque où la lumière électrique n'existait pas encore en ville, elle put voir à la télévision le premier astronaute faire de la lévitation à la surface de la lune, et elle mourut de stupéfaction lors du voyage du pape, quand les homosexuels vinrent à sa rencontre déguisés en bonnes sœurs. Son enfance s'était déroulée parmi les pieds de fougères, le long de couloirs éclairés avec des lampes à huile. Les jours passaient lentement en ce temps-là. Jamais Clarisa ne put s'adapter aux trépidations des temps modernes, j'avais toujours l'impression qu'elle était restée confinée dans les tonalités sépia de quelque portrait d'un autre siècle. Je suppose qu'il fut une époque où elle arbora une taille virginale, un port gracieux, un profil de médaillon, mais, lorsque je la connus, c'était déjà une vieille dame indigne aux épaules voûtées comme deux bosses légères, sa tête altière couronnée par un kyste sébacé pareil à un œuf de tourterelle, autour duquel elle enroulait ses cheveux neigeux. Elle avait un regard espiègle et pénétrant capable d'aller sonder la noirceur la mieux enfouie et d'en revenir intact. Au fil de ses longues années, elle s'était acquis une réputation de sainte et maintenant qu'elle est morte, nombreux sont ceux qui ont encore sa photo sur quelque autel domestique, à côté d'autres vénérables figures, pour implorer son aide en cas de petites difficultés, bien que son prestige de faiseuse de miracles ne soit pas reconnu par le Vatican et ne soit assurément pas près de l'être, car les bienfaits qu'elle dispense sont d'une nature un peu fantasque : elle ne guérit pas les aveugles, comme sainte Lucie, ni n'aide les célibataires à trouver chaussure à leur pied, comme saint Antoine, mais on raconte qu'elle aide à surmonter la gueule de bois, les vicissitudes de la conscription, l'affût de la solitude. Ses prodiges sont on ne peut plus modestes et aléatoires, mais tout aussi indispensables que les ostentatoires miracles des saints de cathédrale.

Je l'ai connue alors qu'adolescente, je travaillais comme domestique chez la Madame, une belle-de-nuit, ainsi qu'elle appelait celles qui exerçaient ce métier. A cette époque, c'était déjà presque un pur esprit, elle paraissait toujours sur le point de décoller du sol et de s'envoler par la fenêtre. Elle avait des mains de guérisseuse et ceux qui ne pouvaient se payer le médecin ou qui avaient perdu leurs illusions sur la science traditionnelle attendaient leur tour d'être soulagés par elle de leurs douleurs ou consolés des coups du sort. Ma patronne la faisait venir de temps à autre pour qu'elle lui impose les mains dans le dos. Clarisa en profitait pour asticoter l'âme de la Madame dans le but de redresser le cours de son existence et de la conduire sur les chemins du Seigneur, chemins que l'autre n'était aucunement pressée de fouler dans la mesure où pareille décision eût fait péricliter son commerce. Clarisa lui communiquait la chaleur curative de ses paumes pendant dix à quinze minutes, selon l'intensité de la douleur, puis elle acceptait un jus de fruit en récompense de ses services. Assises face à face à la cuisine, les deux femmes bavardaient sur l'humain et le divin, ma patronne plutôt portée sur l'humain, Clarisa plutôt sur le divin, sans enfreindre les règles de la tolérance ni les bonnes manières. Sur ces entrefaites, je vins à changer d'emploi et perdis de vue Clarisa jusqu'à ce que, deux décennies plus tard, nous nous rencontrions de nouveau et puissions renouer l'amitié qui nous a unies jusqu'au jour d'aujourd'hui, balayant désormais les obstacles qui s'interposaient entre nous, y compris celui de sa propre mort, même si celle-ci est venue perturber quelque peu nos communications.

Même à l'époque où la vieillesse l'empêchait de se déplacer avec sa fougue missionnaire d'antan, Clarisa fit preuve de la même constance à secourir son prochain, parfois même contre la volonté des bénéficiaires, comme c'était le cas des jules de la rue de la République qui devaient endurer, pour leur plus grande pénitence, les harangues publiques de cette bonne dame dans son inaltérable souci de les racheter. Clarisa se défaisait de tout ce qui lui appartenait pour le donner aux nécessiteux, elle ne possédait généralement que les effets qu'elle portait sur elle et, vers la fin de sa vie, elle avait de plus en plus de mal à trouver des pauvres plus pauvres qu'elle. La charité faisait alors des allers et retours et on ne savait plus très bien qui donnait et qui recevait.

Elle logeait dans une grande masure délabrée à trois niveaux comportant quelques pièces vides et d'autres louées comme entrepôt à un marchand de spiritueux, si bien qu'un aigre remugle de pochard imprégnait toute l'atmosphère. Elle se refusait à quitter cette habitation, héritage de ses parents, parce qu'elle lui rappelait le temps de ses ancêtres et parce que depuis plus de quarante ans, son mari s'y était enterré vivant, dans une pièce au fond du jardin. Cet homme avait été juge dans une lointaine province, métier qu'il avait exercé avec dignité jusqu'à la naissance de son second enfant ; la déception lui ôta alors toute envie d'affronter son destin et il se claquemura comme une taupe dans le terrier malodorant de sa chambre. Il ne la quittait que très rarement, comme une ombre fugitive, et n'entrebâillait sa porte que pour sortir son pot de chambre et prendre la nourriture que sa femme lui déposait chaque jour. Il communiquait avec elle par notes rédigées de son impeccable écriture et par des coups donnés dans la porte : deux pour oui, trois pour non. A travers la cloison de son cabanon, on pouvait entendre son graillement d'asthmatique et des grossièretés de boucanier dont on ne savait de science certaine à qui elles étaient destinées.

« Pauvre homme, puisse le Seigneur le rappeler à Lui au plus vite et le mettre à chanter dans un chœur d'anges ! » soupirait Clarisa sans la moindre trace d'ironie ; mais la souhaitable disparition de son époux ne fit pas partie des grâces que lui dispensa la Divine Providence : il lui a survécu jusqu'aujourd'hui, bien qu'il doive avoir dépassé cent ans, à moins qu'il n'ait rendu l'âme et que les accès de toux et les malédictions que l'on entend ne soient l'écho de ceux d'hier.

Clarisa l'avait épousé parce qu'il avait été le premier à le lui demander ; quant à ses parents, il leur sembla qu'un juge était le meilleur parti possible. Elle quitta le sobre bien-être du toit paternel et se fit à l'avarice et à la vulgarité de son mari sans prétendre à un sort meilleur. La seule fois qu'on l'entendit émettre un propos nostalgique sur les raffinements de son existence passée, ce fut au sujet d'un piano à queue dont elle se délectait, enfant. C'est ainsi que nous apprîmes son goût pour la musique et beaucoup plus tard, alors qu'elle était déjà devenue une vieille dame, nous fûmes un petit groupe d'amis à lui offrir un humble piano droit. Cela faisait alors une soixantaine d'années qu'elle n'avait pas revu un clavier de près mais elle s'installa sur le tabouret et joua de mémoire, sans la moindre hésitation, un *Nocturne* de Chopin.

Deux ans après son mariage avec le juge naquit une fille albinos. A peine celle-ci sut-elle marcher qu'elle accompagna sa mère à l'église. La petite fut si éblouie par les oripeaux liturgiques qu'elle se mit à arracher les rideaux pour se déguiser en évêque et, bientôt, le seul jeu qui la captivât fut de mimer les gestes de la sainte messe et d'entonner des cantiques dans un latin de son invention. Elle était irrémédiablement débile, seulement capable d'articuler des mots dans une langue inconnue, bavant sans désemparer et succombant à d'incontrôlables accès de méchanceté au cours desquels il fallait l'attacher comme une bête de foire pour éviter qu'elle ne mordille le mobilier et ne s'attaque aux personnes. A l'âge de la puberté, elle se calma et se mit à aider sa mère dans les travaux domestiques.

Le second enfant, un fils, vint au monde nanti d'un doux faciès asiatique, dépourvu de toute espèce de curiosité, et la seule chose qu'il apprit à faire fut de se tenir en équilibre sur une bicyclette, ce qui ne lui servit à rien dans la mesure où sa mère ne s'aventura jamais à le laisser sortir de la maison. Il passa sa vie à pédaler au jardin sur un vélo sans roues vissé sur un support.

L'anormalité de ses rejetons n'altéra guère le solide optimisme de Clarisa qui les considérait comme des âmes pures, réfractaires au mal, auxquelles ne pouvaient la lier que des liens d'affection. Sa préoccupation majeure consistait à les garder hors d'atteinte des souffrances de ce bas monde, tout en se demandant souvent qui prendrait soin d'eux quand elle ne serait plus là. Le père, en revanche, ne faisait jamais allusion à eux et prit prétexte de l'arriération mentale de sa progéniture pour se laisser sombrer dans la déchéance, délaissant son travail, ses amis et jusqu'à l'air du dehors pour s'enterrer dans son cabanon, s'occupant avec une patience de moine médiéval à recopier les journaux dans un registre de notaire.

Pendant ce temps, sa femme dépensa jusqu'au dernier centime de sa dot et de son héritage, puis se mit à faire toute sorte de petits métiers pour subvenir aux besoins de sa famille. Sa propre indigence ne la détournait pas de l'indigence d'autrui et jusque dans les pires moments de son existence, elle ne remit jamais ses bonnes œuvres à plus tard.

Clarisa montrait une compréhension sans limites pour les faiblesses humaines. Un soir, alors que c'était déjà une vieille femme à cheveux blancs, elle était occupée à coudre dans sa chambre quand elle entendit des bruits inhabituels dans la maison. Elle se leva pour voir de quoi il retournait, mais elle fut bien empêchée de sortir, car elle se trouva nez à nez sur le seuil avec un homme qui lui appliqua la lame d'un couteau sur le cou.

— Tu la boucles, salope, ou je te trucide d'un seul coup, fit-il d'une voix menaçante.

— Tu te trompes d'endroit, mon fils. Les belles-de-nuit, c'est de l'autre côté de la rue, où il y a de la musique.

— Ne te fous pas de moi, il s'agit d'une attaque à main armée.

— Qu'est-ce que tu me chantes ? répondit Clarisa avec un sourire incrédule. Et que vas-tu pouvoir me prendre ?

— Assieds-toi sur cette chaise, je vais t'attacher.

— Il n'en est pas question, mon fils. Je pourrais être ta grand-mère, garde-toi de me manquer de respect.

— Assise !

— Ne hurle pas comme ça, tu vas effrayer mon mari qui est de santé fragile. Par parenthèse, range-moi ce couteau, tu pourrais blesser quelqu'un.

— Écoutez, madame, je suis venu commettre un vol, bredouilla l'assaillant décontenancé.

— Mais non, il n'est pas question de vol. Je ne vais pas te laisser commettre un péché. Je vais te donner un peu d'argent de mon plein gré. Tu n'es pas en train de le prendre, c'est moi qui te le donne. C'est clair ?

Elle alla fouiller dans son porte-monnaie et y préleva ce qui lui restait pour la fin de la semaine.

— Je n'ai pas plus. Nous sommes une famille assez pauvre, comme tu peux le voir. Accompagne-moi à la cuisine, je vais mettre l'eau du thé à chauffer.

L'homme rengaina son couteau et la suivit en tenant les billets à la main. Clarisa prépara du thé pour tous deux, servit les derniers gâteaux secs qui lui restaient et l'invita à s'asseoir au salon.

— Où es-tu allé chercher l'idée saugrenue de détrousser une pauvre vieille comme moi ?

Le voleur lui raconta qu'il l'avait épiée plusieurs jours durant, il savait qu'elle vivait seule et s'était dit que dans cette grande maison, il trouverait bien quelque chose à emporter. C'était son premier coup, précisa-t-il, il avait quatre gosses, était sans travail et ne pouvait de nouveau rentrer chez lui les mains vides. Elle lui remontra que le jeu n'en valait pas la chandelle, qu'il risquait non seulement d'aller en prison, mais d'être condamné à finir en enfer, quoiqu'elle doutât en fait que Dieu lui infligeât un châtiment aussi sévère, au pire écoperait-il du purgatoire pourvu qu'il se repentît et, bien entendu, s'abstînt de récidiver. Elle lui proposa de le coucher sur la liste de ses protégés et s'engagea à ne pas le dénoncer aux autorités. Ils se séparèrent en s'embrassant sur les deux joues. Au cours des dix années suivantes, jusqu'à la mort de Clarisa, l'homme lui envoya régulièrement par la poste un petit cadeau pour Noël.

Toutes les relations de Clarisa n'étaient pas du même tonneau, elle connaissait aussi des gens de la haute, dames huppées, riches commerçants, banquiers et hommes publics, auxquels elle rendait visite pour chercher de quoi aider son prochain sans spéculer sur l'accueil qui lui serait réservé. Un jour, elle se présenta au bureau du député Diego Cienfuegos, célèbre par ses discours incendiaires et qui passait pour l'un des rares politiciens incorruptibles du pays, ce qui ne l'a pas empêché de devenir ministre et de finir dans les manuels d'Histoire en tant que père spirituel d'un certain traité de paix. En ce temps-là, Clarisa était jeunette et quelque peu timide, mais elle était déjà pleine de cette terrible détermination qui la caractérisait sur la fin de sa vie. Elle alla donc voir le député pour le prier d'user de son influence en vue d'obtenir une glacière dernier cri à l'intention des non-nettes de Sainte-Thérèse. L'homme la considéra d'un air abasourdi, ne voyant pas pour quelles raisons il aurait dû venir en aide à des adversaires idéologiques.

— C'est parce qu'au réfectoire des petites sœurs viennent manger gratis une centaine d'enfants par jour, et que la plupart sont des enfants de communistes ou de réformés qui votent pour vous, répondit suavement Clarisa.

Ainsi naquit entre eux deux une amitié discrète qui devait coûter cher en insomnies et en interventions à l'homme politique. Avec la même imparable logique, elle soutirait aux jésuites des bourses d'études pour des gosses de mécréants, aux dames de l'Action catholique des vêtements usagés pour les prostituées de son quartier, à l'Institut allemand des instruments de musique pour un ensemble israélite, aux propriétaires de vignobles des fonds destinés aux campagnes de lutte anti-alcoolique.

Ni l'ensevelissement de son mari dans son mausolée du fond du jardin, ni ses harassantes journées de travail ne purent empêcher Clarisa de tomber à nouveau enceinte. La sage-femme la prévint que, selon toute probabilité, elle risquait de mettre au monde un nouvel être anormal, mais elle la rassura, arguant que le bon Dieu veille à préserver un certain équilibre dans l'Univers, que de la même manière qu'Il crée des choses tordues, Il en crée qui sont droites, qu'à chaque vertu correspond un péché, à chaque joie une peine, à chaque bien un mal, et que, de la sorte, au gré de la roue de la vie qui tourne éternellement, tout finit au fil des siècles par se compenser. Le balancier va et vient avec une inexorable précision, ajouta-t-elle encore.

Clarisa connut une grossesse sans encombres et donna le jour à son troisième enfant. L'accouchement se déroula chez elle, avec l'aide de la sage-femme, égayé par la compagnie des petits débiles, ces êtres inoffensifs et souriants qui passaient leur temps à s'amuser, l'une remâchant son galimatias en costume d'évêque, l'autre pédalant vers nulle part sur son vélo immobile. En l'occurrence, le balancier oscilla dans le bon sens afin de préserver l'harmonie de la Création et c'est un vigoureux garçon au regard sagace et aux mains fermes qui vint au monde, que sa mère nourrit au sein, éperdue de reconnaissance. Quatorze mois plus tard, Clarisa donna naissance à un nouvel enfant doté des caractéristiques du précédent.

— Ces deux-là donneront des êtres sains qui m'aideront à m'occuper des deux premiers, conclut-elle, fidèle à sa théorie des équilibres naturels, et il en fut bien ainsi, ses cadets poussant droit comme des tuteurs et doués d'une grande bonté d'âme.

A sa façon, Clarisa se débrouilla pour subvenir aux besoins de ses quatre enfants sans l'aide de son mari et sans rabaisser sa fierté de grande dame à quémander la charité pour elle-même. Peu de gens étaient au courant de ses ennuis pécuniaires. Elle passait des nuits blanches à confectionner des poupées de chiffon ou des gâteaux de fiançailles pour les vendre, et mettait la même ténacité à lutter contre le délabrement de sa maison dont les murs commençaient à dégager des vapeurs verdâtres ; à ses cadets, elle inculqua ses principes de générosité et de bonne humeur avec un succès si achevé qu'ils se tinrent à ses côtés tout au long des décennies suivantes, assumant la charge de leurs aînés, jusqu'à ce jour où, bloqués dans le cabinet de toilette, ceux-ci passèrent paisiblement de vie à trépas à cause d'une fuite de gaz.

La venue du pape eut lieu alors que Clarisa n'avait pas encore tout à fait quatre-vingts ans, bien qu'on eût du mal à connaître son âge exact, car elle mettait une certaine coquetterie à l'augmenter afin de pouvoir s'entendre dire comme elle était bien conservée pour les quelque quatre-vingt-quinze ans qu'elle revendiquait. Elle était encore très vivace, mais son corps la trahissait, elle marchait avec difficulté, s'égarait dans les rues, n'avait plus d'appétit et avait fini par ne plus s'alimenter que de fleurs et de miel. Plus lui poussaient des ailes, plus elle perdait la tête, mais les préparatifs de la visite papale lui donnèrent un regain d'intérêt pour ce qui se passait en ce bas monde. Elle refusa de regarder le spectacle à la télévision, car elle éprouvait une vive méfiance pour ce genre d'appareil. Elle était même convaincue que le débarquement du cosmonaute sur la lune n'était rien d'autre qu'un trucage réalisé dans quelque studio d'Hollywood, de la même façon qu'on abusait les gens avec ces feuilletons dont les protagonistes s'aimaient et mouraient pour du beurre avant de réapparaître tels qu'en eux-mêmes, quelques semaines plus tard, pour pâtir d'autres destins. Clarisa tenait à voir le souverain pontife en chair et en os de peur qu'on n'allât lui montrer sur le petit écran quelque comédien harnaché d'ornements épiscopaux, tant et si bien que je ne pus faire autrement que l'emmener acclamer le passage du cortège. Après nous être débattues pendant deux heures d'horloge contre la multitude des fidèles et des vendeurs de cierges, de tee-shirts imprimés, de polychromes et de saints en plastique, nous parvînmes à entr'apercevoir le Saint-Père, superbe dans sa cage de verre portative comme un marsouin blanc dans son aquarium. Clarisa tomba à genoux, manquant de peu d'être piétinée par la foule fanatique et l'escorte officielle. C'est à cet instant précis, alors que nous nous trouvions à un jet de pierre du pape, que déboucha d'une rue latérale une colonne de types déguisés en bonnes sœurs, la figure peinturlurée, brandissant des pancartes en faveur de l'avortement, du divorce, de la sodomie, du droit des femmes à exercer le sacerdoce. Clarisa farfouilla dans son sac d'une main tremblante, trouva ses lunettes qu'elle chaussa pour vérifier qu'il ne s'agissait pas d'une hallucination.

— Allons-nous-en, ma fille, me dit-elle, soudain livide. J'en ai assez vu.

Elle était si pâle que, pour la réconforter, j'émis l'idée de lui acheter un cheveu du pape, mais elle déclina mon offre, arguant que rien ne garantissait son authenticité. Le nombre des reliques capillaires proposées par les marchands était tel qu'ils eussent suffi, d'après les estimations d'un journal socialiste, à rembourrer deux matelas.

— Je suis bien vieille et ne comprends plus rien au monde, ma petite fille. Le mieux est de rentrer.

Arrivée à la maison, elle était exténuée ; le tintamarre des cloches et des acclamations résonnait encore à ses tempes. Je m'en fus à la cuisine préparer un peu de soupe à l'intention du juge, puis mettre de l'eau à chauffer pour lui faire boire une tisane à la camomille, de quoi la calmer un peu. Pendant ce temps-là, avec une expression de profonde mélancolie, Clarisa s'était employée à mettre de l'ordre partout dans la maison, puis elle alla porter son ultime plateau de nourriture à son mari. Elle le déposa devant la porte hermétiquement close et, pour la première fois en l'espace de plus de quarante ans, elle frappa.

— Combien de fois ai-je dit que je ne veux pas être dérangé ! ronchonna la voix sénile du juge.

— Excuse-moi, mon chéri, je voulais seulement te prévenir que je vais mourir.

— Quand ça ?

— Vendredi.

— C'est bien — et la porte resta close.

Clarisa convoqua ses enfants pour leur faire part de sa fin prochaine, puis elle se mit au lit. Sa chambre était vaste et sombre, encombrée de lourds meubles d'acajou sculpté qui n'avaient pas eu le loisir de se transformer en antiquités, le délabrement les ayant réduits entre-temps à l'état de ruines. Sur la commode reposait sous globe un Enfant Jésus en cire d'un réalisme si surprenant qu'on eût dit un bébé tout frais baigné.

— J'aimerais que tu t'emportes le Petit Enfant, Eva, afin de m'en prendre bien soin.

— Vous ne songez pas à mourir, ne me faites pas un coup pareil !

— Il faudra que tu le mettes à l'ombre ; si le soleil tape dessus, il se met à fondre. Il a presque cent ans et peut tenir bon un autre siècle pour peu que tu le protèges de la chaleur.

Je lui arrangeai sur le sommet du crâne sa meringue de cheveux, y nouai un petit ruban et m'assis à son chevet, disposée à lui tenir compagnie en cet instant critique, sans trop savoir au juste de quoi il retournait, car le moment était dépourvu de tout pathétique comme si, en réalité, il ne se fût pas agi d'une agonie, mais d'un rhume tout ce qu'il y a de bénin.

— Ce serait une bien bonne chose que je puisse me confesser, ma fille. Qu'en dis-tu ?

— Mais quels péchés pouvez-vous avoir à vous reprocher, Clarisa ?

— Dieu merci, la vie est longue, ce n'est pas le temps qui manque pour faire le mal...

— Si le Ciel existe, vous irez tout droit.

— Sûr qu'il existe, mais il n'est pas aussi évident qu'on m'y accepte. Là-haut, ils sont très sévères... » marmonna-t-elle. Puis, après une longue pause, elle ajouta : « Quand je passe en revue les fautes que j'ai commises, je m'aperçois qu'il y en a une d'assez grave... »

J'eus un frisson, redoutant que cette vieille femme à l'auréole de sainte n'en vînt à m'avouer qu'elle avait sciemment éliminé ses enfants débiles pour prêter main forte à la justice divine, ou bien qu'elle ne croyait pas en Dieu, que si elle s'était dévouée à faire le bien ici-bas, c'est que ce lot lui était échu pour contrebalancer le mal que faisaient les autres, un mal lui aussi dénué d'importance puisque tout cela faisait partie d'un processus sans fin. Mais la confession de Clarisa ne recelait rien d'aussi dramatique. Elle détourna la tête vers la fenêtre et, rougissante, me lâcha qu'elle avait négligé ses devoirs d'épouse.

— Qu'est-ce que vous entendez par là ? lui demandai-je.

— Eh bien... le fait de ne pas satisfaire les appétits charnels de son mari. Tu vois ce que je veux dire ?

— Non.

— Si une femme refuse son corps et que l'homme succombe à la tentation de se soulager avec une autre, c'est elle qui en porte la responsabilité morale.

— Je comprends : le juge fornique et tout le péché est pour vous !

— Non, non, pour les deux, il me semble. Il faudra le consulter...

— Le mari n'est-il pas dans la même situation à l'égard de sa femme ?

— Comment ça ?

— Si vous aviez connu un autre homme, la faute n'en incomberait-elle pas aussi à votre époux ?

— Quelle imagination tu as, ma fille ! s'exclama-t-elle en me regardant ahurie.

— Ne vous en faites pas, si votre plus gros péché a été de dérober votre corps au juge, je suis sûre que le bon Dieu le prendra en rigolade.

— Je ne pense pas que le Seigneur ait le sens de l'humour dans ce domaine-là.

— Douter de la perfection divine ? Cette fois, Clarisa, voilà qui est un grand péché !

Elle avait l'air en si bonne forme qu'on avait du mal à l'imaginer à l'article de la mort, mais je me pris à supposer que les saints, à la différence des simples mortels, ont le privilège de trépasser sans peur et en pleine possession de leurs facultés. Son prestige était si solidement établi que beaucoup affirmaient avoir vu un rond lumineux lui entourer la tête ou entendu des harmonies célestes en sa présence ; aussi ne fus-je point étonnée, en la dévêtant pour lui passer sa chemise de nuit, de découvrir sur ses épaules deux grosseurs rougies par l'inflammation, comme s'il avait été sur le point d'y pousser deux ailes d'angelot.

La rumeur de son agonie se répandit comme une traînée de poudre. Ses enfants et moi-même dûmes accueillir un interminable défilé de gens venus solliciter son intervention au Ciel pour quelque faveur, ou simplement lui dire adieu. Bon nombre s'attendaient qu'au moment fatal se produirait quelque miracle significatif, par exemple que l'odeur aigre des bouteilles abîmées qui empestait l'atmosphère se changerait en arôme de camélias ou que son corps se mettrait à répandre de lumineux rayons de réconfort. Parmi eux, on vit apparaître son ami le cambrioleur qui, loin de s'amender, était devenu à présent un véritable professionnel. Il s'assit au chevet de la mourante et lui narra ses exploits sans l'ombre d'un repentir.

— Tout va bien pour moi. Maintenant, je ne m'introduis plus que dans les maisons des hauts quartiers. Je vole les riches, ce qui ne constitue pas un péché. Je n'ai jamais eu à recourir à la violence, je travaille proprement, comme il faut, exposa-t-il non sans une certaine fierté.

— Il me faudra beaucoup prier pour toi, mon garçon.

— Priez, grand-mère, priez, ça ne peut pas me faire de mal.

Très affectée, elle aussi, de devoir dire adieu à sa chère amie, la Madame débarqua avec une couronne de fleurs et quelques gâteaux à la frangipane pour participer à la veillée. Mon ancienne patronne ne me remit pas, mais je n'eus aucun mal à la reconnaître, car elle n'avait pas beaucoup changé, elle était même bien conservée malgré son embonpoint, sa perruque et ses extravagants escarpins en plastique à étoiles dorées. A la différence du voleur, elle venait confier à Clarisa que ses recommandations d'autrefois étaient tombées sur un terreau fertile et qu'elle était devenue une chrétienne tout ce qu'il y a de respectable.

— Faites-en part à saint Pierre pour qu'il raye mon nom du Livre noir, lui demanda-t-elle.

Quand je pus enfin refermer la porte pour lui permettre de se reposer un peu, la moribonde laissa échapper :

— Quelle terrible déception ce serait pour ces braves gens si, au lieu de monter au Ciel, j'allais cuire à petit feu dans les chaudrons de l'Enfer...

— Si pareille chose devait arriver là-haut, nul n'en saurait jamais rien ici-bas, Clarisa.

— Il vaut mieux.

Dès l'aube du vendredi, une énorme foule se massa dans la rue et ses fils eurent toutes les peines du monde à contenir les débordements des fidèles, prêts à tout pour emporter n'importe quelle relique, des lambeaux de papier peint des murs jusqu'à la maigre garde-robe de la sainte. Clarisa déclinait à vue d'œil et, pour la première fois, donna des signes qu'elle prenait sa propre mort au sérieux. Vers dix heures se gara devant la maison une automobile bleue arborant les plaques du Congrès. Le chauffeur aida à s'extirper du siège arrière un vieillard que la foule reconnut aussitôt. C'était Don Diego Cien-fuegos, devenu une institution nationale au bout de tant de décennies au service de la chose publique. Les fils de Clarisa allèrent l'accueillir, puis l'accompagnèrent dans sa pénible ascension jusqu'au premier étage. En l'aper-cevant sur le seuil de sa chambre, Clarisa revint à la vie, ses joues reprirent des couleurs, ses yeux de leur éclat.

— S'il te plaît, me souffla-t-elle à l'oreille, fais sortir tout le monde et laisse-nous seuls.

Vingt minutes plus tard, la porte se rouvrit et Don Diego Cienfuegos sortit en traînant les pieds, les yeux liquides, impotent et souffreteux, mais souriant. Les fils de Clarisa, qui l'attendaient dans le couloir, le prirent à nouveau par les bras pour l'aider à descendre, et c'est alors, en les voyant tous trois ensemble, que je remarquai quelque chose qui m'avait jusque-là échappé. Ces trois hommes avaient le même port de tête et le même profil, la même assurance tranquille, le même regard sagace et les mains tout aussi fermes.

J'attendis qu'ils fussent en bas de l'escalier pour revenir auprès de mon amie. Je m'approchai pour retaper ses oreillers et m'aperçus qu'elle aussi, comme son visiteur, pleurait avec une joie non dissimulée.

— C'était donc Diego, votre plus grand péché ? lui murmurai-je.

— Ce ne fut pas un péché, ma fille, seulement un coup de pouce du bon Dieu pour rééquilibrer la balance du destin. Et tu vois comme cela s'est goupillé au mieux puisque, pour deux enfants anormaux, j'en ai eu deux autres qui ont pu s'occuper d'eux.

Ce soir-là, Clarisa mourut sans la moindre angoisse. D'un cancer, diagnostiqua le médecin à la vue de ses bourgeons d'ailes ; de sainteté, proclamèrent les dévots agglutinés dans la rue, brandissant cierges et bouquets de fleurs ; mais je suis bien placée pour dire que ce fut de stupéfaction, puisque j'étais avec elle pour la venue du pape.

Bouche de crapaud

Les temps étaient très durs dans le Sud. Non pas dans le sud de ce pays-ci, mais au sud de la planète, là où les saisons sont interverties et où l'hiver ne coïncide pas avec Noël, comme dans les nations civilisées, mais tombe au beau milieu de l'année, comme dans les contrées barbares. Gel, caillasse, chiendent, immenses plateaux qui, vers la Terre de Feu, se désagrègent en chapelet d'îles, pitons de la cordillère enneigée barricadant au loin l'horizon, silence régnant en maître depuis la nuit des temps, seulement rompu par intervalles par le chuintement souterrain des glaciers glissant avec lenteur vers la mer. Une nature âpre hantée par des hommes rudes. Au début du siècle, il n'y avait là rien que les Anglais pussent emporter, mais ils n'en obtinrent pas moins des concessions où élever des brebis. Au bout d'un petit nombre d'années, les bêtes se multiplièrent tant et si bien qu'à distance, on aurait dit des nuages se traînant au ras du sol, elles eurent tôt fait de boulotter toute la végétation et de piétiner les derniers autels des croyances indigènes. C'est en ce lieu qu'Hermelinda gagnait sa vie grâce à des jeux de son invention.

En plein centre du plateau se dressait comme une tourte abandonnée la grande maison de la Société d'élevage, entourée d'une absurde pelouse de gazon que la femme de l'administrateur s'évertuait à protéger des excès du climat. Celle-ci n'avait pu se faire à son existence à mille lieues du cœur de l'Empire britannique et continuait à se mettre en robe de soirée pour dîner en tête à tête avec son mari, un flegmatique gentleman engoncé dans l'orgueil de traditions obsolètes. Les journaliers créoles occupaient les baraques du campement, séparés de leurs maîtres par des haies d'épineux et d'églantine qui tentaient vainement de borner l'immensité de la pampa et de créer à l'intention des étrangers l'illusion d'un doux coin de campagne anglaise.

Surveillés par les sbires de la direction, tenaillés par le froid, privés pendant des mois de la bonne soupe familiale, les hommes surmontaient leur infortune avec autant d'abnégation que le troupeau confié à leur charge. Le soir venu, nombreux étaient ceux qui empoignaient leur guitare, et tout le paysage s'emplissait alors de chansons sentimentales. Il sévissait une telle pénurie d'amour que, malgré la pierre à feu glissée par le cuisinier dans leur pitance pour calmer les ardeurs du corps et les pressants rappels de la mémoire, les journaliers fricotaient avec les brebis, voire avec des phoques si, longeant la côte, ils parvenaient d'aventure à en capturer. Les femelles possèdent de grosses tétines pareilles à des seins de nourrice et en les dépouillant alors qu'elles sont encore en vie, chaudes et palpitantes, un homme particulièrement frustré peut, les yeux fermés, s'imaginer en train d'étreindre une sirène. En dépit de toutes ces vicissitudes, cependant, les employés s'amusaient bien davantage que leurs patrons, grâce aux jeux illicites d'Hermelinda.

C'était la seule jeune femme sur toute l'étendue de la contrée en dehors de la dame anglaise. Celle-ci ne franchissait sa haie de rosiers que pour tirer des lièvres à coups de fusil, et dans ces occasions-là c'est à peine si on réussissait à entrevoir la voilette de son chapeau au milieu d'une poussière d'enfer et des hurlements des chiens d'arrêt. Hermelinda, au contraire, était une femelle tout ce qu'il y a de proche et de précise, avec un audacieux mélange de sangs dans les veines et un excellent penchant à faire la fête. Elle avait choisi ce métier de réconfort par pure et simple vocation, elle aimait la plupart des hommes en général et bon nombre en particulier. Au milieu d'eux, elle régnait comme l'impératrice des abeilles. Elle goûtait en eux l'odeur du travail et celle du désir, leur voix rauque, leur barbe de deux jours, leur corps vigoureux et en même temps si vulnérables entre ses mains, leur tempérament combatif et leur cœur ingénu. Elle connaissait la force illusoire et la faiblesse extrême de ses clients, mais elle ne cherchait à tirer profit d'aucun de ces traits, au contraire, l'une et l'autre lui inspiraient de la compassion. Il y avait dans la nature de cette brave fille des traces de tendresse maternelle et, bien souvent, on la voyait le soir rapiécer une chemise, faire cuire une volaille pour quelque employé malade ou calligraphier des lettres d'amour à l'intention de fiancées éloignées. C'est sur un matelas bourré de laine écrue qu'elle arrondissait son pécule, sous un toit de zinc percé de trous qui faisait de la musique de flûtes et hautbois quand le vent passait au travers. Elle avait une chair ferme et une peau immaculée, elle riait de bon cœur et avait de l'audace à revendre, bref, beaucoup plus que ce qu'une brebis terrorisée ou un pauvre phoque dépiauté pouvaient offrir. En chaque étreinte, si brève fût-elle, elle se révélait une amie pleine de zèle et de hardiesse. La réputation de ses robustes cuisses de cavalière et celle de ses seins inabîmables avaient parcouru les six cents kilomètres de cette région agreste et ses soupirants venaient de loin pour passer un moment en sa compagnie. Chaque vendredi, ils rappliquaient au triple galop depuis des coins si reculés que leurs montures couvertes d'écume tombaient en syncope. Les patrons anglais prohibaient la consommation d'alcool, mais Hermelinda s'arrangeait pour distiller une eau-de-vie clandestine avec laquelle elle stimulait l'ardeur et détraquait le foie de sa clientèle, et dont elle se servait également pour alimenter ses lumignons à l'heure de la bamboula. Les paris pouvaient commencer après la troisième tournée, quand il devenait impossible de concentrer son regard et d'aiguiser sa réflexion.

Hermelinda avait découvert l'art et la manière de s'assurer des bénéfices sans tromper son monde. En dehors des cartes et des dés, les hommes avaient droit à plusieurs jeux dont l'unique gros lot n'était autre qu'elle-même. Les perdants lui abandonnaient leur argent, les gagnants devaient eux aussi lui remettre le leur, mais ils s'arrogeaient le privilège de jouir quelques très brefs instants de sa compagnie, sans préliminaires ni faux-semblants, non parce qu'elle n'y mettait pas de bonne volonté, mais parce qu'elle ne disposait pas d'assez de temps pour être aux petits soins avec chacun. Les participants au jeu de la *Poule aveugle* devaient ôter leur pantalon, mais gardaient leurs gilets, leurs bonnets et leurs bottes fourrées en peau de mouton pour se protéger du froid antarctique qui sifflait entre les planches. Une fois qu'elle leur avait bandé les yeux commençait la poursuite. Cela donnait un tel tohu-bohu que les rires et les halètements traversaient la nuit par-delà la haie de roses et parvenaient jusqu'aux oreilles des Anglais qui demeuraient impassibles, feignant de croire qu'il ne s'agissait que des sautes d'humeur du vent dans la pampa, tout en continuant à boire du bout des lèvres leur dernière tasse de thé de Ceylan avant d'aller se coucher. Le premier à mettre la main sur Hermelinda lançait un cocorico d'exultation et bénissait sa bonne fortune tout en l'emprisonnant dans ses bras. L'*Escarpolette* était un autre de ces jeux. La jeune femme s'installait sur une planchette suspendue à deux cordes tombant du plafond. Provoquant les regards suppliants des hommes, elle pliait les jambes et tout un chacun pouvait constater qu'elle ne portait rien sous ses jupons jaunes. Disposés à la queue leu leu, les joueurs n'avaient droit qu'à une seule tentative pour l'attraper, et celui qui atteignait sa cible se voyait pris en ciseaux entre les cuisses de la belle, balancé dans un envol de jupons, secoué en tous sens, décarcassé, avant d'être finalement transporté au septième ciel. Mais très peu y parvenaient et la plupart roulaient au sol au milieu des éclats de rire.

Au jeu du *Crapaud*, un homme pouvait perdre en un quart d'heure sa paie du mois. Hermelinda traçait à la craie un trait sur le sol, puis, quatre pas plus loin, un grand cercle à l'intérieur duquel elle s'étendait, genoux écartés, ses jambes mordorées par l'éclat des lampes à eau-de-vie. Se laissait voir alors le sombre centre de gravité de son corps, ouvert comme un fruit mûr, semblable à une souriante bouche de crapaud, tandis que l'air de la pièce se faisait lourd et torride. Les joueurs se plaçaient derrière la marque tracée à la craie et c'était à qui viserait dans le mille. Certains étaient des tireurs d'élite, à la main si sûre qu'ils pouvaient stopper une bête effrayée en pleine course en lui lançant dans les pattes un lasso fait de deux grosses billes reliées par une cordelette, mais Hermelinda avait une telle façon d'esquiver, d'escamoter son corps sans en avoir l'air, qu'au tout dernier moment la pièce de monnaie déviait de sa trajectoire. Toutes celles qui échouaient à l'intérieur du cercle de craie revenaient à la femme. Si l'une d'entre elles venait à passer la porte, elle valait à son heureux propriétaire le trésor du sultan : deux heures de réjouissances complètes derrière le rideau, en tête à tête avec elle, pour se consoler de toutes ses frustrations passées et rêver des plaisirs du paradis. Ceux qui avaient goûté ces deux précieuses heures témoignaient qu'Hermelinda connaissait de très anciens secrets amoureux et était capable de conduire un homme jusque sur le seuil de sa propre mort, puis de le ramener métamorphosé en sage.

Jusqu'à l'apparition de Pablo l'Asturien, bien peu nombreux avaient été ceux qui avaient gagné ces deux heures fabuleuses, même si quelques-uns avaient bénéficié de l'équivalent, non pas pour de la menue monnaie, mais en échange de la moitié de leur salaire. A l'époque, elle avait amassé une petite fortune, mais l'idée de se retirer pour mener une existence plus conventionnelle ne l'avait pas encore effleurée, son métier lui donnait en fait beaucoup de satisfaction et elle tirait fierté de ces étincelles de félicité dont elle gratifiait les journaliers. Pablo était un type efflanqué à l'ossature de coquelet et aux mains de mioche, dont le physique était contredit par une ténacité à toute épreuve. A côté de l'opulente et joviale Hermelinda, il faisait l'effet d'un freluquet mal embouché, mais ceux qui, le voyant débarquer, se dirent qu'ils allaient pouvoir se payer une franche rigolade à ses dépens en furent pour leurs frais. A la première provocation, le petit étranger se rebiffa comme un aspic, prêt à se battre avec quiconque se mettrait en travers de son chemin, mais la querelle retomba avant d'avoir commencé, la première règle d'Hermelinda étant qu'on ne se battait pas sous son toit. Ayant fait prévaloir sa dignité, Pablo se calma. Il avait un air buté et quelque peu funèbre, il parlait peu et lorsqu'il le faisait, son accent espagnol était nettement perceptible. Il avait quitté sa patrie pour échapper aux mains de la police et vivait de contrebande dans les défilés des Andes. Jusque-là, il avait vécu comme un ermite bourru et bagarreur qui se fichait pas mal du climat, des brebis et des Anglais. C'était un homme de nulle part, ne se reconnaissant ni amours ni devoirs, mais il n'était déjà plus tout jeune et la solitude avait élu domicile dans ses os. Parfois, il se réveillait à l'aube sur le sol gelé, enveloppé dans sa pèlerine noire de Castille avec sa selle pour oreiller, et sentait tout son corps lui faire mal. Ce n'était pas une douleur due à l'ankylose des muscles, mais à la tristesse accumulée et à l'esseulement. Il en avait assez d'errer comme un loup, mais il n'était pas fait non plus pour la douceur douillette d'un foyer. Il était venu jusqu'en ces contrées parce qu'il avait entendu dire qu'il existait tout au bout du monde une femme capable de détourner de sa direction jusqu'au vent lui-même, et il avait voulu la voir de ses propres yeux. L'énorme distance pas plus que les risques du voyage n'étaient parvenus à le faire renoncer et quand il se retrouva enfin dans la gargote, avec Hermelinda à portée de main, il put constater qu'elle était fabriquée du même métal que lui et décréta qu'après un si long périple, il ne valait pas la peine de continuer à vivre sans elle. Il s'installa dans un coin de la salle pour l'observer avec attention et mesurer ses chances.

L'Asturien avait des boyaux en acier et put ingurgiter plusieurs verres de l'eau-de-vie d'Hermelinda sans que ses yeux s'embuent. Il refusa de se déshabiller pour jouer à la *Ronde de Saint-Michel*, à *Ote-toi de là que je m'y mette* et à ces autres compétitions qui lui paraissaient franchement puériles, mais quand arriva enfin le clou de la soirée, l'instant du *Crapaud*, il s'ébroua pour chasser les dernières vapeurs d'alcool et vint se mêler au chœur des hommes entourant le cercle de craie. Il trouva à Hermelinda la sauvage beauté d'une lionne des montagnes. Il sentit son instinct de chasseur se réveiller et la sourde douleur d'être seul au monde, qui lui avait taraudé les os tout au long du voyage, céda la place à une joyeuse anticipation. Il vit les pieds chaussés de bottillons, les bas de laine retenus sous les genoux par un élastique, l'ossature élongée et les muscles tendus de ces jambes d'or entre les volants des jupons jaunes, et il sut qu'il n'avait qu'une chance et une seule de la conquérir. Il se mit en position, solidement campé sur ses deux pieds, balançant le buste jusqu'à se mettre dans l'axe même de son existence, puis, d'un regard de poignard, il cloua la femme sur place, la contraignant à renoncer à ses subterfuges de contorsionniste. Ou peut-être les choses ne se déroulèrent-elles pas ainsi, peut-être fut-ce elle qui le choisit entre tous les autres pour le régaler du cadeau de sa compagnie. Pablo plissa l'œil, exhala tout l'air de sa poitrine, et, au bout de quelques secondes de concentration totale, lança la pièce de monnaie. Tous la virent décrire un arc parfait et pénétrer sans bavure dans l'endroit visé. Un concert d'applaudissements et de sifflements d'envie salua l'exploit. Impassible, le contrebandier rajusta son ceinturon, s'avança de trois grands pas, prit la femme par la main et la fit se redresser, disposé à lui démontrer en deux heures d'horloge qu'elle non plus ne pourrait se passer de lui. Il s'éclipsa en la traînant presque par le bras, et les autres restèrent à boire et à consulter leurs montres jusqu'à ce que fût écoulé le temps du gros lot, mais ni Hermelinda ni l'étranger ne réapparurent. Trois heures, puis quatre, puis la nuit entière s'écoulèrent, l'aube se mit à poindre, les cloches de la direction appelèrent au travail sans que se rouvrît la porte.

A midi, les amants émergèrent de la chambre. Pablo n'échangea de regard avec personne, s'en fut seller son cheval, un autre pour Hermelinda et une mule pour transporter son fourniment. La femme avait revêtu un pantalon et une veste de voyage et portait à la ceinture une sacoche de toile bourrée de pièces de monnaie. Dans ses yeux brillait une expression nouvelle et un balancement de satisfaction animait son mémorable postérieur.

A gestes lents, tous deux fixèrent les bagages sur l'échine de leurs montures, puis ils les enfourchèrent et s'en furent. Hermelinda adressa un vague signe d'adieu à ses admirateurs désolés et suivit Pablo l'Asturien par les plaines pelées, sans jeter un regard en arrière. Jamais elle ne revint.

La consternation engendrée par le départ d'Hermelinda fut telle que pour divertir ses employés, la Société d'élevage fit installer des balançoires, acheta javelots et flèches pour le tir à la cible, et fit venir de Londres un énorme crapaud en faïence émaillée avec la bouche ouverte afin que les journaliers exercent la précision de leur visée en y lançant des pièces de monnaie ; mais, devant l'indifférence générale qu'ils suscitèrent, ces jouets finirent par aller décorer la terrasse de la direction où les Anglais s'en servent encore aujourd'hui pour tuer l'ennui des fins d'après-midi.

L'or de Tomás Varga

Avant que ne commence la formidable foire d'empoigne du progrès, quiconque avait quelques économies les enterrait : c'était le seul procédé connu pour mettre de l'argent de côté ; mais, plus tard, les gens se fièrent aux banques. Quand on eut construit la route et qu'il devint plus facile de se rendre en ville par l'autocar, ils troquèrent leurs pièces d'or et d'argent contre des bouts de papier illustrés et les déposèrent dans des coffres-forts comme s'il s'agissait de trésors. Tomás Varga, qui n'avait jamais cru à ce système, se tenait les côtes à les voir faire. Le temps lui donna raison et quand prit fin le règne du Bienfaiteur — lequel dura quelque trente ans, à ce qu'on dit —, les billets ne valaient plus tripette et beaucoup finirent par orner les murs, punaisés comme un rappel honteux de la naïveté de leurs propriétaires. Cependant que tout un chacun écrivait au nouveau Président et aux journaux pour se plaindre de l'escroquerie généralisée que constituait l'introduction de nouvelles coupures, Tomás Varga conservait ses lingots dans une sépulture sûre, tout en ne modifiant en rien ses habitudes d'avarice et de mendicité. C'était un type moche qui empruntait en se jurant bien de ne jamais rendre, qui laissait ses enfants crever de faim et sa femme en guenilles cependant que lui-même arborait des chapeaux en velours

côtelé et fumait des cigares de monsieur. Il ne payait
même pas les frais de scolarité de ses six gosses qui
furent éduqués gratis, Maîtresse Inés ayant décrété que
tant qu'elle serait saine d'esprit et aurait la force de
travailler, aucun enfant du village ne resterait sans savoir
lire. L'âge n'avait atténué en rien son côté querelleur,
soiffard et coureur de jupons. Il se faisait gloire d'être le
meilleur étalon de la région, comme il le criait sur la
place chaque fois que l'ivresse lui faisait perdre la boule,
clamant à tue-tête les noms des filles qu'il avait séduites
et ceux des bâtards de son sang. Si on l'avait cru sur
parole, il en aurait eu dans les trois cents, car à chaque
cuite il citait des noms différents. Les policiers l'embar-
quèrent à plusieurs reprises et le lieutenant en personne,
du plat de son sabre, lui flanqua sur les fesses quelques
coups bien sentis afin de voir à lui redresser le caractère,
mais sans plus de résultats que les remontrances du curé.
En fait, il ne respectait que Riad Halabi, le propriétaire
du magasin du village, et c'est pour cette raison que les
voisins en appelaient à ce dernier quand ils soupçonnaient
Tomás Varga d'avoir bu plus que son compte et de battre
femme et enfants. En ce genre de circonstances, l'Arabe
quittait si promptement son comptoir qu'il en négligeait
de refermer la porte de la boutique et, suffoquant de
l'indignation du redresseur de torts, faisait irruption dans
le logement des Varga pour y rétablir l'ordre. Il n'avait
nul besoin d'en dire long, son apparition suffisait à calmer
le vieux. Riad Halabi était bien le seul à pouvoir faire
honte à ce gredin.

Antonia Sierra, la femme de Varga, était de vingt-six
ans plus jeune que lui. A l'approche de la quarantaine,
elle était déjà très marquée, elle n'avait pour ainsi dire
plus une dent intacte dans la bouche et son corps vaillant
de mulâtresse avait été déformé par le travail, les
naissances, les fausses couches, tout en conservant néan-

moins des restes de sa noblesse d'antan, une façon de marcher le front haut et les reins bien cambrés, des revenez-y d'ancienne beauté, un formidable orgueil qui coupait court à toute velléité de la plaindre. C'est à peine si elle avait assez d'heures dans ses journées pour accomplir tout ce qu'elle avait à faire, car en plus de s'occuper de ses gosses, ainsi que du potager et des poules, elle gagnait quelques sous en préparant le déjeuner des policiers, en faisant des lessives et le ménage de l'école. Parfois, elle avait le corps couvert de bleus et bien que personne ne lui posât de questions, tout le monde à Agua Santa était au courant des raclées que lui administrait son époux. Seuls Riad Halabi et Maîtresse Inés se hasardaient à lui faire de discrets cadeaux tout en recourant à maints prétextes pour ne pas l'offenser : quelque vêtement, de la nourriture, des cahiers et des vitamines pour les enfants.

Antonia Sierra dut endurer bien des humiliations de la part de son mari, y compris de se voir imposer une concubine sous son propre toit.

Concha Diaz était arrivée à Agua Santa à bord d'un des camions de la Compagnie pétrolière, aussi inconsolable et piteuse qu'un spectre. Le chauffeur avait été pris de pitié en la voyant nu-pieds sur la route avec son baluchon sur l'épaule et son ventre de femme enceinte. En traversant le village, les camions s'arrêtaient devant le magasin et c'est pourquoi Riad Halabi avait été le premier informé de l'affaire. Il l'avait vue apparaître sur le pas de la porte et à la façon dont elle avait laissé choir son maigre bagage devant le comptoir, il s'était aussitôt rendu compte que cette fille n'était pas de passage, mais était venue là pour y rester. Elle était toute jeunette, brune et de petite taille, avec une tignasse compacte et crépue, décolorée par le soleil, où il semblait qu'un peigne n'avait pas pénétré depuis une éternité. Comme il faisait toujours avec les gens en visite, Riad Halabi avait offert à Concha une chaise et un jus d'ananas, prêt à écouter le récit de ses mésaventures et de ses malheurs, mais la fille était peu loquace, elle se bornait à essuyer sa morve avec ses doigts, le regard rivé au sol, les larmes roulant sans hâte le long de ses joues, et une litanie de reproches sourdant entre ses dents. L'Arabe finit par comprendre qu'elle souhaitait voir Tomás Varga, et l'envoya chercher à la taverne. Il l'attendit dans l'encadrement de la porte et à peine l'eut-il devant lui qu'il lui empoigna le bras et le mit nez à nez avec l'étrangère, sans lui laisser le temps de se remettre de ses émotions.

— La petite dit que le bébé est de toi, fit Riad Halabi de ce ton suave qu'il employait quand il était outré.

— Eh, le Turc, faudrait voir à le prouver ! On sait toujours qui est la mère, mais pour ce qui est du père, il n'y a jamais de certitude, riposta l'autre, déconfit mais avec encore assez d'aplomb pour esquisser un clin d'œil polisson que nul n'apprécia.

Cette fois, la jeune femme se mit à pleurer de bon cœur, marmonnant qu'elle ne serait pas venue de si loin si elle n'avait su qui était le père. Riad Halabi demanda à Varga s'il n'avait pas honte, lui qui était en âge d'être le grand-père de cette fille ; il lui dit que s'il croyait que le village allait une fois de plus passer l'éponge sur ses péchés, il se trompait lourdement, qu'est-ce qu'il imaginait — mais, quand les pleurs de la jeune femme redoublèrent, il ajouta ce que tous savaient qu'il allait dire :

— Allez, ma petite, calme-toi. Tu pourras rester chez moi quelque temps, au moins jusqu'à la naissance du gosse.

Concha Diaz se mit à sangloter encore plus fort et fit

connaître qu'elle ne vivrait nulle part ailleurs qu'avec Tomás Varga, car elle n'était pas venue pour autre chose. L'air s'immobilisa dans le magasin, s'installa un très long silence, on n'entendait plus que les ventilateurs au plafond et les reniflements de la fille, nul n'osant lui faire remarquer que le vieux était déjà marié et pourvu de six enfants. Pour finir, Varga ramassa le baluchon de la voyageuse et l'aida à se redresser.

— Fort bien, Conchita, si c'est ce que tu souhaites, il n'y a rien à ajouter. Nous allons nous rendre chez moi sur-le-champ.

C'est ainsi qu'en rentrant de son travail, Antonia Sierra trouva une autre femme en train de se reposer dans son hamac, et, pour la première fois, son orgueil fut impuissant à masquer ses sentiments. Ses vociférations roulèrent le long de la rue principale, l'écho en parvint jusque sur la place et envahit toutes les maisons, clamant que Concha Diaz n'était qu'une rate immonde, qu'Antonia Sierra lui rendrait la vie impossible jusqu'à la renvoyer au ruisseau d'où elle n'aurait jamais dû sortir, que si l'autre croyait que ses mouflets allaient vivre sous le même toit qu'une dévergondée, elle s'exposait à de bien mauvaises surprises, car elle, Antonia, n'était pas la dernière des imbéciles, et son mari avait intérêt à faire gaffe, car elle avait enduré bien des souffrances et des déceptions, mais la coupe était pleine et maintenant, chacun allait voir de quel bois elle se chauffait. Sa colère dura une semaine au bout de laquelle ses cris dégénérèrent en marmonnement perpétuel, elle perdit les derniers vestiges de sa beauté, y compris même sa fière démarche, se traînant à présent comme une chienne battue. Les voisins tentèrent de lui expliquer que cet imbroglio n'était pas imputable à Concha, que le responsable était Varga, mais elle n'était pas disposée à entendre des leçons de tolérance ou d'équité.

La vie dans la baraque familiale n'avait jamais été une partie de plaisir, mais, avec l'arrivée de la concubine, elle devint un tourment sans trêve. Antonia passait la nuit pelotonnée dans le lit de ses mouflets, crachant ses malédictions, cependant qu'à côté ronflait son époux, enlacé à la fille. A peine le soleil avait-il émergé qu'Antonia devait se lever pour préparer le café, pétrir les galettes de maïs, expédier les enfants à l'école, s'occuper du potager, cuisiner pour les policiers, laver et repasser. Elle parait à ces tâches comme une automate, tandis que son âme distillait un interminable chapelet d'aigreurs. Comme elle refusait de faire à manger à son mari, c'est Concha qui s'en chargea, profitant de ses sorties pour ne pas tomber sur elle devant le fourneau. La haine d'Antonia Sierra était telle que certains villageois, estimant qu'elle finirait par faire la peau à sa rivale, s'en furent trouver Riad Halabi et Maîtresse Inés, les priant d'intervenir avant qu'il ne fût trop tard.

Pourtant, les choses ne tournèrent pas de cette façon. Au bout de deux mois, le ventre de Concha ressemblait à une calebasse, ses jambes étaient si enflées que les veines paraissaient sur le point d'éclater ; la solitude et l'appréhension la faisaient pleurer intarissablement. Tomás Varga, que tant de larmes avaient fini par lasser, décida de ne plus remettre les pieds chez lui que pour y dormir. Il n'était plus nécessaire que les femmes s'affairent à tour de rôle à la cuisine, Concha perdit ainsi l'ultime raison de se lever et de s'habiller, elle resta vautrée dans son hamac à contempler le plafond, sans même avoir le courage de se faire un café. Le premier jour, Antonia l'ignora, mais, le soir venu, elle lui fit porter une assiette de soupe et un bol de lait chaud par un des enfants afin qu'on n'allât pas dire qu'elle laissait quelqu'un mourir d'inanition sous son toit. Puis ce devint une habitude et au bout de quelques jours, Concha se leva pour manger à table avec les autres. Antonia faisait semblant de ne pas la voir, mais du moins cessa-t-elle de proférer des insultes en l'air chaque fois que l'autre passait à proximité. Peu à peu, elle se laissa gagner par la pitié. Lorsqu'elle s'aperçut que la jeune femme maigrissait à vue d'œil, pareille à un pauvre épouvantail doté d'un ventre énorme, aux yeux cavés, elle entreprit de tuer ses poules une à une afin de lui donner à boire des bouillons, et une fois sa basse-cour vidée, elle fit ce qu'elle ne s'était jamais résolue à faire jusqu'alors : elle alla demander de l'aide à Riad Halabi.

— J'ai fait six enfants et plusieurs fausses couches, mais jamais je n'ai encore vu quelqu'un se laisser dépérir à ce point pour une grossesse, expliqua-t-elle en rougissant. Elle n'a plus que la peau sur les os, elle n'a pas plus tôt réussi à avaler une bouchée qu'elle la vomit. Ce n'est pas mes oignons, je n'ai rien à voir là-dedans, mais qu'est-ce que je vais dire à sa mère si elle vient à mourir ? Je ne tiens pas à ce qu'on vienne à ce moment-là me demander des comptes.

Riad Halabi conduisit la malade en camionnette jusqu'à l'hôpital où Antonia les accompagna. Ils revinrent avec un sachet de pilules multicolores et une robe neuve pour Concha, la sienne étant trop étroite de taille. Devant le malheur de cette autre femme, Antonia Sierra ne pouvait s'empêcher de revivre certains épisodes de sa propre jeunesse, depuis sa première grossesse jusqu'aux violences qu'elle avait endurées. Quoi qu'elle en eût, elle souhaitait à Concha Diaz un avenir moins sinistre que le sien. Elle n'éprouvait plus envers elle de colère, plutôt une sorte de compassion muette, et elle se mit à la traiter comme une fille perdue, avec une autorité bourrue qui parvenait mal à dissimuler son attendrissement. La fille était atterrée par l'insidieuse transformation de son corps, par cette difformité qui la gagnait inexorablement, par cette honte d'uriner à tout bout de champ et de marcher comme une oie, par ces nausées irrépressibles et ses envies de mourir. Certains jours, elle se réveillait si mal en point qu'elle ne pouvait quitter son lit ; Antonia chargeait alors les enfants de se relayer auprès d'elle tandis qu'elle partait s'acquitter à fond de train de son travail pour rentrer s'occuper d'elle au plus tôt ; d'autres fois, Concha se réveillait en meilleure forme et quand Antonia rentrait, harassée, elle trouvait le dîner préparé et la maison en ordre. La jeune femme lui servait un café et restait plantée à côté d'elle, attendant qu'elle l'ait bu, avec un regard mouillé de bête reconnaissante.

L'enfant naquit à l'hôpital de la ville, car il ne paraissait pas vouloir venir au monde et il fallut opérer Concha Diaz pour le faire sortir. Antonia resta à son chevet une huitaine de jours, pendant lesquels Maîtresse Inés s'occupa de sa progéniture. Les deux femmes revinrent au village dans la camionnette du magasin et tout Agua Santa descendit dans la rue les accueillir. La maman avait le sourire, tandis qu'Antonia brandissait le nouveau-né avec des commentaires avantageux de grand-mère, proclamant qu'il serait baptisé Riad Varga Diaz, en juste hommage au Turc sans l'aide duquel la mère ne serait pas arrivée à temps à la maternité et qui, de surcroît, avait déboursé tous les frais dans la mesure où le père avait fait le sourd, feignant d'être plus saoul que de coutume pour ne pas avoir à déterrer son or.

Deux semaines plus tard, Tomás Varga entendit exiger de Concha Diaz qu'elle le rejoignît dans son hamac, malgré sa cicatrice encore fraîche et le bandage de blessé de guerre qui lui entourait le ventre, mais Antonia Sierra se campa devant lui, les mains sur les hanches, résolue pour la première fois de sa vie à s'opposer au bon plaisir du vieux. Son mari fit mine d'ôter son ceinturon pour lui flanquer sa raclée habituelle, mais elle ne le laissa pas terminer son geste et lui tomba dessus avec une telle sauvagerie que l'homme recula, ahuri. Cette hésitation le perdit, car à compter de cet instant, elle sut qui était le plus fort. Entre-temps, Concha Diaz avait déposé son fils dans un coin et s'était emparée d'une lourde cruche de grès qu'elle brandissait dans l'évident dessein de lui fracasser le crâne. L'homme comprit que l'avantage n'était pas de son côté et quitta la baraque en proférant des blasphèmes. Tout Agua Santa fut bientôt au courant de ce qui s'était passé, lui-même l'ayant raconté aux filles du bordel ; celles-ci en profitèrent pour préciser que Varga n'était plus à la hauteur et que ses vantardises d'étalon n'étaient que pures tartarinades, dépourvues de tout fondement.

A compter de cet incident, les choses changèrent du tout au tout. Concha Diaz se remit promptement et tandis qu'Antonia Sierra partait à son travail, elle restait pour s'occuper des enfants, vaquer aux tâches domestiques et au jardinage. Tomás Varga ravala ses déboires et s'en revint la queue basse à son hamac où plus personne ne lui tint compagnie. Il soulageait sa bile en brutalisant ses enfants et en exposant à la taverne que les femmes, comme les mules, ne comprennent que le langage de la trique, mais, à la maison, il ne s'aventura plus à leur taper dessus. Quand il était fin saoul, il clamait à tous vents les avantages de la bigamie, et le curé dut consacrer plusieurs dimanches à lui apporter la contradiction en chaire afin que cette idée n'allât prendre corps et que tant et tant d'années à prêcher la vertu chrétienne de monogamie ne fussent à passer par pertes et profits.

A Agua Santa, on pouvait tolérer qu'un homme maltraitât les siens, fût un cossard, un bambocheur, ne rendît pas l'argent qu'il avait emprunté, mais les dettes de jeu étaient quelque chose de sacré. Dans les combats de coqs, les billets pliés se tenaient pincés entre les doigts, de sorte que tout un chacun pût les voir ; aux dominos, aux dés ou aux cartes, ils se posaient sur la table, à la gauche du joueur. Parfois, les routiers de la Compagnie pétrolière s'arrêtaient pour quelques parties de poker, et bien qu'ils ne sortissent pas leur argent de leur poche, ils réglaient avant de repartir jusqu'au dernier centime de ce qu'ils devaient. Le samedi, c'étaient les gardiens du pénitencier de Santa Maria qui faisaient un saut au bordel, puis venaient jouer à la taverne leur gain de la semaine. Même eux — pourtant plus fieffés brigands que les détenus placés sous leur garde — n'osaient pas s'aventurer à jouer s'ils n'avaient de quoi payer. Nul n'enfreignait cette règle.

Tomás Varga s'abstenait de miser ou de parier, mais il aimait à regarder les joueurs, il pouvait rester des heures à suivre une partie de dominos, il était toujours le premier à prendre place pour assister aux combats de coqs et écoutait à la radio le tirage des numéros gagnants de la loterie alors même qu'il n'achetait jamais de billets. Il était prémuni contre ces tentations par l'immensité de son avarice. Pourtant, du jour où la complicité de fer entre Antonia Sierra et Concha Diaz lui eut définitivement fait perdre sa superbe de mâle, il se tourna vers le jeu. Au début, il misait des misères et seuls les pochards les plus démunis acceptaient de s'asseoir à sa table, mais il eut plus de chance avec les cartes qu'avec les femmes et il se laissa bientôt envahir par le termite de l'argent facile qui se mit à attaquer jusqu'à la moelle sa radinerie constitutive. Dans l'espoir de devenir d'un seul coup richissime et de recouvrer ainsi — par l'illusoire extrapolation d'un tel succès — sa réputation bafouée d'étalon, il entreprit de risquer davantage. Les joueurs les plus accomplis ne tardèrent pas à se mesurer à lui, et les autres faisaient cercle autour d'eux pour suivre les péripéties de chaque manche. Tomás Varga n'allongeait pas ses billets sur la table, comme le voulait la tradition, mais, quand il perdait, il réglait son dû. Chez lui, la pauvreté ne fit que s'accentuer et Concha dut aller travailler à son tour. Les gosses restèrent livrés à eux-mêmes et Maîtresse Inés fut contrainte de les nourrir pour éviter qu'ils ne traînent dans le village en s'initiant à la mendicité.

Pour Tomás Varga, les choses se compliquèrent du jour où il releva le défi du Lieutenant et, en six heures de jeu, lui rafla presque deux cents *pesos*. L'officier dut retenir la solde de ses hommes pour faire face à sa déroute. C'était un mulâtre bien bâti à la moustache de morse et à la vareuse toujours largement déboutonnée afin de permettre aux filles d'admirer son torse velu et sa collection de chaînes d'or. A Agua Santa, nul ne le tenait en grande estime, car c'était un homme imprévisible et il s'arrogeait volontiers le pouvoir d'inventer des lois à sa fantaisie et à sa convenance. Avant son arrivée, la prison se réduisait à deux pièces où passer la nuit après quelque bagarre — il n'y avait jamais eu de vrais crimes à Agua Santa et les seuls malfaiteurs qu'on y voyait étaient les détenus en route vers le pénitencier de Santa Maria —, mais le Lieutenant veilla à ce que nul ne transitât par le poste sans recevoir une sérieuse correction. Ainsi, grâce à lui, les gens s'étaient mis à avoir peur de la loi. La perte de deux cents *pesos* le rendait vert de rage, mais il remit l'argent sans broncher, voire avec un détachement non dépourvu de panache, car même lui, avec tout le poids de son autorité, ne se fût pas levé de table sans payer.

Tomás Varga parada pendant les deux jours qui suivirent sa victoire, quand le Lieutenant l'informa qu'il l'attendait le samedi suivant pour la revanche. Cette fois, la mise se monterait à mille *pesos*, lui annonça-t-il d'un ton si péremptoire que l'autre se remémora les coups de sabre sur le derrière et n'osa se dérober. Le samedi après-midi, la taverne était bondée. L'affluence et la chaleur étaient telles qu'on ne pouvait plus respirer et il fallut sortir la table en pleine rue pour que tous fussent témoins de la partie. Jamais on n'avait parié autant d'argent à Agua Santa et c'est Riad Halabi qui fut désigné pour veiller à la régularité de son déroulement. Celui-ci commença par exiger que le public s'écartât de deux pas afin d'empêcher une quelconque tricherie, puis que le Lieutenant et les autres policiers laissassent leurs armes au poste.

— Avant d'entamer la partie, chaque joueur doit poser son argent sur la table, déclara l'arbitre.

— Eh, le Turc, ma parole suffit, répliqua le Lieutenant.

— Dans ce cas, ma parole suffit aussi, renchérit Tomás Varga.

— Comment paierez-vous si vous perdez ? s'enquit Riad Halabi.

— Je possède une maison à la capitale ; si je perds, Varga aura les titres de propriété dès demain.

— Parfait. Et toi ?

— Moi, je réglerai avec l'or que j'ai enterré.

Ce fut la partie la plus palpitante à laquelle on eût assisté au village depuis nombre d'années. Tout Agua Santa, jusqu'aux vieillards et aux enfants, s'était rassemblé dans la rue. Les seules absentes n'étaient autres qu'Antonia Sierra et Concha Diaz. Ni le Lieutenant ni Tomás Varga n'inspiraient la moindre sympathie à personne, ce qui fait qu'on se moquait pas mal du vainqueur ; l'amusement consistait à deviner les affres des deux joueurs et de ceux qui avaient parié sur l'un ou sur l'autre. Tomás Varga avait pour lui que les cartes lui avaient été jusqu'ici favorables, mais le Lieutenant pouvait tirer avantage de son sang-froid et de sa réputation de gros bras.

Vers sept heures du soir, la partie se termina et, conformément aux règles établies, Riad Halabi déclara le Lieutenant vainqueur. Le policier garda dans la victoire la même impassibilité qu'il avait montrée la semaine précédente dans la défaite, sans un sourire ironique ni un mot plus haut que l'autre ; il resta simplement assis sur sa chaise à se curer les dents avec l'ongle de son petit doigt.

— Alors, Varga, l'heure est venue de déterrer ton trésor, fit-il lorsque se fut apaisé le brouhaha des badauds.

Le visage de Tomás Varga était devenu couleur de cendre, sa chemise était trempée de sueur et on aurait dit que l'air ne pouvait plus pénétrer dans ses poumons, mais restait bloqué dans sa bouche. Par deux fois il tenta de se lever, mais ses genoux se dérobèrent sous lui. Riad Halabi dut le soutenir. Il réussit enfin à trouver la force de se mettre en marche vers la grand-route, suivi du Lieutenant, des policiers, de l'Arabe, de Maîtresse Inés, et, derrière ceux-ci, par le village entier en turbulente procession. Ils couvrirent ainsi un ou deux milles au bout desquels Varga obliqua à droite, pénétrant dans la végétation tumultueuse et gloutonne qui cernait Agua Santa. On ne distinguait aucun sentier, mais il se fraya passage sans trop hésiter parmi les arbres géants et les fougères, jusqu'au bord d'un ravin à peine repérable, la forêt se dressant comme un impénétrable paravent. La foule n'alla pas plus loin, cependant que Varga descendait avec le Lieutenant. La moiteur était accablante, bien que le soleil fût sur le point de se coucher. Tomás Varga fit signe qu'il souhaitait rester seul, il se mit à quatre pattes et disparut en rampant sous les philodendrons aux larges feuilles charnues. Une longue minute s'écoula avant qu'on n'entendît son cri d'écorché. Le Lieutenant s'engouffra dans le feuillage, l'empoigna par les chevilles et le tira à lui.

— Que se passe-t-il ?

— Il n'est plus là, il n'est plus là !

— Comment ça, il n'est plus là ?

— Je le jure, mon lieutenant, je ne sais pas ce qui s'est produit, on l'a volé, on a volé mon trésor ! — et il se mit à sangloter comme une veuve, si éploré qu'il ne se rendit même pas compte des coups de pied que lui assenait le Lieutenant.

— Salaud ! Tu vas payer ce que tu me dois ! Par ta mère, tu vas me payer !

Riad Halabi dégringola la pente et le lui arracha des mains avant qu'il ne l'eût réduit en bouillie. Il parvint à convaincre le Lieutenant de se calmer, car les coups ne résoudraient rien, puis il aida le vieux à remonter. Tomás Varga avait été si traumatisé par ce qui venait de se passer qu'il en avait les os moulus, il pleurait à s'étouffer, titubait et tournait de l'œil à de si nombreuses reprises que l'Arabe dut presque le porter dans ses bras tout au long du retour, avant de le déposer enfin devant sa bicoque. Sur le seuil, Antonia Sierra et Concha Diaz se tenaient assises sur deux chaises paillées, prenant le café en regardant tomber la nuit. A entendre ce qui s'était produit, elles ne montrèrent aucun signe de consternation et continuèrent à siroter leur café, impavides.

Tomás Varga eut de la fièvre pendant une bonne semaine, délirant sur des lingots d'or et des cartes truquées, mais il était de constitution solide et au lieu de mourir d'affliction, comme tous s'y attendaient, il se remit. Quand il put se lever, il resta plusieurs jours sans oser mettre le nez dehors, mais son goût pour la chopine finit par l'emporter sur sa prudence, il mit son chapeau de velours côtelé et, encore tout perturbé et tremblotant, se dirigea vers la taverne. On ne le vit pas revenir ce soir-là ; deux jours plus tard, quelqu'un rapporta qu'il gisait éventré au fond du ravin où il avait dissimulé son trésor. On l'avait retrouvé ouvert de bas en haut d'un coup de machette comme une bête, ainsi qu'il devait, de l'avis général, finir tôt ou tard.

Antonia Sierra et Concha Diaz l'enterrèrent sans grandes démonstrations de chagrin et sans autre cortège que Riad Halabi et Maîtresse Inés, venus pour les accompagner, non pour rendre un dernier hommage à celui qu'ils tenaient de son vivant en si grand mépris. Les deux femmes continuèrent à vivre ensemble, disposées à se prêter main-forte pour élever les enfants et affronter les vicissitudes de chaque jour. Peu après les obsèques, elles achetèrent des poules, des lapins et des cochons, prirent l'autocar pour se rendre en ville où elles rapportèrent des vêtements pour toute la famille. Cette année-là, elles rafistolèrent la bicoque avec des planches neuves, y aménagèrent deux pièces supplémentaires, la peignirent tout en bleu, puis installèrent une cuisinière à gaz à partir de laquelle elles mirent sur pied un commerce de repas servis à domicile. Le midi, elles partaient avec tous leurs mouflets distribuer leurs plats préparés au poste de police, à l'école, à la poste, et, s'il en restait quelques portions, elles les laissaient sur le comptoir de Riad Halabi afin que ce dernier les proposât aux routiers de passage. Ainsi sortirent-elles de la misère et firent-elles leurs premiers pas sur la voie de la prospérité.

« *Si tu me fais battre le cœur...* »

Amadeo Peralta, qui avait grandi dans la bande de son père, ne pouvait qu'être de la graine de gredin, comme tous les mâles de la famille. De l'avis de son père, les études étaient tout juste bonnes pour les pédés, on n'avait nul besoin des livres pour réussir dans la vie, mais plutôt de couilles et d'astuce, disait-il, ce pour quoi il avait élevé ses fils à la dure. Avec le temps, néanmoins, il comprit que le monde était en train de changer à grands pas et que ses affaires devaient reposer sur des bases plus solides. L'époque du gangstérisme à la bonne franquette avait cédé la place à la corruption et à la spoliation en douceur, il était temps de gérer sa fortune selon des critères modernes et d'améliorer son image. Il réunit ses fils, leur assigna pour tâche de se lier d'amitié avec des personnalités influentes et de s'initier aux affaires licites afin de pouvoir continuer à prospérer sans danger si l'impunité venait un jour à leur faire défaut. Il leur ordonna également de se chercher un bon parti parmi les patronymes les plus anciens de la région, pour voir s'ils parviendraient ainsi à laver le nom des Peralta de toute cette boue et de tout ce sang qui l'avaient éclaboussé. Pour l'heure, à trente-deux ans, Amadeo avait pour habitude bien enracinée de ne séduire les filles que pour les plaquer aussitôt après, de sorte que l'idée du mariage ne lui disait rien, mais il n'osa désobéir à son père. Il commença par courtiser la fille d'un gros propriétaire foncier dont la famille avait vécu sur les mêmes terres depuis six générations. En dépit de la trouble réputation de son soupirant, elle l'accepta, car elle était fort peu gracieuse et craignait de rester célibataire. Pour tous deux débutèrent alors ces fiançailles à mourir d'ennui comme on en connaît en province. Mal à l'aise dans son costume de lin blanc et ses guêtres astiquées, Amadeo lui rendait quotidiennement visite sous le regard attentif de la future belle-mère ou de quelque tante, cependant que la donzelle servait le café et des tartelettes à la goyave, lui-même jetant des coups d'œil à la pendule et calculant le moment opportun de prendre congé.

Quelques semaines avant la noce, Amadeo Peralta dut effectuer un voyage d'affaires en province. C'est ainsi qu'il débarqua à Agua Santa, un de ces lieux où personne ne songe à moisir et dont les voyageurs se rappellent rarement le nom. Il sillonnait une rue resserrée, à l'heure de la sieste, maudissant la chaleur et cette odeur douceâtre de marmelade de mangues qui alourdissait l'atmosphère, quand il perçut un son cristallin, pareil à celui de l'eau cascadant entre des galets, en provenance d'une maison modeste à la peinture écaillée par le soleil et la pluie, comme presque toutes les habitations de l'endroit. Par la grille, il découvrit une entrée aux murs chaulés, pavée de dalles noires, donnant au fond sur un patio, et, plus loin, s'offrit à lui le surprenant spectacle d'une jeune fille assise par terre en tailleur et tenant, posé sur ses genoux, un psaltérion de bois blond. Il resta un moment à la contempler.

— Viens, petite », finit-il par la héler. Elle releva la tête et, malgré la distance, il put discerner ses yeux étonnés et son sourire incertain dans un visage encore enfantin. « Viens me voir, ordonna et supplia Amadeo d'une voix altérée.

Elle parut hésiter. Les dernières notes restèrent suspendues dans l'air du patio comme une interrogation. Peralta l'ayant de nouveau appelée, elle se leva et s'approcha ; il glissa alors le bras à travers les barreaux de la grille, fit basculer le loquet, ouvrit la porte et la prit par la main tout en lui débitant l'intégrale de son répertoire de séducteur, jurant qu'il l'avait vue dans ses rêves, qu'il l'avait cherchée toute sa vie durant, qu'il ne pouvait la laisser lui échapper, qu'elle était la femme qui lui était destinée, toutes choses qu'il aurait pu se dispenser de dire, car la fille était simple d'esprit et n'entendait rien à ses paroles, même si le ton de sa voix ne laissait peut être pas de la charmer. Hortensia venait d'avoir quinze ans et son corps était mûr pour une première étreinte, bien qu'elle-même n'en sût rien encore ni n'eût pu mettre un nom sur cette appréhension qui la faisait frissonner. Pour lui, ce fut un tel jeu d'enfant de la conduire jusqu'à sa voiture et de l'amener jusque dans un terrain vague qu'une heure plus tard, il l'avait déjà complètement oubliée. Il ne s'en souvenait pas davantage, une semaine après, quand elle fit subitement son apparition chez lui, à cent quarante kilomètres de là, en tablier jaune et espadrilles de toile, avec son psaltérion sous le bras, brûlant de la fièvre de l'amour.

Quarante-sept ans plus tard, quand Hortensia fut tirée du trou où on l'avait laissée croupir et que les reporters affluèrent des quatre coins du pays pour la photographier, elle-même ne savait plus son nom ni comment elle avait échoué jusque là.

— Pourquoi l'avez-vous gardée enfermée comme une misérable bête ? s'acharnèrent à demander les journalistes à Amadeo Peralta.

— Parce que tel était mon bon plaisir, répondit-il placidement.

En ce temps-là, il avait déjà quatre-vingts ans et gardait toute sa lucidité, mais il ne comprenait goutte à ce remue-ménage tardif pour quelque chose qui remontait à si loin.

Il n'était point disposé à fournir la moindre explication. C'était un homme au parler autoritaire, patriarche et arrière-grand-père, que nul n'osait regarder droit dans les yeux et que même les curés saluaient en courbant la tête. Au cours de sa longue vie, il avait accru la fortune héritée de son père, s'était approprié toutes les terres depuis les ruines du fortin espagnol jusqu'aux limites de l'État, puis il s'était lancé dans la carrière politique qui en avait fait le plus puissant cacique de la région. Il avait épousé le laideron du propriétaire foncier, il en avait eu neuf descendants légitimes, et il avait engendré un nombre indéfini de bâtards avec d'autres femmes, sans conserver souvenir d'aucune, car il avait le cœur irrémédiablement mutilé pour l'amour. La seule dont il n'avait pu se débarrasser tout à fait n'était autre qu'Hortensia, qui était restée accrochée à sa conscience comme un cauchemar persistant. Après leur brève passade parmi les herbes folles d'un terrain vague, il avait retrouvé sa maison, son travail et son insipide fiancée d'honorable famille. C'est Hortensia qui était partie à sa recherche jusqu'à le retrouver, c'est elle qui s'était dressée en travers de son chemin pour se cramponner à sa chemise avec une glaçante soumission d'esclave. Quelle histoire, se dit-il alors, moi qui suis sur le point de me marier en grande pompe avec tout le tralala, et cette gamine dérangée qui vient me mettre des bâtons dans les roues ! Il avait songé à se débarrasser d'elle, mais à la voir dans sa blouse jaune, avec ses yeux implorants, il lui avait paru dommage de ne pas profiter de l'occasion et il avait décidé de la cacher en attendant de trouver quelque solution.

Et c'est ainsi, presque par mégarde, qu'Hortensia s'en alla finir dans une cave de l'ancien moulin à sucre des Peralta où elle resta enterrée toute sa vie. C'était un endroit assez spacieux, sombre et humide, étouffant en été, froid durant certaines nuits de la saison sèche, meublé de quelques vieilleries et d'une paillasse. Amadeo Peralta ne se donna pas la peine de l'installer mieux, bien qu'il eût à diverses reprises caressé l'idée de faire de la gamine une concubine de conte oriental enveloppée de gazes et entourée de plumes de paon, de tentures de brocart, de lampes en verres de couleur, de meubles dorés aux pieds tarabiscotés et de tapis fournis où marcher pieds nus. Peut-être l'eût-il fait si elle lui avait rappelé ses belles promesses, mais Hortensia était pareille à un oiseau de nuit, un de ces engoulevents aveugles qui vivent tout au fond des grottes, elle n'avait besoin que d'un peu de nourriture et d'eau. Sa blouse jaune finit par lui pourrir sur le corps et elle resta dans le plus simple appareil.

— Il m'aime, il m'a toujours aimée, déclara-t-elle quand les voisins vinrent la délivrer.

Au bout de tant d'années de claustration, elle avait perdu l'usage de la parole et sa voix sortait par à-coups, comme des borborygmes de moribond.

Les premières semaines, Amadeo avait passé beaucoup de temps dans la cave en sa compagnie, rassasiant un appétit qu'il avait cru inépuisable. Craignant qu'on ne vînt à la découvrir, jaloux au point de l'être de ses propres yeux, il se refusait à l'exposer au grand jour et laissa seulement filtrer un mince rayon par la bouche d'aération. Ils batifolèrent dans l'obscurité, cédant au plus grand désordre des sens, la peau brûlante, le cœur métamorphosé en crabe affamé. Dans le noir, odeurs et saveurs prenaient un relief extrême. En se caressant l'un l'autre, ils parvenaient à pénétrer mutuellement leur essence et à sonder leurs intentions les mieux enfouies. Dans cet endroit, leurs voix se réverbéraient, les murs leur renvoyaient amplifiés leurs chuchotements et leurs baisers. La cave se transforma en une sorte de bocal hermétiquement clos où ils se roulaient comme deux jumeaux polissons nageant dans les eaux amniotiques, deux créatures turgides et sans cervelle. Ils se fourvoyèrent ainsi un certain temps dans une intimité absolue qu'ils prirent pour de l'amour.

Dès qu'Hortensia s'endormait, son amant partait chercher quelque chose à manger et avant qu'elle ne fût réveillée, il s'en revenait avec une vigueur renouvelée pour l'étreindre derechef. Ainsi auraient-ils dû s'entr'aimer jusqu'à mourir épuisés de plaisir, ainsi auraient-ils dû s'entre-dévorer, se consumer comme une double torche ; mais il n'en fut rien. A la place advint le plus prévisible et le plus banal, le moins grandiose. Un mois ne s'était pas écoulé qu'Amadeo Peralta se lassa de ces jeux qui commençaient à se répéter, il sentit l'humidité lui rouiller les articulations et se mit à songer à tout ce qu'il y avait à l'extérieur de ce terrier. Il était temps pour lui de s'en retourner dans le monde des vivants et de reprendre en mains les rênes de son destin.

— Attends-moi ici, ma petite. Je m'en vais au-dehors afin de devenir très riche. Je te rapporterai des cadeaux, des robes et des bijoux de reine, lui déclara-t-il en la quittant.

— Je voudrais des enfants, lui dit-elle.

— Non, pas d'enfants, mais tu auras des poupées.

Au cours des mois qui suivirent, Peralta oublia robes, bijoux, poupées. Il rendait visite à Hortensia chaque fois qu'il se souvenait d'elle, pas toujours pour faire l'amour, parfois seulement pour l'entendre jouer quelque vieille mélodie sur son psaltérion : il aimait bien la voir penchée sur l'instrument, pinçant ses cordes. Certains jours, il était si pressé qu'il ne parvenait même pas à échanger une parole avec elle, il remplissait les cruchons d'eau, lui laissait un sac rempli de provisions, puis repartait. La fois où il resta neuf jours d'affilée sans penser à elle et où il la retrouva moribonde, il comprit qu'il était indispensable de trouver quelqu'un qui l'aidât à s'occuper de la prisonnière, lui-même étant désormais très absorbé par sa famille, ses déplacements, ses affaires, ses engagements politiques. Une Indienne hermétique y fut préposée. Elle gardait la clé du cadenas, venait à intervalles réguliers balayer le cachot et gratter les lichens qui se mettaient à pousser sur le corps d'Hortensia comme une flore délicate et translucide presque invisible à l'œil nu, fleurant la terre retournée, la chose laissée à l'abandon.

— Vous n'avez donc pas eu pitié de cette pauvre femme ? demanda-t-on à l'Indienne lorsqu'elle fut à son tour arrêtée pour complicité de séquestration, mais elle ne répondit pas et se contenta de regarder droit devant elle, de ses yeux impavides, et de cracher un jet de salive noircie par le tabac.

Non, elle n'en avait pas eu pitié, car elle s'était dit que l'autre avait vocation d'esclave et ne pouvait donc que se féliciter de l'être, ou bien qu'elle était née idiote et, comme pour beaucoup d'individus dans son cas, mieux valait rester enfermé qu'exposé aux quolibets et aux dangers de la rue. Hortensia n'avait jamais rien fait pour modifier l'opinion que sa geôlière se faisait d'elle, jamais elle n'avait manifesté la moindre curiosité pour le monde extérieur, jamais elle n'avait tenté de sortir pour respirer l'air pur du dehors, jamais elle ne s'était plainte de rien. Elle ne paraissait pas davantage s'ennuyer, son cerveau était resté arrêté à un moment ou à un autre de son enfance, et la solitude avait fini par le déranger complètement. Elle se métamorphosait en fait en créature souterraine. Dans cette tombe, ses sens s'aiguisèrent, elle apprit à voir l'invisible, une ronde hallucinante d'esprits l'entouraient et la prenaient par la main pour la transporter en d'autres mondes. Cependant que son corps demeurait recroquevillé dans un coin, elle voyageait à travers l'espace sidéral comme une particule messagère évoluant dans un univers de ténèbres, aux antipodes de la raison. Eût-elle disposé d'un miroir pour se contempler qu'elle eût été terrifiée par son propre aspect, mais, comme elle ne pouvait se voir, elle ignora sa déchéance, ne sut rien des écailles qui lui avaient poussé sur la peau, des vers à soie qui avaient fait leurs nids dans sa longue chevelure transformée en étoupe, des nuages plombés qui lui avaient obturé les yeux, déjà morts de tant scruter la pénombre. Elle ne sentit pas ses oreilles grandir pour mieux capter les bruits de l'extérieur, jusqu'aux plus ténus et aux plus lointains, comme le rire des enfants dans la cour de récréation de l'école, la clochette du marchand de glaces, les trissements des oiseaux en vol, le gazouillis de la rivière. Elle ne s'aperçut pas davantage que ses jambes, naguère graciles et fermes, s'étaient tordues pour s'adapter à l'obligation où elle était de rester immobile et de se traîner, ni que ses ongles de pied avaient atteint les proportions de griffes de bête fauve, que ses os s'étaient transformés en tubes de verre, que son abdomen s'était enfoncé et que dans son dos lui était poussé une bosse. Seules la forme et la dimension de ses mains n'avaient pas varié, occupées qu'elles étaient toujours à jouer du psaltérion, même si ses doigts avaient oublié les mélodies apprises et, à leur place, arrachaient à l'instrument les sanglots qui ne voulaient pas sortir de sa propre poitrine. De loin, Hortensia ressemblait à une triste guenon de foire ; de près, elle inspirait une infinie pitié. Mais elle-même n'avait aucunement conscience de ces cruelles transformations ; son image, elle la gardait intacte dans sa mémoire, elle était toujours cette même jeune fille dont elle avait vu pour la première fois le reflet dans le pare-brise de la voiture d'Amadeo Peralta, le jour où il l'avait conduite jusque dans sa tanière. Elle se croyait toujours aussi jolie et continuait à se comporter comme si elle l'était, tant et si bien que le souvenir de sa beauté restait lové en elle et quiconque s'en approchait suffisamment pouvait l'entr'apercevoir sous ses dehors de naine préhistorique.

Entre-temps, Amadeo Peralta, riche et redouté, avait déployé sur toute la région les mailles de son pouvoir. Le dimanche, il prenait place au haut bout d'une longue table en compagnie de ses enfants et petits-enfants mâles, de ses partisans et hommes de main, ainsi que de quelques invités triés sur le volet, politiciens et responsables militaires qu'il traitait avec une familiarité braillarde, non dépourvue d'une certaine arrogance destinée à leur rappeler qui était le patron. Dans son dos, on parlait à voix basse de ses victimes, de tous ceux qu'il avait acculés à la ruine ou fait disparaître, de la façon dont il graissait la patte aux autorités ; on prétendait qu'une bonne moitié de sa fortune provenait de la contrebande, mais nul n'était disposé à chercher des preuves. On racontait aussi que Peralta gardait une femme prisonnière au fond d'une cave. Cette part de sa légende noire était colportée avec plus d'assurance que ce qui touchait ses profits illicites, beaucoup étaient en réalité au courant et, avec le temps, c'était devenu un secret de Polichinelle.

Par un après-midi torride, trois enfants firent l'école buissonnière pour aller se baigner à la rivière. Ils passèrent une ou deux heures à barboter dans la vase de la berge, puis s'en furent traîner du côté de l'ancien moulin à sucre des Peralta, désaffecté depuis deux générations, quand la canne avait cessé d'être rentable. L'endroit était

réputé maléfique, on disait qu'un remue-ménage de
démons s'y faisait entendre et beaucoup avaient aperçu
dans les parages une sorcière échevelée invoquant les
esprits des esclaves morts. Excités par le goût de l'aventure, les gosses se faufilèrent à l'intérieur de la propriété
et s'approchèrent du bâtiment de l'ancienne usine. Ils
s'enhardirent bientôt au milieu des ruines et parcoururent
les immenses salles aux épais murs de brique, aux poutres
rongées par les termites, écartant la broussaille qui avait
surgi du sol, esquivant les monticules d'ordures et les
crottes de chien, les tuiles pourries, les nids de couleuvres.
Plaisantant pour se donner courage, se poussant l'un
l'autre, ils arrivèrent à la salle de broyage, un gigantesque
hall à ciel ouvert encombré de machines en pièces
détachées où le soleil et la pluie avaient donné naissance
à un incroyable jardin et où ils crurent humer un relent
pénétrant de sucre et de sueur. Alors que leur peur
commençait à s'évanouir, ils entendirent très distinctement s'élever les accents d'une monstrueuse mélodie.
Tremblant de la tête aux pieds, ils s'apprêtaient à
rebrousser chemin, mais la fascination de l'horrible l'em-
porta sur la frayeur et ils restèrent accroupis à écouter,
jusqu'à ce que la toute dernière note se fût gravée dans
leur cerveau. Peu à peu, ils parvinrent à vaincre leur
paralysie, ils s'affranchirent de leur épouvante et se
mirent à chercher d'où avaient pu venir ces sons étranges,
si différents de toute musique connue, et c'est ainsi qu'ils
tombèrent sur une petite trappe à la surface du sol,
fermée par un cadenas qu'ils ne purent forcer. Ils
martelèrent la planche qui bouchait l'orifice et un indescriptible remugle de fauve en cage les prit à la gorge. Ils
appelèrent, mais nul ne répondit, ils ne discernèrent de
l'autre côté qu'un sourd halètement. Ils partirent alors à
toutes jambes, criant à tue-tête qu'ils venaient de découvrir la porte de l'enfer.

Le tintamarre fait par les enfants ne put être étouffé et c'est ainsi que les gens du voisinage purent finalement vérifier ce qu'ils subodoraient depuis des décennies. D'abord accoururent les mères, sur les pas de leur progéniture, qui collèrent l'oreille contre les fentes de la trappe et entendirent à leur tour les accents terribles du psaltérion, si différents de la mélodie familière qui avait attiré Amadeo Peralta quand il s'était arrêté dans une ruelle d'Agua Santa pour éponger la sueur de son front. Derrière les mères rappliquèrent en troupeau les curieux, et, pour finir, alors que s'était déjà rassemblée une foule nombreuse, survinrent les policiers et les pompiers qui défoncèrent la trappe à coups de hache et s'introduisirent dans le trou avec leurs torches et leur attirail de lutte contre le feu. Dans la cave, ils découvrirent une créature toute nue, à la peau flasque tombant en plis blafards, balayant le sol de sa tignasse grise et qui geignait, terrorisée par la lumière et le bruit. C'était Hortensia, brillant d'une phosphorescence d'huître perlière sous l'implacable éclat des lampes-torches des pompiers, quasiment aveugle, les dents réduites à des chicots, les jambes si faibles que c'est à peine si elle pouvait se tenir debout. Le seul indice de ses origines humaines était un vieux psaltérion qu'elle pressait contre sa poitrine.

La nouvelle souleva l'indignation générale dans le pays. La presse et le petit écran montrèrent la femme sortie du trou où elle avait passé sa vie, à peine couverte par un plaid qu'on lui avait jeté sur les épaules. En l'espace de quelques heures, l'indifférence qui avait entouré le sort de la prisonnière pendant près d'un demi-siècle fit place à un désir fébrile de la venger et de la secourir. Les voisins mirent sur pied une expédition chargée d'aller lyncher Amadeo Peralta, ils prirent sa demeure d'assaut, le traînèrent au-dehors, et si la gendarmerie n'était pas survenue à temps pour le leur arracher des mains, ils l'auraient dépecé sur place. Pour se disculper de l'avoir ignorée si longtemps, tous voulurent à qui mieux mieux s'occuper d'Hortensia. On collecta de l'argent pour lui assurer une pension, on recueillit des tonnes de vêtements et de médicaments dont elle n'avait que faire, et plusieurs associations de bienfaisance s'assignèrent pour tâche de la décrasser, de lui couper les cheveux et de la vêtir de pied en cap, jusqu'à la transformer en petite vieille comme les autres. Les religieuses lui concédèrent un lit à l'hospice, mais durent l'y maintenir attachée pendant des mois pour éviter qu'elle ne se sauve et ne regagne sa cave, jusqu'au jour où elle finit par s'habituer à la lumière du jour et par se résigner à vivre au milieu des autres humains.

Profitant de la vindicte populaire attisée par la presse, les très nombreux ennemis d'Amadeo Peralta prirent enfin leur courage à deux mains pour s'élancer tête baissée contre lui. Les autorités, qui avaient couvert ses abus durant tant d'années, lui tombèrent dessus en brandissant le bâton de la loi. L'affaire retint l'attention générale assez longtemps pour conduire le vieux cacique sous les verrous, après quoi elle s'estompa jusqu'à disparaître complètement des mémoires. Rejeté par ses proches et amis, transformé en symbole de l'abomination et de l'abjection, en butte à l'hostilité des gardiens et de ses compagnons d'infortune, il resta à moisir en prison jusqu'à sa mort. N'allant jamais fouler la cour avec les autres détenus, il ne quittait pas sa cellule. De là, il pouvait écouter les bruits de la rue.

Chaque jour, sur le coup de dix heures du matin, Hortensia se rendait de sa démarche vacillante de vieille folle jusqu'à la maison d'arrêt où elle remettait au gardien posté à l'entrée une marmite encore chaude à l'intention du prisonnier.

— Lui-même ne m'a presque jamais laissée avoir faim, disait-elle au factionnaire comme pour s'excuser.

Puis elle s'accroupissait dans la rue pour jouer de son psaltérion dont elle arrachait d'insoutenables gémissements d'agonie. Dans l'espoir de la dissuader de continuer, certains passants lui jetaient une pièce.

Recroquevillé de l'autre côté du mur, Amadeo Peralta écoutait ces sonorités qui paraissaient monter du centre de la terre et qui lui vrillaient les nerfs. Ce rappel quotidien devait bien vouloir dire quelque chose, mais il ne parvenait pas à se rappeler quoi. Parfois, il ressentait comme une brûlure laissée par quelque faute, mais la mémoire lui faisait aussitôt défaut et les images du passé se dissolvaient dans une brume épaisse. Il ignorait ce qui l'avait conduit jusque dans ce tombeau et, s'abandonnant à sa détresse, il finit peu à peu par oublier à son tour le monde vivant à la lumière du jour.

Cadeau pour une bien-aimée

Horacio Fortunato entrait dans sa quarante-septième année quand fit irruption dans sa vie la Juive maigrichonne qui faillit bouleverser ses habitudes d'aigrefin et réduire en miettes sa vantardise. Il appartenait à la race des gens de cirque, de ceux qui naissent avec les os en caoutchouc et une aptitude naturelle à effectuer des sauts de la mort, qui, à l'âge où les autres mouflets se traînent comme des vers de terre, se suspendent la tête en bas à un trapèze et brossent les dents du lion. Avant que son père ne fasse une entreprise sérieuse de ce qui n'avait été jusqu'alors qu'une rigolade, le cirque Fortunato avait connu plus de vicissitudes que d'heures de gloire. A certaines époques de faillite et de débandade, la troupe se réduisait à deux ou trois membres du clan déambulant le long des chemins à bord d'un chariot délabré, avec une tente en lambeaux qu'ils dressaient dans des villages miteux. Le grand-père d'Horacio avait assumé seul tout le poids du spectacle durant des années ; il marchait sur une corde non tendue, jonglait avec des torches enflammées, avalait des sabres de Tolède, sortait des oranges aussi bien que des serpents de son haut-de-forme et dansait un gracieux menuet avec son unique partenaire, une guenon affublée de crinolines et d'un chapeau à plumes. Mais l'aïeul était parvenu à surmonter l'adversité et alors que nombre d'autres cirques succombaient face à d'autres attractions plus modernes, il avait sauvé le sien et, vers la fin de sa vie, put se retirer dans le sud du continent pour cultiver fraises et asperges dans son jardin, tout en laissant une entreprise sans un sou de dette à son fils Fortunato II. Dépourvu de l'humilité paternelle, celui-ci était peu porté à faire de l'équilibrisme sur une corde ou des pirouettes avec un chimpanzé, mais il était doté en revanche d'un sens des affaires à toute épreuve. Sous sa direction, le cirque vit sa taille et sa renommée grandir au point de devenir le tout premier du pays. Trois énormes chapiteaux à rayures avaient remplacé la modeste tente des temps difficiles, toute sorte de cages abritaient un zoo ambulant de fauves dressés, et d'autres véhicules de fière allure transportaient les artistes, parmi lesquels le seul nain hermaphrodite et ventriloque de toute l'Histoire. Une réplique exacte de la caravelle de Christophe Colomb, montée sur roues, complétait le Grand Cirque international Fortunato. Cette gigantesque caravane ne voguait plus à la dérive, comme c'était le cas à l'époque du grand-père, mais se mouvait en ligne droite par les grands itinéraires depuis le Rio Grande jusqu'au détroit de Magellan, ne s'arrêtant que dans les agglomérations importantes où il pénétrait dans un tel charivari de grosses caisses, de clowns et d'éléphants, avec la caravelle en tête comme une prodigieuse relique du temps de la Conquête, que nul ne pouvait ignorer que le cirque venait d'arriver.

Fortunato II épousa une trapéziste dont il eut un fils qui fut prénommé Horacio. Cette femme décida lors d'une étape de rester sur place, de s'affranchir de son mari et de vivre de son aléatoire métier, tout en abandonnant le gosse à son père. D'elle ne subsista qu'un souvenir diffus dans l'esprit de son fils, incapable de séparer l'image de sa mère de celle des nombreuses acrobates qu'il avait connues dans sa vie. Il avait dix ans quand son père convola avec une autre artiste du cirque, cette fois une écuyère capable de tenir en équilibre sur la tête sur une monture au galop ou de sauter les yeux bandés d'une croupe à l'autre. Elle était très belle. En dépit de toute l'eau, du savon et des parfums dont elle faisait usage, elle ne parvenait pas à se débarrasser des relents de cheval, un raide remugle d'effort et de suint. Contre son sein somptueux, le petit Horacio, baigné de ce parfum unique, trouvait à se consoler de l'absence de sa mère. Mais, avec le temps, l'écuyère se débina à son tour sans dire adieu. Fortunato II était déjà un homme mûr quand il épousa en troisièmes noces une Suissesse qui visitait l'Amérique en autocar de touristes. Il était las de son existence de Bédouin et ne se sentait plus en âge de supporter de nouvelles émotions, si bien qu'il ne vit nul inconvénient, lorsqu'elle en fit la demande, de troquer le cirque contre un destin sédentaire, et il finit par se fixer dans une propriété alpestre au milieu des forêts et de vallons bucoliques. C'est à son fils Horacio, qui avait déjà vingt et quelques années, qu'échut la charge de l'entreprise.

Horacio avait grandi dans l'incertitude des changements de lieux quotidiens, dormant sur roues, vivant sous la tente, mais il était on ne peut plus heureux de son sort. Il n'enviait en rien les autres gosses qui se rendaient à l'école en uniforme gris et dont la destinée était toute tracée dès avant leur naissance. Par contraste, il se sentait libre et comblé. Le cirque n'avait pas de secrets pour lui et c'est avec la même débrouillardise allègre qu'il nettoyait les excréments des fauves ou se balançait à cinquante mètres au-dessus du sol en costume de hussard, séduisant le public par son sourire de petit prince. S'il en vint un jour ou l'autre à éprouver la nostalgie d'un peu de stabilité, il ne se l'avoua jamais, pas même dans son sommeil. Le fait d'avoir été abandonné par sa mère, puis par sa belle-mère, l'avait rendu méfiant, surtout à l'égard des femmes, mais il ne réussit pas pour autant à devenir cynique, car il avait hérité de son grand-père un cœur romanesque. Ses talents sur la piste étaient immenses, mais l'aspect commercial de l'affaire l'intéressait plus que son art. Dès son enfance, il avait formé le projet de devenir un homme riche, estimant naïvement trouver par l'argent la sécurité qu'il n'avait point obtenue auprès des siens. Grâce à lui, l'entreprise multiplia ses tentacules par l'achat d'une chaîne de salles de boxe dans diverses capitales. De la boxe, il passa tout naturellement au catch, et comme c'était un homme qui avait le sens du divertissement, il transforma ce sport grossier en spectacle dramatique. C'est à lui que l'on dut la Momie, qui montait sur le ring dans un sarcophage égyptien ; Tarzan, qui cachait ses parties honteuses sous une peau de tigre si exiguë qu'à chacun de ses bonds le public retenait son souffle dans l'attente de quelque révélation ; l'Ange, qui pariait chaque soir sa chevelure d'or et qui chaque soir la perdait sous les ciseaux du féroce Kuramoto — un Indien araucan déguisé en samouraï — pour réapparaître le lendemain avec ses boucles intactes, preuve irréfutable de son extraction divine. Ces aventures commerciales, entre bien d'autres, de même que ses apparitions publiques entre deux gardes du corps dont le rôle consistait à intimider la concurrence et à piquer la curiosité des femmes, lui valurent une réputation de sale type, ce qui le mettait profondément en joie. Il menait la grande vie, sillonnait le monde pour conclure des marchés et faire l'acquisition de monstres, il fréquentait clubs et casinos, possédait une villa de verre en Californie et un ranch dans le Yucatan, mais il passait la majeure partie de l'année dans des palaces. Il prenait plaisir dans la compagnie de blondes de location. Il les choisissait douces et dotées d'une poitrine fructueuse, en hommage à la mémoire de sa belle-mère, mais il ne se laissait point trop tourmenter par les affaires amoureuses et quand son grand-père le priait de prendre femme et de faire des enfants afin que le nom des Fortunato, faute d'héritiers, n'en vînt à s'éteindre, il répondait que, même saisi de démence, il ne monterait pour rien au monde sur l'échafaud du mariage. C'était un colosse noir de peau, à la tignasse écrasée du plat de la main, doué d'un regard effronté et d'une voix impérieuse qui faisaient ressortir sa franche et joviale vulgarité. Il se piquait d'élégance et s'achetait des garde-robes d'archiduc, mais ses tenues se révélaient un peu voyantes, ses cravates un peu trop audacieuses, le rubis de sa bague trop ostentatoire, son parfum trop entêtant. Il avait l'âme d'un dompteur de lions et aucun confectionneur anglais n'était à même de le faire oublier.

Un mardi de mars, cet homme qui avait passé une bonne partie de son existence à remuer du vent en jetant son argent par les fenêtres vint à rencontrer Patricia Zimmermann, et, de ce jour, c'en fut fini de son esprit insouciant et de ses idées claires. Il se trouvait dans le seul restaurant de la ville encore interdit aux Noirs, en compagnie de quatre compères et d'une diva qu'il comptait emmener passer une semaine aux Bahamas, quand Patricia fit son entrée dans la salle au bras de son mari, vêtue de soie et parée de quelques-uns de ces diamants qui avaient fait la réputation de la firme Zimmermann et Cie. On n'eût pas trouvé femme plus différente de l'inoubliable belle-mère fleurant la sueur chevaline ou des blondes faciles. Il la vit s'avancer, petite et gracile, avec ses clavicules saillantes et ses cheveux châtains ramassés en chignon sévère, et il se sentit aussitôt les genoux en plomb, la poitrine en feu. Il préférait les filles sans chichis, toujours prêtes à faire la noce ; celle-ci, il fallait la regarder de près pour soupeser ses avantages, et ceux-ci n'eussent encore été perceptibles qu'à un regard exercé à saisir et apprécier les subtilités, ce qui n'était pas le cas d'Horacio Fortunato. Si la voyante du cirque, consultant sa boule de cristal, lui eût prophétisé qu'il tomberait amoureux dès le premier coup d'œil d'une aristocrate quadragénaire et prétentieuse, il se serait esclaffé de bon cœur, mais c'est pourtant ce qui lui arriva quand il la vit s'avancer dans sa direction, semblable à l'ombre de quelque impératrice douairière du temps jadis, dans ses sombres atours, avec cette ribambelle de diamants brillant de tous leurs feux à son cou. Patricia passa tout près de lui et marqua un temps d'arrêt devant ce colosse à la serviette coincée dans le gilet, arborant une dégoulinade de sauce au coin des lèvres. Horacio Fortunato parvint à capter son parfum, à admirer son profil aquilin, et il en oublia complètement la présence de la cantatrice et de ses gardes du corps, ses affaires et tous les objectifs qu'il s'était fixés dans la vie, décidé le plus sérieusement du monde à enlever cette femme à son joaillier et à l'aimer du mieux qu'il pourrait. Il tourna sa chaise de biais et, ne prêtant plus aucune attention à ses invités, s'attacha à mesurer la distance qui le séparait de Patricia Zimmermann, cependant que celle-ci se demandait si l'inconnu n'était pas en train de scruter ses bijoux avec des intentions tordues.

Le soir même arriva au domicile des Zimmermann une énorme gerbe d'orchidées. Patricia examina la carte, un rectangle sépia portant un nom de roman-feuilleton écrit en arabesques dorées. De très mauvais goût, marmonna-t-elle en devinant sur-le-champ qu'il s'agissait du type gominé du restaurant ; elle ordonna qu'on jetât l'envoi dans la rue, dans l'espoir que l'expéditeur, en train de rôder autour de la maison, fût ainsi édifié sur le sort réservé à ses fleurs. Le lendemain, on apporta une boîte de cellophane renfermant une rose unique, parfaite, sans carte. Le majordome la mit à son tour à la poubelle. Le reste de la semaine vit livrer diverses sortes de bouquets : une corbeille de fleurs des champs sur lit de lavande, une pyramide d'œillets blancs dans une coupe en argent, une douzaine de tulipes noires importées de Hollande, et d'autres variétés introuvables sous ces latitudes brûlantes. Tous connurent la même destination, mais cela ne découragea en rien le soupirant dont le siège devint si insupportable que Patricia n'osait plus décrocher le téléphone de peur d'entendre sa voix lui susurrer des obscénités, comme c'était arrivé, ce même mardi, sur le coup de deux heures du matin. Elle retournait ses lettres non décachetées. Elle cessa de sortir, car elle tombait sur Fortunato dans les endroits les plus inattendus : l'épiant depuis la loge voisine à l'Opéra ; en pleine rue, s'apprêtant à lui ouvrir la portière avant que son chauffeur n'ait eu le temps d'en esquisser le geste ; surgissant comme une apparition au détour d'un escalier ou d'un ascenseur. Elle était prisonnière à son domicile, terrorisée. Ça lui passera, ça lui passera, se répétait-elle, mais Fortunato ne se volatilisait pas comme un mauvais rêve, il était là et bien là, le souffle court, de l'autre côté du mur. La femme songea avertir la police ou en appeler à son mari, mais son horreur du scandale l'en dissuada. Un beau matin, elle était occupée à dépouiller son courrier quand le majordome lui annonça la visite du président de la société Fortunato & Fils.

— Jusque dans ma propre maison, comment ose-t-il ? murmura Patricia dont le cœur s'était emballé.

Elle dut rassembler toute l'implacable maîtrise de soi qu'elle avait acquise au bout de tant d'années passées à évoluer dans les salons pour dissimuler le tremblement de ses mains et de sa voix. Elle eut un instant la tentation d'accepter une bonne fois le face-à-face avec ce cinglé, mais elle se rendit compte que ses forces la trahiraient, qu'elle se sentait vaincue avant même de le voir.

— Dites-lui que je ne suis pas là. Montrez-lui la porte et prévenez les domestiques que ce monsieur est indésirable dans cette maison, ordonna-t-elle.

Le lendemain, il n'y eut pas de fleurs exotiques au petit déjeuner et Patricia se dit avec un soupir de soulagement et de dépit que l'homme avait enfin compris son message. Ce matin-là, elle se sentit libre pour la première fois de la semaine et s'en fut jouer au tennis, puis au salon de beauté. Elle revint vers deux heures de l'après-midi avec une nouvelle coupe de cheveux et une forte migraine. En rentrant chez elle, elle aperçut sur la table du vestibule un écrin de velours mauve portant la marque Zimmermann inscrite en lettres d'or. Elle l'ouvrit distraitement, pensant que son mari avait dû le laisser là, et y découvrit un collier d'émeraudes accompagné de ces cartes alambiquées de couleur sépia qu'elle avait appris à bien connaître et à prendre en haine. Son mal de tête se transforma en panique. Cet aventurier paraissait disposé à saccager sa vie : non seulement il achetait à son propre époux un joyau qui ne pouvait passer inaperçu, mais, par-dessus le marché, il le faisait impudemment livrer chez elle. Cette fois-ci, il n'était plus possible de jeter le cadeau à la poubelle, comme les monceaux de fleurs qu'elle avait reçus jusqu'alors. L'écrin serré contre sa poitrine, elle alla s'enfermer dans son bureau. Une demi-heure plus tard, elle fit venir son chauffeur et l'envoya déposer un paquet à la même adresse où elle avait déjà retourné plusieurs lettres. En se dessaisissant du bijou, elle n'éprouvait aucune espèce de soulagement, mais avait au contraire l'impression de s'enliser dans un marécage.

Cependant, au même moment, Horacio Fortunato faisait lui aussi du sur-place, tournant à tâtons, englué dans son propre bourbier. Jamais il n'avait eu besoin de tant de temps et d'argent pour faire sa cour à une femme, même si celle-ci, il le reconnaissait, était différente de toutes celles qui l'avaient précédée. Pour la première fois de sa vie de saltimbanque, il se sentait ridicule et ne pouvait continuer longtemps ainsi, sa santé de taureau commençait à en pâtir, il ne dormait plus que par intermittence, le souffle venait à lui manquer, son cœur était pris de vertiges, il avait du feu dans l'estomac et des cloches carillonnaient à ses tempes. Ses affaires aussi souffraient des retombées de son mal d'amour, il prenait des décisions hâtives et perdait de l'argent. Bordel de merde, je ne sais plus qui je suis ni où j'en suis, maudite soit-elle, grognait-il en suant à grosses gouttes, mais à aucun moment il n'envisagea d'abandonner sa traque.

L'écrin mauve de nouveau entre ses mains, vautré dans un fauteuil de l'hôtel où il était descendu, Fortunato se souvint de son grand-père. Il lui arrivait rarement de songer à son père, alors que lui revenait très fréquemment en mémoire ce formidable aïeul qui, à quatre-vingt-dix ans passés, faisait encore pousser ses légumes. Il prit le téléphone et réclama un numéro à l'étranger.

Le vieux Fortunato était presque sourd, il n'avait pas assimilé le mécanisme qui permettait à ce diable d'appareil d'acheminer des voix depuis l'autre bout du monde, mais le grand âge ne lui avait pas ôté une once de lucidité. Il écouta du mieux qu'il put le triste récit de son petit-fils, sans l'interrompre, jusqu'à ce que celui-ci en eût terminé.

— De sorte que cette gourgandine se paie le luxe de se moquer de mon garçon, hein ?

— Elle ne me regarde même pas, pépé. Elle est riche, elle est belle, elle est noble, elle a tout pour elle...

— Ouais, et elle a aussi un mari...

— Aussi, mais c'est ce qu'il y a de moins important. Si au moins elle me laissait lui parler !

— Lui parler ? Pour quoi faire ? A une femme comme celle-là, mon gars, il n'y a rien à dire.

— Je lui ai offert un collier de reine et elle me l'a rendu sans un mot.

— Donne-lui quelque chose qu'elle n'a pas.

— Quoi, par exemple ?

— Une bonne raison de rigoler, ça ne rate jamais avec les femmes — et l'aïeul s'endormit avec le combiné à la main, rêvant des donzelles qui avaient eu le béguin de lui quand il accomplissait des acrobaties mortelles au trapèze et valsait avec sa guenon.

Le lendemain, le joaillier Zimmermann reçut dans son magasin une splendide jeune femme, manucure de son état, d'après ce qu'elle expliqua, qui venait lui proposer à moitié prix le même collier d'émeraudes qu'il avait vendu quarante-huit heures auparavant. Le bijoutier se rappelait fort bien l'acheteur, impossible d'oublier ce rustre prétentieux.

— Il me faut un bijou capable de faire tomber les défenses d'une dame qui se donne de grands airs, lui avait-il dit.

En une seconde, Zimmermann avait pris la mesure du personnage, décidant qu'il devait s'agir d'un de ces parvenus du pétrole ou de la cocaïne. Il ne prisait guère la vulgarité et était habitué à un autre genre de monde. Il s'occupait lui-même rarement des clients, mais l'homme avait insisté pour avoir affaire à lui et paraissait disposé à dépenser sans tergiverser.

— Que me recommandez-vous ? avait-il demandé devant le plateau où resplendissaient ses plus précieux joyaux.

— Cela dépend de la dame en question. Les rubis et les perles ressortent bien sur les peaux brunes, les émeraudes sur les peaux plus claires ; quant aux diamants, ils vont toujours à la perfection.

— Elle a déjà des diamants à ne pas quoi savoir en faire. Son mari lui en offre comme si c'étaient des caramels.

Zimmermann toussota. Ce genre de confidences le choquaient. L'homme s'empara du collier, le brandit vers la lumière sans le moindre respect, le secoua comme un collier de grelots : l'air de la pièce se remplit de tintinnabulements et d'éclairs verdâtres, cependant que l'ulcère du joaillier se réveillait d'un seul coup.

— Vous croyez que les émeraudes portent bonheur ?

— Je suppose que toutes les pierres précieuses remplissent cette condition, monsieur, mais je ne suis pas superstitieux.

— C'est une femme pas comme les autres. Je ne peux pas faire erreur sur le cadeau, vous me comprenez ?

— Parfaitement.

A ce qu'il semblait, c'est ce qui était pourtant arrivé, se dit Zimmermann, sans pouvoir retenir un sourire sardonique quand la jeune femme vint lui ramener le collier. Non, ce n'était pas le bijou qui était en cause, c'était elle qui constituait une erreur. Il avait imaginé une créature plus raffinée, en aucun cas une manucure affublée de ce sac à main en simili et de ce chemisier ordinaire, mais cette jeune personne l'intriguait, il y avait chez elle quelque chose de vulnérable et de pathétique — la pauvrette, entre les mains de ce bandit, ça ne pourra que mal finir pour elle, songeait-il.

— Il vaut mieux tout me raconter, ma petite fille, lâcha enfin Zimmermann.

La jeune femme lui débita l'histoire qu'elle avait apprise par cœur une heure auparavant, et, une heure plus tard, elle ressortit du magasin d'un pas léger. Comme elle l'avait prévu depuis le début, non seulement le joaillier lui avait racheté le collier, mais il l'avait invitée à dîner. Elle n'avait eu aucun mal à vérifier que

Zimmermann était de ces hommes rusés et méfiants en affaires, mais candides pour ce qui est du reste, et qu'il serait on ne peut plus simple de distraire son attention tout le temps qu'Horacio Fortunato l'exigerait et se montrerait disposé à payer.

Ce fut une soirée mémorable pour Zimmermann qui avait misé sur un simple souper et se retouva subitement amouraché. Le lendemain, il revit sa nouvelle petite amie, et vers la fin de la semaine, il annonça en bégayant à Patricia qu'il partait quelques jours à New York pour assister à une vente aux enchères de bijoux russes sauvés du massacre d'Ekaterinbourg. Sa femme n'y prêta aucune attention.

Seule à son domicile, n'ayant pas le courage de mettre le nez dehors, avec ce mal de tête qui allait et venait sans lui laisser de répit, Patricia décida de consacrer la journée du samedi à reprendre des forces. Elle s'installa sur la terrasse à feuilleter des magazines de mode. Il n'avait pas plu de toute la semaine, l'air sec était à couper au couteau. Elle lut un moment, puis le soleil commença à l'endormir, son corps se fit plus pesant, ses yeux se fermèrent et la revue lui échappa des mains. A cet instant lui parvint un vague remue-ménage depuis le fond du jardin ; elle songea au jardinier, une vraie tête de mule qui, en moins d'un an, avait transformé sa propriété en jungle tropicale, arrachant ses massifs de chrysanthèmes pour laisser place nette à une végétation envahissante. Elle rouvrit les yeux, regarda distraitement à contre-jour et remarqua qu'une forme de dimension inusitée bougeait au sommet de l'avocatier. Elle ôta ses lunettes de soleil et se redressa. Cela ne faisait aucun doute, une ombre s'agitait là-haut, qui ne faisait aucunement partie du feuillage.

Patricia Zimmermann quitta sa chaise longue et s'avança de deux pas ; elle put alors voir très distinctement un fantôme vêtu de bleu, avec une cape dorée, passer à plusieurs mètres de hauteur, et même paraître s'arrêter en plein vol pour lui adresser un salut depuis le ciel. Elle étouffa un cri, convaincue que l'apparition allait tomber comme une pierre et se désintégrer en touchant terre, mais les pans de la cape se gonflèrent et le rutilant coléoptère, tendant les bras, agrippa un néflier voisin. Aussitôt surgit une autre forme bleue, pendue par les pieds à la cime de l'autre arbre, tenant par les poignets et balançant une fillette couronnée de fleurs. Le premier trapéziste fit un signe, le second lui lança la gamine qui réussit à lâcher une pluie de papillons en papier avant de se trouver rattrapée par les chevilles. Tout le temps qu'évoluèrent dans les airs ces silencieux volatiles à cape d'or, Patricia estima plus prudent de ne pas bouger.

Soudain, un hurlement envahit le jardin, un long cri barbare qui détourna l'attention de Patricia des trapézistes. Elle vit une grosse corde se dérouler le long du mur d'enceinte de la propriété et en descendre Tarzan en personne, le même que dans les films en matinée ou les bandes dessinées de son enfance, avec son misérable cache-sexe en peau de tigre, un vrai singe à califourchon sur sa hanche lui enlaçant la taille. Le Roi de la Jungle atterrit avec grâce, se frappa le torse avec ses poings et réitéra son beuglement viscéral, attirant toute la domesticité qui se précipita sur la terrasse. D'un geste, Patricia ordonna à ses employés de se tenir tranquilles, tandis que la vocifération de Tarzan s'éteignait pour laisser place à un lugubre roulement de tambour annonçant le défilé de quatre Égyptiennes qui avançaient de côté, la tête et les pieds tournés dans le sens de la marche, suivies d'un bossu à capuchon rayé traînant une panthère noire au bout d'une chaîne. Puis apparurent deux moines transbahutant un sarcophage, auxquels succédèrent bientôt un ange à longs cheveux d'or et, fermant le cortège, un Indien déguisé en Japonais, vêtu d'une robe de chambre et juché sur des patins en bois. Tous firent halte derrière la piscine. Les moines déposèrent le cercueil sur la pelouse et, tandis que les vestales fredonnaient dans quelque langue morte et que l'Ange et Kuramoto exhibaient leurs époustouflantes musculatures, le couvercle du sarcophage se souleva et une créature de cauchemar surgit de l'intérieur. Quand elle fut debout, avec toutes ses bandelettes en évidence, il devint manifeste qu'il s'agissait d'une momie en parfait état de santé. A cet instant, Tarzan poussa un nouveau cri de guerre et sans que rien ne l'y eût incité, il se mit à faire des cabrioles autour des Égyptiennes tout en secouant son singe comme un prunier. La momie se départit de sa patience millénaire, leva un bras et se laissa retomber comme une massue sur la nuque du sauvage, l'étendant sans connaissance, la figure enfouie dans le gazon. La guenon grimpa en criaillant dans un arbre. Avant que le pharaon embaumé n'ait eu le temps d'en finir avec Tarzan d'une seconde taloche, celui-ci était à nouveau sur pieds et lui tomba dessus en poussant des rugissements. Tous deux roulèrent à terre, enchevêtrés dans une mêlée indescriptible, quand la panthère vint à prendre le large : tous coururent alors se réfugier parmi les plantes, et les domestiques volèrent se claquemurer dans la cuisine. Patricia était sur le point de plonger dans le petit bassin quand apparut comme par enchantement un individu en queue-de-pie et haut-de-forme qui, d'un coup de fouet sonore, stoppa net le félin et le fit se rouler par terre, les quatre pattes en l'air, ronronnant comme un matou, ce qui permit au bossu de ramasser la chaîne, cependant que l'autre, ôtant son chapeau, en sortit un gâteau meringué qu'il porta jusqu'à la terrasse et déposa aux pieds de la maîtresse de maison.

Par le fond du jardin rappliquèrent alors tous les autres membres de la troupe : les musiciens jouant des marches militaires, les clowns s'administrant des torgnoles, les nains des cours médiévales, l'écuyère debout sur son cheval, la femme à barbe, les chiens à bicyclette, l'autruche parée de soie colombine, et, pour finir, un défilé de boxeurs, en culotte de satin et gants réglementaires, poussant une plate-forme montée sur roues surmontée d'un arc de triomphe en carton-pâte. Là-dessus, sur cette estrade d'empereur de pacotille, se tenait Horacio Fortunato, avec ses cheveux plaqués par la brillantine, son inévitable sourire de séducteur, paradant sous son portique triomphal, entouré de son cirque à nul autre pareil, acclamé par les trompettes et les cymbales de son propre orchestre, lui, l'homme le plus magnifique, le plus amoureux, le plus amusant du monde entier. Patricia partit d'un grand éclat de rire et s'en fut à sa rencontre.

Tosca

Son père l'avait assise devant le piano dès l'âge de cinq ans et à dix, Maurizia Rugieri donna son premier récital au Club Garibaldi, vêtue d'organdi rose et de souliers vernis, devant un public bienveillant composé pour l'essentiel de membres de la colonie italienne. A la fin de l'exhibition, on déposa plusieurs bouquets de fleurs à ses pieds et le président du Club lui remit une plaque commémorative ainsi qu'une poupée de porcelaine garnie de rubans et de dentelles.

— Nous te saluons, Maurizia Rugieri, comme un génie précoce, un nouveau Mozart. Les plus grandes scènes du monde t'attendent, déclama-t-il.

La fillette attendit que les applaudissements eussent cessé, puis, par-dessus les larmoiements de vanité de sa mère, elle fit entendre sa voix avec un aplomb inattendu :

— C'est la dernière fois que je joue du piano. Ce que je veux, c'est être chanteuse, annonça-t-elle, puis elle quitta la salle en traînant sa poupée par un pied.

Une fois remis de cette humiliation, son père lui fit suivre des cours de chant auprès d'un professeur sévère qui, pour chaque fausse note, lui tapait sur les doigts, ce qui ne réussit pas à entamer l'enthousiasme de la fillette pour l'opéra. Néanmoins, vers la fin de son adolescence, on s'aperçut qu'elle possédait une voix d'oiseau à peine suffisante pour bercer un nourrisson au berceau, tant et si bien qu'elle dut troquer ses prétentions de soprano pour un destin plus banal. A dix-neuf ans, elle épousa Ezio Longo, immigrant de la première génération, architecte non diplômé et constructeur immobilier de profession, qui s'était promis de bâtir un empire à partir du béton et de l'acier, et qui, à trente-cinq ans, avait déjà presque fini de le consolider.

Ezio Longo était tombé amoureux de Maurizia Rugieri avec la même opiniâtreté qu'il avait mise à parsemer la capitale de ses édifices. Il était râblé, solidement charpenté, avec une encolure de bête de trait, un visage énergique et quelque peu brutal aux lèvres épaisses et aux yeux charbonneux. Son travail l'obligeait à porter des tenues grossières et à force d'être exposé au soleil, il avait la peau basanée et toute fendillée de rides comme un vieux cuir. Il était d'un tempérament débonnaire et généreux, avait le rire facile, aimait bien la musique populaire, la nourriture abondante et sans chichis. Ces dehors un peu frustres cachaient une âme raffinée et une délicatesse qu'il ne savait traduire en gestes ni en paroles. Parfois, à contempler Maurizia, ses yeux se remplissaient de larmes et sa poitrine d'une oppressante tendresse qu'il dissimulait en lui donnant une petite tape, tout en rougissant de honte. Il lui était impossible d'exprimer ses sentiments et il croyait qu'en la couvrant de cadeaux, en supportant avec une patience stoïque ses extravagantes sautes d'humeur et ses maux imaginaires, il compenserait les lacunes de son répertoire d'amant. Elle éveillait en lui un désir péremptoire, renouvelé chaque jour, plein de l'ardeur de leurs premières étreintes, il l'enlaçait avec frénésie, s'évertuant à combler l'abîme qui les séparait, mais toute sa passion volait en éclats contre les minauderies de Maurizia dont l'imagination fiévreuse s'alimentait dans la lecture de romans et les disques de Verdi et

Puccini. Ezio s'assoupissait, terrassé par les fatigues de la journée, tourmenté par des cauchemars de murs pas droits et d'escaliers en spirale, et il s'éveillait au petit matin pour contempler, assis dans le lit, sa femme endormie avec une attention telle qu'il finit par apprendre à deviner ses rêves. Il aurait donné sa vie pour qu'elle répondît à ses sentiments avec une égale intensité. Il lui édifia une énorme villa soutenue par des colonnes où l'intrication des styles et la profusion des ornements faisaient perdre le sens de l'orientation et où quatre domestiques étaient préposés en permanence à l'astiquage des cuivres, à l'encaustiquage des parquets, au nettoyage des petits globes de verre des lampadaires, à l'époussetage des meubles à pieds dorés et des faux tapis persans importés d'Espagne. La demeure recelait au jardin un petit amphithéâtre équipé de haut-parleurs et de projecteurs comme une scène grandeur nature, où Maurizia Rugieri avait coutume de chanter pour les invités. Même à l'article de la mort, Ezio n'aurait pas reconnu qu'il était bien incapable d'apprécier ces frêles trilles de moineau, non seulement parce qu'il ne tenait pas à attirer l'attention sur les lacunes de sa propre culture, mais, par-dessus tout, par respect pour les penchants artistiques de son épouse. C'était un homme optimiste et sûr de soi, mais quand Maurizia annonça en pleurant qu'elle était enceinte, il éprouva soudain une incoercible appréhension, il eut le sentiment que son cœur s'ouvrait comme un melon, qu'il n'y avait pas place pour un tel bonheur dans cette vallée de larmes. L'idée le traversa qu'une catastrophe foudroyante pourrait réduire en miettes son précaire paradis et il s'apprêta à le défendre contre toute ingérence.

La catastrophe revêtit les traits d'un étudiant en médecine sur lequel Maurizia tomba dans un tramway. La naissance avait déjà eu lieu — celle d'un bébé aussi plein de vitalité que son père, qui paraissait à l'abri de tout mal, y compris du mauvais œil — et la mère avait récupéré sa ligne. L'étudiant, un garçon pâle et maigrichon, au profil de statue romaine, s'assit à côté de Maurizia pendant le trajet jusqu'au centre-ville. Il lisait la partition de *La Tosca* et sifflotait entre ses dents un air du dernier acte. Elle sentit tout le soleil de la mi-journée se condenser sur ses joues et une sueur d'anticipation tremper son corsage. Elle ne put s'empêcher de fredonner les paroles de l'infortuné Mario saluant le lever du jour avant que le peloton d'exécution ne mette un point final à sa vie. C'est ainsi, entre deux portées musicales, que débuta leur roman d'amour. Le jeune homme s'appelait Leonardo Gómez et était aussi épris de bel canto que Maurizia.

Au cours des mois suivants, l'étudiant décrocha son diplôme de médecin ; elle, de son côté, vécut l'un après l'autre tous les drames de l'opéra et certains de la littérature universelle, elle périt successivement de la main de Don José, de la tuberculose, au fond d'un tombeau égyptien, par le poignard et le poison, elle aima en chantant en italien, en français et en allemand, elle fut tout à tour Aïda, Carmen et Lucie de Lammermoor, et, dans chaque cas, Leonardo Gómez était l'objet de son immortelle passion. Dans la vie de tous les jours, ils partageaient un amour platonique qu'elle brûlait de consommer sans oser prendre l'initiative, et que lui-même combattait dans son cœur par égard pour la condition de femme mariée de Maurizia. Ils se rencontrèrent dans des lieux publics, ils en vinrent parfois à se prendre par la main dans les coins ombreux de quelque parc, ils échangèrent des lettres signées Tosca et Mario, et collèrent naturellement le nom de Scarpia à Ezio Longo, lequel était si éperdu de reconnaissance pour ce fils, cette ravissante épouse et tous les biens que lui avait prodigués le Ciel, et si occupé à travailler pour dispenser aux siens tout le bien-être possible, que, sans l'intervention d'un voisin venu lui rapporter le bruit que son épouse se promenait un peu trop en tramway, peut-être ne se fût-il jamais rendu compte de ce qui se passait dans son dos.

Ezio Longo s'était préparé à affronter l'éventualité d'une faillite en affaires, d'une maladie, voire d'un accident survenant à son fils, ainsi qu'il se le représentait dans ses pires accès de crainte superstitieuse, mais il ne lui avait jamais effleuré l'esprit qu'un étudiant mielleux viendrait lui faucher sa femme sous son nez. En apprenant la chose, il faillit se tordre de rire, car de toutes les déveines, celle-ci lui paraissait la plus facile à résoudre, mais, une fois passé ce premier mouvement, une colère aveugle lui ravagea le foie. Il suivit Maurizia jusqu'à une discrète pâtisserie où il la surprit en train de boire un chocolat avec son soupirant. Il ne demanda pas d'explications. Il prit son rival par le revers, le souleva en l'air et le projeta contre le mur au milieu d'un fracas de porcelaine brisée et des hurlements stridents des clients. Puis il empoigna sa femme par un bras et la conduisit jusqu'à sa voiture, une des dernières Mercedes-Benz importées dans le pays avant que la Seconde Guerre mondiale ne coupe les relations commerciales avec l'Allemagne. Il l'enferma à la maison et posta deux maçons de son entreprise pour en surveiller les accès. Maurizia passa quarante-huit heures à pleurer au fond de son lit, sans parler ni avaler quoi que ce soit. Entre-temps, Ezio Longo avait eu le loisir de méditer et sa rage avait fait place à une sourde frustration qui lui remettait en mémoire son enfance abandonnée, le dénuement de sa jeunesse, son existence solitaire et cette inassouvissable fringale de tendresse qui ne l'avait jamais quitté jusqu'à ce qu'il eût rencontré Maurizia Rugieri et cru conquérir une déesse. Le troisième jour, n'y tenant plus, il fit irruption dans la chambre de sa femme.

— Au nom de notre enfant, Maurizia, il faut que tu te sortes ces lubies de la tête. Je sais que je ne suis pas très romantique, mais si tu veux bien m'aider, je peux changer. Je ne suis pas homme à tolérer qu'on me fasse porter des cornes et je t'aime trop pour te laisser partir. Si tu m'en donnes la possibilité, je te rendrai heureuse, je te le jure.

Pour toute réponse, elle se tourna du côté du mur et prolongea son jeûne deux jours de plus. Son mari revint à la charge :

— J'aimerais savoir ce qui peut bien te manquer dans cette vie, pour voir si je peux te le procurer, dit-il en lui rendant les armes.

— C'est Leonardo qui me manque. Sans lui, je vais mourir.

— Fort bien. Tu peux partir avec ce godelureau, si tu veux, mais tu ne reverras jamais plus notre fils.

Elle fit ses valises, se vêtit de mousseline, coiffa un chapeau à voilette et appela une voiture de louage. Avant de partir, elle embrassa le garçonnet en larmes et lui murmura à l'oreille qu'elle reviendrait sous peu le chercher. Ezio Longo — qui, en l'espace d'une semaine, avait perdu six kilos et la moitié de ses cheveux — lui arracha l'enfant des bras.

Maurizia Rugieri débarqua à la pension de famille où logeait son amoureux et apprit que celui-ci était parti quarante-huit heures auparavant pour un campement pétrolier, dans une de ces provinces torrides dont le nom évoquait couleuvres et Indiens. Il lui en coûta de constater qu'il s'en était allé sans même lui dire au revoir, mais elle expliqua le fait par la raclée reçue dans la pâtisserie, elle en conclut que Leonardo était un poète et que la brutalité de son mari avait dû le perturber. Elle descendit à l'hôtel et passa les jours suivants à expédier des télégrammes dans toutes les directions imaginables.

Elle finit par localiser Leonardo Gómez et put lui annoncer qu'elle avait renoncé pour lui à son fils unique, défié son époux, la société et jusqu'au Seigneur Tout-Puissant, bref, que sa décision de le suivre et de partager son destin jusqu'à ce que la mort les sépare était absolument irrévocable.

Le voyage revêtit la forme d'une pénible expédition en train, en camion et, par endroits, par voie fluviale. Maurizia n'était jamais sortie toute seule au-delà d'un périmètre d'une trentaine de pâtés de maisons autour de son domicile, mais ni la démesure des paysages ni les distances incalculables ne l'effrayèrent. En cours de route, elle égara deux valises et sa robe de mousseline se transforma en guenille jaunie par la poussière, mais elle finit par arriver au confluent du fleuve où était censé l'attendre Leonardo. En descendant du véhicule, elle aperçut une pirogue le long de la berge et courut dans sa direction, les lambeaux de sa voilette voletant sur ses épaules et sa longue chevelure s'échappant en mèches folles de son chapeau. Mais, au lieu de son cher Mario, elle trouva un Noir coiffé d'un casque d'explorateur et deux Indiens mélancoliques tenant les avirons à la main. Il était trop tard pour rebrousser chemin. Elle accepta l'explication selon laquelle le docteur Gómez avait eu une urgence, et monta à bord avec le reste de ses bagages en piteux état, priant pour que ces trois hommes ne fussent pas des bandits ou des cannibales. Par chance, ils n'étaient rien de tel et la conduisirent saine et sauve au fil de l'eau à travers une vaste contrée sauvage et accidentée, jusqu'à l'endroit où l'attendait son amoureux. Ledit endroit consistait en deux zones d'habitation : l'une, composée de longs dortoirs où logeaient les ouvriers ; l'autre, où résidaient les employés de la compagnie, regroupant les bureaux, vingt-cinq maisonnettes préfabriquées livrées par avion des États-Unis, un saugrenu terrain de golf et un bassin d'eau verdâtre qu'on retrouvait chaque matin rempli d'énormes crapauds, le tout entouré d'une clôture métallique avec un portail gardé par deux factionnaires. C'était un campement de gens de passage, toute la vie y tournait autour de cette boue noirâtre qui jaillissait des entrailles de la terre comme un intarissable vomissement de dragon. En ce lieu reculé, il n'y avait d'autres femmes qu'une poignée d'endurantes compagnes d'ouvriers ; Yankees et contremaîtres se rendaient en ville tous les trois mois pour voir leurs familles. L'arrivée de l'épouse du docteur Gómez, ainsi qu'on la désigna, perturba les habitudes pendant quelques jours, jusqu'à ce qu'on se fût accoutumé à la voir se promener avec ses voilettes, son ombrelle, ses souliers de bal, comme un personnage échappé d'une autre histoire.

Maurizia Rugieri ne se laissa pas abattre par la rudesse de ces hommes ni par l'immuable chaleur de chaque jour, elle avait résolu de vivre son destin dans les grandes largeurs et y parvint presque. Elle fit de Leonardo Gómez le héros de son mélodrame personnel, le parant de vertus chimériques et exaltant jusqu'à la folie la qualité de son amour, sans s'arrêter à jauger la propre réponse de son amant pour vérifier s'il la suivait du même pas dans cet emballement passionnel. Leonardo Gómez donnait-il des signes de se tenir fort en retrait ? Elle l'imputait à son caractère timide et à sa mauvaise santé que n'arrangeait pas ce maudit climat. Il paraissait en vérité si fragile qu'elle-même se retrouva définitivement guérie de tous ses anciens malaises pour mieux se consacrer à le soigner. Elle l'accompagnait jusqu'à l'hôpital de fortune et s'initia au savoir-faire d'infirmière pour lui prêter main-forte. S'occuper des victimes de la malaria ou panser les horribles blessures résultant d'accidents dans les puits valait cent fois mieux, à ses yeux, que rester cloîtrée chez elle, assise sous un ventilateur, à relire pour la centième fois les mêmes revues jaunies et les mêmes romans-feuilletons. Au milieu des seringues et des compresses, elle pouvait s'imaginer en héroïne de la guerre, une de ces femmes courageuses qu'on voyait dans les films projetés de temps à autre au club du campement. Elle mit une obstination suicidaire à ne pas voir la réalité se dégrader, s'acharnant à embellir chaque instant avec des mots, à défaut de pouvoir le faire autrement. Elle parlait de Leonardo Gómez — qu'elle avait continué d'appeler Mario — comme d'un saint au service de l'humanité, et elle s'était mis en tête de démontrer au monde entier qu'ils étaient tous deux les protagonistes d'un amour hors du commun, ce qui acheva de refroidir tout employé de la Compagnie qui eût pu se sentir enflammé par la seule et unique femme blanche de l'endroit. Dans la bouche de Maurizia, les conditions de vie primitives du campement devinrent *contact avec la nature*, elle faisait fi des moustiques, des bestioles venimeuses, des iguanes, de la fournaise du jour, de la touffeur nocturne, du fait même qu'elle ne pouvait s'aventurer seule au-delà du portail. Sa solitude, l'ennui où elle se morfondait, le désir normal de se promener en ville, de s'habiller à la mode, de rendre visite à ses amies, d'aller au théâtre, elle n'y faisait allusion que comme à une légère *nostalgie*. La seule chose à laquelle elle se révéla incapable de donner un nom d'emprunt fut cette douleur animale qui la pliait en deux au souvenir de son fils, de sorte qu'elle choisit de n'y jamais faire allusion.

Leonardo Gómez exerça pendant une bonne dizaine d'années au campement, jusqu'à ce que les fièvres et le climat eussent eu raison de sa santé. Ayant longtemps séjourné dans le périmètre protégé de la Compagnie pétrolière, il ne se sentait pas le courage de repartir à zéro dans un environnement plus agressif, et ayant par ailleurs gardé souvenir de la rage avec laquelle Ezio

Longo l'avait envoyé valdinguer contre un mur, il n'envisageait pas davantage l'éventualité d'un retour à la capitale. Il se mit en quête d'un autre poste dans quelque coin perdu où il lui fût permis de continuer à vivre en paix, et c'est ainsi qu'il débarqua un beau jour à Agua Santa avec sa femme, ses instruments médicaux et ses disques d'opéra. On était dans les années cinquante et Maurizia Rugieri descendit du car vêtue à la mode de l'époque, dans un étroit tailleur à pois et coiffée d'un énorme chapeau de paille noire qu'elle avait commandé sur catalogue à New York, du jamais-vu sous ces latitudes. Quoi qu'il en fût, on les accueillit avec l'hospitalité propre aux petits villages, et en moins de vingt-quatre heures, tout un chacun fut au courant de la légende amoureuse des nouveaux arrivants. On les appela Tosca et Mario, sans avoir la moindre idée de qui étaient ces deux personnages, mais Maurizia s'employa bientôt à le faire savoir. Elle renonça à ses travaux d'infirmière aux côtés de Leonardo, forma une chorale paroissiale et offrit au village ses premiers récitals de chant. Muets de stupéfaction, les habitants d'Agua Santa la virent métamorphosée en Mme Butterfly sur une scène improvisée entre les quatre murs de l'école, fagotée dans une robe de chambre excentrique, des aiguilles à tricoter piquées dans les cheveux, une fleur en plastique à chaque oreille, le visage plâtré, zinzinulant de sa voix d'oiseau. Nul ne comprit un traître mot à ce qu'elle chantait, mais quand elle se mit à genoux et sortit un couteau de cuisine en menaçant de se l'enfoncer dans le ventre, le public poussa un cri d'horreur et un spectateur se précipita pour l'en empêcher, lui arracha l'arme des mains et l'obligea à se relever. Aussitôt s'engagea une longue discussion sur les raisons qui avaient motivé la funeste résolution de la dame japonaise, et tous convinrent que le marin nord-américain qui l'avait plaquée n'était qu'un sans-cœur, mais qu'il ne valait certes pas la peine de mourir pour lui, la vie étant loin d'être finie et les hommes ne manquant pas en ce bas monde. Le spectacle se termina en bamboula dès l'instant qu'un orchestre se fut mis à interpréter quelques *cumbias* et que les gens eurent commencé à danser. A cette mémorable soirée en succédèrent d'autres de la même veine : chant, mort, explication de l'argument du drame lyrique par la soprano, débat public, puis fête pour couronner le tout.

Le docteur Mario et Mme Tosca faisaient partie des personnalités en vue de la petite communauté, lui s'occupant de la santé de tous, elle de la vie culturelle et de l'information sur les caprices de la mode. Ils logeaient dans une maison agréable et fraîche dont la moitié était occupée par le cabinet de consultations. Ils possédaient dans le patio un ara jaune et bleu qui voletait au-dessus de leurs têtes quand ils sortaient se promener sur la place. On savait à tout moment où se trouvait le docteur et son épouse, le volatile les accompagnant à deux mètres du sol, planant silencieusement de ses deux grandes ailes peinturlurées. Ils coulèrent ainsi de nombreuses années à Agua Santa, respectés des habitants qui les citaient comme un exemple d'amour parfait.

Au cours d'un de ses accès, le docteur s'égara dans les dédales de la fièvre et ne put en revenir. Sa mort bouleversa le village. Les gens appréhendaient que sa femme ne commît un geste fatal comme elle en avait tant et tant interprété en chantant, ce qui fit qu'ils se relayèrent pour lui tenir compagnie de nuit comme de jour durant les semaines qui suivirent. Maurizia Rugieri se mit en deuil de la tête aux pieds, peignit en noir tous les meubles de la maison, traîna sa douleur comme une ombre indélébile qui lui marquait le visage de deux profonds sillons de part et d'autre de la bouche, mais elle ne tenta aucunement de mettre fin à ses jours. Peut-être même, dans l'intimité de sa chambre, seule dans son lit, éprouvait-elle un fort soulagement à ne plus avoir à tirer la lourde charrette de ses rêves, car il n'était plus indispensable de maintenir en vie le personnage de fiction censé la représenter elle-même, ni de continuer à jongler pour dissimuler les carences d'un amant qui n'avait jamais été à la hauteur de ses illusions. Mais l'habitude du théâtre était trop enracinée en elle. Déployant la même infinie patience que pour se créer naguère une image d'héroïne romantique, elle édifia dans le veuvage la légende de son inconsolable affliction. Elle resta à Agua Santa, toujours vêtue de noir, bien que le deuil ne se portât plus depuis belle lurette, et elle se refusa à rechanter en dépit des supplications de ses amis qui pensaient que l'opéra pourrait lui changer les idées. Dans une sorte d'affectueuse étreinte, le village resserra son cercle autour d'elle pour lui rendre la vie supportable et l'aider à entretenir la flamme du souvenir. Grâce au concours de tous, l'image du docteur Gómez ne fit que grandir dans l'imagination populaire. Deux années plus tard, une collecte fut organisée pour lui fabriquer un buste de bronze qu'on plaça au haut d'une colonne sur la place, face à la statue de pierre du Libérateur.

C'est cette année-là que fut ouvert le tronçon d'auto-route passant à la lisière d'Agua Santa, qui altéra pour toujours la physionomie et l'âme du village. Au début, les gens s'étaient opposés au projet. Ils pensaient qu'on allait extraire les malheureux détenus du pénitencier de Santa Maria pour les mettre, chargés de leurs chaînes, à couper les arbres et casser les cailloux, ainsi qu'avait été construite la grand-route, selon le récit des anciens, sous la dictature du Bienfaiteur, mais on vit rapidement débarquer les ingénieurs de la capitale qui firent savoir que les travaux seraient accomplis par des machines modernes en lieu et place des prisonniers. Dans la foulée rappliquèrent les géomètres, puis des cohortes d'ouvriers arborant des casques orange et des gilets phosphorescents. Les machines en question se révélèrent être des mastodontes en fer de la taille d'un dinosaure, d'après les estimations de la maîtresse d'école, sur le flanc desquelles était peint le nom de l'entreprise : *Ezio Longo & Fils*. Dès le vendredi, le père et le fils arrivèrent à Agua Santa pour inspecter les travaux et verser leur paie aux ouvriers.

Dès qu'elle aperçut les écriteaux et les machines de son ex-mari, Maurizia Rugieri se terra dans sa maison, toutes portes et fenêtres fermées, dans l'espoir insensé de ne pas se laisser rattraper par son passé. Mais elle avait enduré vingt-huit ans le souvenir de son fils absent comme une douleur fichée au centre de son corps, et quand elle apprit que les patrons de la société de travaux publics se trouvaient à Agua Santa, en train de déjeuner à la taverne, elle ne put continuer à brider son instinct. Elle se contempla dans la glace. C'était une femme de cinquante et un ans, flétrie par le soleil des tropiques et par l'effort qu'elle avait déployé pour feindre un bonheur chimérique, mais ses traits conservaient encore toute leur altière noblesse. Elle se brossa les cheveux, les ramassa en un haut chignon sans chercher à dissimuler ses mèches blanches, elle revêtit la plus seyante de ses robes noires, mit le collier de perles du jour de ses noces, sauvé de tant d'aventures, et, dans un geste de timide coquetterie, elle appliqua une touche de crayon noir sur ses paupières et un brin de carmin sur ses joues et ses lèvres. Elle quitta son domicile en se protégeant du soleil sous le parapluie de Leonardo Gómez. La sueur lui dégoulinait dans le dos, mais elle avait cessé de trembler.

A cette heure, les volets de la taverne étaient clos afin de se protéger de la chaleur de midi, de sorte que Maurizia Rugieri eut besoin d'un bon moment pour s'habituer à la pénombre et distinguer, installés à une table du fond, Ezio Longo et le jeune homme qui était censé être son fils. Son mari avait beaucoup moins changé qu'elle, probablement parce qu'il avait toujours été un être sans âge : la même encolure de lion, la carcasse toujours aussi solide, inchangés ses traits grossiers, ses yeux humides, à ceci près que ceux-ci étaient à présent adoucis par un éventail de rides rieuses engendrées par la bonne humeur. Penché sur son assiette, il mastiquait avec entrain tout en écoutant le bavardage de son fils. Maurizia les observa à distance. Son fils devait avoir près de la trentaine. Bien qu'il tînt d'elle sa silhouette dégingandée et sa peau délicate, les gestes étaient de son père, il mangeait avec un égal plaisir, tapait sur la table pour marteler ses propos, riait à gorge déployée ; c'était un garçon énergique et plein de vie, avec un sens aigu de sa force physique, paré pour la lutte. Maurizia considéra Ezio Longo avec des yeux neufs et nota pour la première fois ses bonnes grosses qualités masculines. Elle avança de deux pas, tout émue, le souffle court, se voyant elle-même d'un point de vue extérieur, comme si elle se fût trouvée sur scène en train d'interpréter le moment le plus dramatique de cette longue pièce qu'avait été sa propre existence, les prénoms de son époux et de son fils sur les lèvres, toute prête à se faire pardonner ces si nombreuses années d'abandon. En l'espace de ces deux minutes, elle eut la révélation des minutieux mécanismes du piège où elle s'était fourvoyée durant trois décennies de faux-semblants. Elle comprit que le véritable héros de ce roman n'était autre qu'Ezio Longo et elle se plut à croire qu'il avait continué de la désirer et de l'attendre au long de toutes ces années, lui témoignant cet amour passionné et persistant que Leonardo Gómez, dont ce n'était pas la nature, n'avait su lui donner.

A cet instant précis, alors qu'un seul pas de plus l'eût fait sortir de l'ombre et mise en évidence, le jeune homme se pencha, s'empara du poignet de son père et lui dit quelque chose avec un clin d'œil de connivence. Tous deux éclatèrent de rire en s'envoyant des bourrades et en s'ébouriffant mutuellement les cheveux avec une tendresse virile et une complicité si étroite que Maurizia Rugieri et le reste du monde s'en trouvaient exclus. L'espace d'un moment qui lui fit l'effet d'une éternité, elle hésita sur la frontière entre le rêve et la réalité, puis elle recula, sortit de la taverne, ouvrit son parapluie noir et s'en retourna vers sa maison, l'ara voletant au-dessus de sa tête comme un extravagant archange d'almanach des postes.

Walimaï

Le nom que me donna mon père est Walimaï, qui veut dire *vent* dans la langue de nos frères du Nord. Si je puis t'en faire part, c'est que tu es à présent comme ma propre fille et tu as la permission de m'appeler par mon nom, mais seulement quand nous sommes en famille. Il faut faire très attention avec les noms des personnes et des créatures vivantes : en les prononçant, on les frappe au cœur, on pénètre dans leur force vitale. Nous ne nous saluons ainsi qu'entre gens du même sang. Je ne comprends pas la facilité des étrangers à s'appeler les uns les autres sans la moindre trace de peur, alors que ce n'est pas seulement un manque de respect, mais cela risque de faire courir de graves dangers. J'ai d'ailleurs noté que ces individus parlent avec la plus grande légèreté, sans considérer que parler c'est aussi advenir. Le geste et la parole sont la façon de penser de l'être humain. On doit se garder de parler en vain, comme je l'ai enseigné à mes enfants, même si mes conseils ne sont pas toujours écoutés. Autrefois, on respectait tabous et traditions. Mes aïeux, les aïeux de mes aïeux ont reçu de leurs aïeux les savoirs nécessaires. Pour eux, rien ne changeait. Un homme bien instruit était à même de se rappeler chaque enseignement qu'il avait reçu et savait ainsi comment se comporter en toute occasion. Mais sont ensuite arrivés les étrangers, parlant contre la sagesse des anciens et nous refoulant hors de nos terres. Nous nous sommes enfoncés de plus en plus à l'intérieur de la forêt, mais ils ne cessaient de nous rattraper ; cela leur prenait parfois des années, mais ils finissaient par réapparaître et il nous fallut tirer un trait sur nos semailles, prendre nos enfants sur notre dos, encorder les bêtes et partir. Aussi loin que je me souvienne, il en a toujours été ainsi : devoir tout abandonner et se mettre à courir comme des rats, non comme les grands guerriers et les dieux qui peuplaient ce territoire dans les temps anciens. Certains jeunes montrent de la curiosité pour les Blancs et tandis que nous nous éloignons vers les profondeurs de la forêt pour continuer à vivre à l'instar de nos ancêtres, d'aucuns entreprennent le chemin inverse. Ceux qui s'en vont, nous les tenons pour morts, car fort peu s'en reviennent, et ceux qui le font ont tellement changé que nous ne pouvons les reconnaître comme parents.

On dit que dans la période d'avant ma venue au monde, il n'était pas né assez de filles dans notre village, si bien que mon père dut faire un long chemin pour trouver une épouse dans une autre tribu. Il traversa les forêts en suivant les indications d'autres qui avaient précédemment emprunté cette route pour la même raison et qui étaient revenus avec des femmes étrangères. Au bout d'un très long temps, alors que mon père commençait à perdre espoir de rencontrer une compagne, il aperçut une jeune fille au pied d'une haute cascade, une rivière qui tombait du ciel. Sans s'approcher de trop près, afin de ne pas l'effrayer, il s'adressa à elle du ton qu'emploient les chasseurs pour tranquilliser leur proie, et lui exposa la nécessité où il était de se marier. Elle lui fit signe de s'avancer, l'examina sans vergogne, et l'aspect du voyageur dut paraître à son goût car elle décréta que l'idée de ce mariage n'était pas du tout farfelue. Il fallut que mon père travaille pour son beau-père jusqu'à acquitter le prix de cette femme. Puis, après avoir sacrifié aux rites des épousailles, tous deux firent le voyage de retour jusqu'à notre village.

J'ai grandi avec mes frères et sœurs sous le couvert des arbres, sans jamais voir le soleil. Il arrivait parfois qu'un arbre blessé s'effondrât, laissant un trou dans l'épaisse voûte de la forêt, et nous pouvions alors contempler l'œil bleu du ciel. Mes parents m'ont raconté des histoires, chanté des chansons, enseigné ce que doivent savoir les humains pour survivre avec le seul secours d'un arc et de flèches. De cette façon, j'ai vécu libre. Nous autres, Fils de la Lune, ne pouvons vivre sans liberté. Quand on nous enferme derrière des murs ou des barreaux, nous nous recroquevillons sur nous-mêmes, nous devenons aveugles et sourds, et au bout de quelques jours l'esprit s'échappe de notre cage thoracique et nous déserte. Parfois nous tombons à l'état de misé-rables bêtes, mais nous préférons presque toujours nous laisser mourir. C'est pour cette raison que nos maisons ne comportent pas de murs, seulement un toit en pente, pour contenir le vent et détourner la pluie, sous lequel nous suspendons nos hamacs les uns contre les autres, car nous aimons prêter l'oreille aux rêves des femmes et des enfants et entendre la respiration des singes, des chiens et des aras qui dorment sous le même abri que nous. Au début, j'ai vécu en forêt sans même savoir qu'il existait un autre monde par-delà les à-pics et les rapides. En diverses circonstances, des amis d'autres tribus vinrent nous voir et nous firent part de ce qu'on racontait à Boa Vista et à El Platanal à propos des étrangers et de leurs coutumes, mais nous pensions qu'il ne s'agissait là que d'histoires pour rire. Parvenu à l'âge d'homme, mon tour arriva de prendre femme, mais je résolus d'attendre encore, car je préférais me mêler aux célibataires ; nous formions une joyeuse bande qui s'amusait bien. Je ne pouvais néanmoins, comme d'autres, passer le plus clair de mon temps à jouer ou à me reposer, car j'ai une nombreuse famille : des frères et sœurs, des cousins, des neveux, ce qui fait pas mal de bouches à nourrir et beaucoup de travail pour un chasseur.

Un jour débarqua dans notre village un groupe de visages pâles. Ils chassaient en utilisant de la poudre, à distance, sans adresse ni courage, ils étaient incapables de grimper à un arbre ou de harponner dans l'eau un poisson à l'aide d'une sagaie, c'est à peine s'ils arrivaient à se déplacer en forêt, empêtrés en permanence dans leurs sacs à dos, leurs armes et même dans leurs propres pieds. Ils n'étaient pas vêtus de vent, comme nous autres, mais portaient des effets mouillés et nauséabonds, ils étaient repoussants, ignoraient tout des règles de la décence, mais ne s'en obstinaient pas moins à nous parler de leurs connaissances et de leurs dieux. Nous les comparâmes à ce qu'on nous avait raconté sur les Blancs et nous eûmes ainsi confirmation de ces bruits. Nous eûmes tôt fait de nous rendre compte que ceux-là n'étaient pas des missionnaires, ni des soldats, ni des collecteurs de caoutchouc, mais qu'ils étaient fous, ils voulaient la terre et en emporter le bois, ils cherchaient également des pierres. Nous leur expliquâmes que la forêt ne pouvait se charger ni se transporter à dos d'homme comme un volatile qu'on vient d'abattre, mais ils ne voulurent rien entendre. Ils s'installèrent à proximité de notre village. Chacun d'eux était comme un vent de catastrophe, dérangeant bêtes et gens, détruisant sur son passage tout ce qu'il touchait, ne laissant après lui que décombres. Au début, comme ils étaient nos hôtes, nous satisfîmes aux règles de la courtoisie et comblâmes leurs désirs, mais ils n'étaient contents de rien, ils en voulaient sans cesse davantage, tant et si bien que, lassés par ce petit jeu, nous leur déclarâmes la guerre en procédant aux cérémonies rituelles. Ce ne sont pas de bons guerriers, ils s'effraient d'un rien, leurs os sont mous comme une chique. Ils ne résistèrent pas aux coups de gourdin que nous leur donnâmes sur le crâne. Après quoi nous abandonnâmes le village et partîmes vers l'est où la forêt devient impénétrable, faisant de grandes portions du trajet en empruntant la cime des arbres, afin que leurs compagnons ne puissent nous rattraper. L'information nous était parvenue qu'ils sont vindicatifs et que, pour chacun de leurs tués, même si c'est en combat loyal, ils sont capables d'exterminer toute une tribu, y compris les enfants. Nous découvrîmes un endroit où installer un nouveau village. Il n'était pas aussi bon, les femmes devaient marcher des heures pour trouver de l'eau potable, mais nous y restâmes, persuadés que personne ne viendrait nous chercher si loin. Un an passa, jusqu'au jour où, suivant la piste d'un puma, je dus m'éloigner sérieusement, tout en me rapprochant par trop d'un bivouac de soldats. J'étais fourbu, je n'avais rien mangé depuis plusieurs jours, c'est pourquoi je n'avais pas toute ma tête à moi. Au lieu de faire demi-tour dès que je perçus la présence des uniformes étrangers, je m'étendis pour me reposer. Les militaires me capturèrent. Néanmoins, ils ne firent aucune allusion aux coups de gourdin infligés à leurs pareils ; à dire vrai, ils ne me demandèrent rien ; peut-être ne connaissaient-ils pas ces gens-là ou bien ignoraient-ils que je m'appelle Walimaï. Ils m'emmenèrent travailler avec les caoutchoutiers chez qui il y avait un grand nombre d'hommes d'autres tribus qu'ils avaient affublés de pantalons et contraignaient à trimer sans leur demander leur avis. Le caoutchouc demande beaucoup d'efforts et comme il n'y avait pas assez de main-d'œuvre dans ces parages, ils avaient besoin de nous y traîner de force. Ce fut une période sans liberté, et je n'aime guère en parler. J'y suis resté, le temps de voir si je pourrais apprendre quelque chose, mais je savais d'emblée que je reviendrais parmi les miens. Nul ne peut retenir bien longtemps un guerrier contre sa volonté.

On travaillait du lever au coucher du soleil, les uns saignant les arbres pour en extraire la vie goutte à goutte, les autres faisant chauffer la liqueur recueillie pour l'épaissir et la transformer en grosses boules. L'odeur de gomme brûlée empestait au-dehors tout comme la sueur des hommes à l'intérieur des chambrées. C'était un endroit où il était impossible de respirer à fond. On nous donnait à manger du maïs, des bananes, et des boîtes au contenu bizarre, auxquelles je me suis toujours gardé de toucher, car rien de ce qu'on fait pousser en pots n'est bon pour les hommes. A une extrémité du campement, on avait érigé une grande hutte où étaient parquées les femmes. Au bout de deux semaines de travail, le chef d'équipe me remit un bout de papier et m'y expédia. Il me tendit également un gobelet d'eau-de-vie que je fis exprès de renverser, car j'avais pu constater combien ce liquide annihile la prudence. Je fis la queue avec tous les autres. J'étais le dernier et quand vint mon tour de pénétrer dans la hutte, le soleil était couché, la nuit avait déjà commencé avec sa cacophonie de crapauds et de cacatoès.

Elle appartenait à la tribu des Ilas, êtres au cœur tendre dont sont issues les filles les plus gracieuses. Il se trouve des hommes pour cheminer des mois entiers afin de les approcher, de leur offrir des présents, de chasser pour leur compte, dans le seul espoir d'obtenir une de leurs femmes. Ma mère était aussi une Ila, et je n'eus donc aucun mal à l'identifier en dépit de son allure de lézard. Elle était nue sur une natte de jonc, enchaînée par la cheville à un piquet fiché dans le sol, on l'aurait dite tombée en léthargie comme si elle avait inhalé une pincée de drogue d'acacia, elle dégageait une odeur de chien malade et son corps était couvert de la rosée de tous ceux qui s'étaient affalés sur elle avant moi. Sa taille n'excédait pas celle d'un jeune enfant et ses os s'entre-choquaient comme des galets dans le courant de la rivière. Les femmes ilas s'épilent jusqu'au moindre duvet, y compris les cils, elles s'ornent les oreilles de plumes et de fleurs, se percent les joues et les narines de bâtonnets polis, se couvrent le corps entier de dessins en recourant aux couleurs rouge du rocouyer, mauve du palmier, noire du charbon de bois. Mais elle-même n'arborait plus rien de semblable. Je posai ma machette par terre et la saluai comme une sœur, imitant quelques chants d'oiseaux et le gazouillis des ruisseaux. Elle ne réagit pas. Je lui tapai sans ménagement sur la poitrine pour vérifier si son esprit résonnait encore entre ses côtes, mais je ne perçus aucun écho, son âme était trop faible pour qu'elle pût me répondre. Accroupi à ses côtés, je lui donnai à boire un peu d'eau et lui parlai dans la langue de ma mère. Elle rouvrit les yeux et me considéra longuement. Je sus alors ce qu'il me restait à faire.

Avant tout, je me lavai en prenant garde à ne pas gaspiller l'eau propre. J'en pris une gorgée dans ma bouche, puis la recrachai en minces filets dans mes mains que je frottai avec soin avant de m'humecter et de me débarbouiller la figure. Je fis de même avec elle pour la débarrasser de la rosée des hommes. J'ôtai le pantalon que m'avait remis le contremaître. A la cordelette qui me ceignait la taille étaient arrimés les bâtonnets servant à faire du feu, quelques pointes de flèches, ma provision de tabac, mon couteau en écorce terminé par une dent de rat, et, solidement attachée, une petite bourse de cuir contenant un peu de curare. J'enduisis la pointe de mon couteau d'un soupçon de cette substance, me penchai sur la femme et lui incisai le cou avec l'instrument empoisonné. La vie est un présent des dieux. Le chasseur tue pour nourrir les siens, il s'arrange pour ne pas goûter la chair de son propre gibier et préférera celle que lui offrira un autre chasseur. Si, par malheur, un homme vient à en tuer un autre à la guerre, jamais il ne fera de mal à une femme ou à un enfant. Elle me contempla avec de grands yeux d'un jaune mordoré comme le miel et j'eus l'impression qu'elle me souriait avec reconnaissance. J'avais violé pour elle le premier tabou des Fils de la Lune, et il me faudrait payer cette honte de maints travaux d'expiation. J'approchai mon oreille de ses lèvres et elle murmura son nom. Je le répétai mentalement deux fois afin de le retenir, mais sans le prononcer à voix haute, car on ne doit jamais mentionner le nom des morts, sous peine de troubler leur paix, et elle, bien que son cœur palpitât encore, n'était déjà plus de ce monde. Bientôt, je vis se paralyser les muscles de son ventre, de sa poitrine et de ses membres, elle cessa de respirer, changea de couleur, elle laissa échapper un soupir et son corps succomba sans lutter, comme meurent les petits enfants.

Je sentis aussitôt son esprit la quitter par les narines et s'introduire en moi, se cramponner à mon sternum. Tout son poids m'était tombé dessus et je dus faire effort pour me relever ; je me déplaçais gauchement, comme immergé sous l'eau. Je repliai son cadavre dans la position du repos éternel, les genoux ramenés contre le menton, je l'attachai avec les cordes de la natte, fis un tas avec la paille et frottai l'un contre l'autre les bâtonnets à faire du feu. Quand je me fus assuré que le bûcher avait bien pris, je quittai la hutte à pas lents, franchis non sans mal la clôture du campement — la morte ne cessait de me tirer vers le bas — et me dirigeai vers la forêt. J'avais atteint les premiers arbres quand j'entendis les sonneries d'alarme.

Toute la première journée, je marchai sans m'arrêter

un seul instant. Le second jour, je me confectionnai un arc et des flèches et pus ainsi chasser, pour elle et aussi pour moi. Le guerrier qui charrie le poids d'une autre vie humaine doit en principe jeûner pendant dix jours d'affilée, si bien que l'esprit du défunt s'affaiblit et finit par se détacher pour rejoindre le domaine des âmes. S'il agit autrement, l'esprit se repaît des aliments, grossit et grandit à l'intérieur de l'homme jusqu'à l'étouffer. J'ai vu un certain nombre de braves périr ainsi. Mais, avant de me plier à ce rituel, je devais préalablement conduire l'esprit de la jeune Ila au plus profond de l'obscurité végétale, là où on ne la retrouverait jamais. Je mangeai fort peu, juste ce qu'il fallait pour ne pas la faire trépasser une seconde fois. Chaque bouchée avait à mon palais un goût de viande avariée, chaque gorgée d'eau une saveur amère, mais je me forçai à avaler pour nous sustenter l'un et l'autre. Pendant toute une lunaison, je m'enfonçai ainsi à l'intérieur de la forêt en transbahutant l'âme de cette femme qui pesait chaque jour davantage. Nous avons beaucoup bavardé ensemble. Les Ilas parlent sans retenue, leur langage se répercute longuement sous la voûte des arbres. Chez nous, on communique par les chants, avec tout le corps, les yeux, les hanches, les pieds. Je lui ressortis les légendes que j'avais apprises de mon père et de ma mère, je lui narrai mon passé et elle me raconta les premiers chapitres du sien, quand elle était une petite fille joyeuse qui s'amusait avec ses frères et sœurs à se rouler dans la boue et à se balancer aux plus hautes branches. Par politesse, elle s'abstint de faire allusion à sa dernière période de déboires et d'humiliations. Je parvins à abattre un oiseau blanc, arrachai ses plus belles plumes et lui en fis une parure pour ses oreilles. La nuit, j'allumais et entretenais un petit feu pour lui éviter de prendre froid et empêcher jaguars et serpents de venir la déranger dans son sommeil. Je la lavais avec soin dans le fleuve, la frottant avec de la cendre et des fleurs pilées afin de la débarrasser des mauvais souvenirs.

Nous parvînmes enfin à l'endroit voulu, nous n'avions plus aucune raison de souhaiter aller plus loin. La forêt était devenue si dense que, çà et là, j'avais dû nous frayer passage en dégageant la végétation à coups de machette et parfois même avec les dents ; nous nous astreignions à parler à voix basse pour ne pas altérer le silence. Je choisis un emplacement à proximité d'un filet d'eau, confectionnai un auvent de feuilles, fabriquai un hamac à son intention avec trois longs morceaux d'écorce. Puis, avec mon couteau, je me rasai le crâne et entamai mon jeûne.

Tout le temps que cette femme et moi avions cheminé ensemble, nous nous étions tant aimés que nous ne souhaitions plus nous séparer, mais l'homme n'est pas maître de la vie, pas même de la sienne, si bien que je dus accomplir mon devoir. Je restai plusieurs jours sans rien avaler, hormis quelques gorgées d'eau. Au fur et à mesure que mes forces diminuaient, elle se dégageait de mon étreinte et son esprit, de plus en plus éthéré, cessait de me peser comme naguère. Au cinquième jour, tandis que je somnolais, elle fit ses premiers pas alentour, mais elle n'était pas encore prête à poursuivre seule son voyage et s'en revint à mes côtés. Elle réédita ces excursions à diverses reprises, s'éloignant chaque fois davantage. La douleur que me causait son départ était aussi terrible qu'une brûlure et je dus faire appel à tout le courage que m'avait inculqué mon père pour ne pas l'appeler à voix haute par son nom, la faisant ainsi revenir à moi pour toujours. Au douzième jour, je rêvai d'elle survolant la cime des arbres à l'instar d'un toucan et me réveillai le corps léger comme une plume, avec des envies de pleurer. Elle était partie, définitivement. Je ramassai mes armes

et marchai plusieurs heures, jusqu'à atteindre un des bras
du fleuve. Je m'enfonçai dans l'eau jusqu'à la ceinture,
embrochai un petit poisson avec un bâton effilé et l'avalai
tout rond, avec les écailles et la queue. Je le vomis
aussitôt avec un peu de sang, comme il est de règle.
Toute trace de chagrin avait disparu de moi. C'est ainsi
que j'ai appris que la mort est parfois plus forte que
l'amour. Après quoi, je me mis à chasser pour ne pas
rentrer au village les mains vides.

Ester Lucero

On amena Ester Lucero sur un brancard de fortune, saignant comme un bœuf, ses yeux noirs écarquillés par l'épouvante. A sa vue, le docteur Angel Sánchez se départit pour la première fois de son flegme proverbial, et c'était bien le moins car il était tombé amoureux d'elle du jour où il l'avait aperçue, encore fillette. A l'époque, elle ne s'était pas encore détachée de ses poupées et lui, en revanche, revenait veilli de mille ans de sa dernière glorieuse campagne. Il était arrivé au village à la tête de sa colonne, assis sur le toit d'une camionnette, un fusil posé sur les genoux, avec une barbe de plusieurs mois et une balle logée à jamais dans l'aine, mais plus heureux qu'il ne l'avait jamais été ni ne le serait jamais par après. Il vit la fillette agitant un petit drapeau de papier rouge au milieu de la foule qui acclamait les libérateurs. Il avait alors la trentaine, elle allait sur ses douze ans, mais, devant cette solide gamine taillée dans l'albâtre, la profondeur de son regard, Angel Sánchez avait deviné quelle beauté secrète était là en gestation. Il l'avait contemplée du haut de son véhicule, convaincu que c'était quelque vision suscitée par la fièvre des marais et l'enthousiasme de la victoire, mais comme, cette nuit-là, il ne trouva nul réconfort entre les bras de l'éphémère compagne qui luit était échue, il comprit qu'il lui fallait partir à la recherche de cette jeune créature, ne fût-ce que pour vérifier que c'était bel et bien un mirage. Le lendemain, alors que le tumulte des célébrations était retombé dans les rues, que commençaient partout la remise en ordre et le balayage des décombres de la dictature, Sánchez s'en fut sillonner le village. Il eut d'abord l'idée de visiter les écoles, mais il apprit que leurs portes étaient fermées depuis les derniers combats, tant et si bien qu'il dut faire du porte à porte. Au bout de plusieurs jours d'une patiente pérégrination, quand il en était déjà à penser que la gamine n'avait été qu'une hallucination de son cœur exténué, il s'arrêta devant une minuscule maison peinte en bleu, à la façade criblée de balles, dont l'unique fenêtre donnait sur la rue sans autre protection qu'une paire de rideaux à fleurs. Il frappa à plusieurs reprises, sans obtenir de réponse, et se décida alors à entrer. L'intérieur était composé d'une seule pièce chichement meublée, fraîche et plongée dans la pénombre. Il la traversa, ouvrit une porte et se retrouva dans une vaste cour encombrée de rebuts et d'ustensiles hors d'usage, avec un hamac suspendu sous un manguier, une auge pour la lessive, un poulailler au fond, et toute une kyrielle de bidons en fer-blanc et de pots de terre où poussaient légumes, herbes et fleurs. C'est là qu'il découvrit enfin celle dont il croyait avoir rêvé. Ester Lucero était nu-pieds, en simple robe de toile, ses cheveux en queue de cheval noués sur la nuque avec un lacet à chaussure ; elle aidait sa grand-mère à étendre le linge au soleil. Quand elles l'aperçurent, toutes deux reculèrent, mues par un mouvement instinctif, car elles avaient appris à se méfier de quiconque portait des bottes.

— N'ayez pas peur, je suis un camarade, dit-il en tenant son béret crasseux à la main.

A compter de ce jour, Angel Sánchez se borna à désirer Ester Lucero en silence, honteux de cette inavouable passion pour une gamine impubère. Pour elle, il refusa de se rendre à la capitale quand se disputèrent les dépouilles du pouvoir, et il préféra s'occuper du seul et unique hôpital de cette bourgade oubliée. Il n'aspirait guère à consommer l'amour au-delà de la sphère de sa propre imagination. Il vivait d'infimes satisfactions : la regarder passer, en route pour l'école ; la soigner quand elle attrapa la rougeole ; lui prescrire des vitamines au cours de ces années où il n'y avait assez de lait, d'œufs et de viande que pour les plus petits et où les autres devaient se contenter de bananes et de maïs ; lui rendre visite dans sa cour où il s'installait sur une chaise pour lui apprendre les tables de multiplication sous l'œil vigilant de la grand-mère. Ester Lucero finit par l'appeler « mon oncle », à défaut d'un nom plus approprié, et l'aïeule par accepter sa présence comme un de ces inexplicables mystères qu'avait engendrés la Révolution.

— Quel intérêt peut trouver un homme aussi instruit, un médecin, patron de l'hôpital et héros de la patrie, aux bavardages d'une vieille et aux silences de sa petite-fille ? s'interrogeaient les commères du village.

Au fil des années, la gamine commença à s'épanouir, mais, s'il en va presque toujours ainsi, Angel Sánchez, dans son cas, y vit une sorte de prodige, estimant que lui seul était capable d'apprécier la splendeur qui était en train de mûrir, cachée sous les innocentes robes que confectionnait la grand-mère sur sa machine à coudre. Il était persuadé que, sur son passage, les sens de quiconque venait à la regarder ne pouvaient que se troubler, à l'instar des siens ; aussi s'étonnait-il de ne point trouver un essaim de soupirants tournicotant autour d'Ester Lucero. Il était la proie de sentiments irrépressibles : une jalousie aiguë à l'égard de toute la gent masculine, une mélancolie lancinante, fruit du désespoir, et la fièvre d'enfer qui s'emparait de lui à l'heure de la sieste quand il se représentait la fillette, nue et moite, l'appelant à gestes obscènes parmi les ombres de la chambre. Nul ne sut jamais rien de ses états d'âme tourmentés. La maîtrise de soi devint chez lui une seconde nature et il s'acquit une réputation d'homme charitable. Les matrones du village finirent même par se lasser de lui chercher une fiancée et par se faire à l'idée que le médecin était un peu bizarre.

— Il n'a pas l'air porté sur les hommes, conclurent-elles, mais peut-être la malaria ou la balle qu'il a gardée à l'entrejambe lui ont ôté pour toujours le goût des femmes ?

Angel Sánchez maudissait sa mère qui l'avait fait naître vingt ans trop tôt, et son propre destin qui lui avait parsemé le corps et l'âme de tant de cicatrices. Il priait qu'un caprice de la nature vînt altérer l'harmonie et ternir l'éclat d'Ester Lucero de sorte que nul n'allât soupçonner qu'elle était la plus belle fille non seulement en ce monde-ci, mais en n'importe quel autre monde. C'est pourquoi, en ce jeudi fatidique, quand on l'amena à l'hôpital sur une civière, la grand-mère marchant devant, une procession de curieux suivant derrière, le docteur poussa un cri viscéral. Quand il souleva le drap et vit la jeune fille perforée par une horrible blessure, il crut qu'à force de tant souhaiter qu'elle n'appartînt jamais à un autre homme, c'est lui qui avait provoqué cette catastrophe.

— Elle a grimpé au manguier de la cour, elle a glissé et, en tombant, elle s'est embrochée sur le piquet auquel nous attachons l'oie, expliqua la grand-mère.

— La pauvrette a été transpercée comme un vampire, on a eu toutes les peines du monde à la déclouer, précisa un voisin qui aidait à porter le brancard.

Ester Lucero ferma les yeux et poussa un léger gémissement.

Dès cet instant, Angel Sánchez se battit en combat singulier contre la mort. Il fit tout ce qui était en son pouvoir pour sauver l'adolescente. Il l'opéra, lui fit des injections, lui transfusa de son propre sang, la bourra d'antibiotiques, mais, au bout de deux jours, il était manifeste que la vie s'échappait par cette blessure comme un torrent impossible à contenir. Assis sur une chaise au chevet de la moribonde, exténué par la tension et le chagrin, il appuya sa tête au pied du lit et, l'espace de quelques minutes, dormit comme un nouveau-né. Tandis qu'il rêvait de mouches géantes, elle errait comme une âme en peine dans les cauchemars de son agonie ; c'est ainsi qu'ils se rencontrèrent dans une sorte de *no man's land* et que dans ce songe partagé, elle se cramponna à sa main et le supplia de ne pas se laisser vaincre par la mort, de ne pas l'abandonner. Angel Sánchez se réveilla en sursaut, assailli par le souvenir précis du Nègre Rivas et du miracle insensé qui l'avait rendu à la vie. Il sortit en courant, bousculant dans le couloir la grand-mère abîmée dans un marmonnement d'intarissables chapelets.

— Continuez de prier, lui cria-t-il au passage, je suis de retour dans un quart d'heure !

Une dizaine d'années auparavant, alors qu'Angel Sánchez cheminait en forêt avec ses camarades, dans une végétation montant jusqu'aux genoux, en proie à l'inapaisable torture des moustiques et de la chaleur, traqués, sillonnant le pays en tous sens pour tendre des embuscades aux troupes de la dictature, à cette époque où ils n'étaient guère plus qu'une poignée de fous visionnaires au ceinturon bourré de munitions, à la musette remplie de poèmes, à la tête farcie d'idéaux, quand ils restaient des mois sans humer l'odeur d'une femme ni se savonner le corps, que la faim et la peur leur faisaient une seconde peau, que la seule chose à les faire encore bouger était le désespoir, qu'ils voyaient des ennemis partout et se défiaient de leurs propres ombres, c'est à cette époque que le Nègre Rivas dérapa dans un ravin, roula sur huit mètres jusqu'au gouffre où il alla s'écraser sans bruit, comme un sac de chiffons. Il fallut vingt minutes à ses camarades pour descendre à l'aide de cordes parmi les pierres tranchantes et les troncs tordus et le retrouver enfoui dans les broussailles, puis encore presque deux heures pour le remonter, baignant dans son sang.

Le Nègre Rivas, un brave colosse toujours de bonne humeur, une chanson en permanence sur les lèvres, prêt en toute occasion à porter sur son dos quelque combattant plus faible, gisait ouvert comme une grenade, les côtes à l'air, avec une profonde entaille commençant à l'épaule et aboutissant au milieu de la poitrine. Sánchez trimbalait sa trousse de secours, mais le cas dépassait complètement ses modestes moyens. Sans nourrir le moindre espoir, il sutura la plaie, la pansa avec des bandes de tissu, puis lui administra les médicaments dont il disposait. On installa l'homme sur un morceau de toile tendu entre deux bâtons et on le transporta ainsi en se relayant, jusqu'à ce qu'il fût devenu évident que chaque secousse était une minute de vie en moins, le Nègre Rivas suppurant comme une source et mêlant dans son délire iguanes à seins de femme et trombes de sel.

Ils en étaient à projeter d'installer leur camp pour lui permettre de mourir en paix quand l'un d'eux aperçut au bord d'un point d'eau noirâtre deux Indiens qui s'épouillaient le plus amicalement du monde. Non loin, enseveli dans l'épaisse vapeur de la forêt, se trouvait le village. C'était une tribu figée dans un âge reculé, sans autre contact avec ce siècle que la présence de quelque audacieux missionnaire venu leur prêcher en vain les commandements de Dieu, et, pis encore, qui n'avait jamais entendu parler de l'Insurrection ni pousser le cri de la Patrie ou la Mort. En dépit de ces différences et de la barrière des langues, les Indiens comprirent que ces hommes épuisés ne constituaient pas un bien grand danger et leur accordèrent une timide bienvenue. Les rebelles leur montrèrent du doigt le moribond. Celui qui paraissait être le chef les conduisit jusqu'à une hutte plongée en permanence dans la pénombre, où flottaient des relents d'urine et de vase. On étendit le Nègre Rivas sur une natte, entouré de ses camarades et de toute la tribu. Au bout d'un instant arriva le sorcier en tenue de cérémonie. Le commandant frémit à la vue de ses colliers de pivoines, de ses yeux de fanatique et de la croûte de crasse qui lui recouvrait le corps, mais Angel Sánchez remontra qu'on ne pouvait plus grand-chose pour le blessé et que, quoi qu'obtînt le sorcier, même si ce n'était que l'aider à mourir, cela valait toujours mieux que rien. Le commandant ordonna à ses hommes d'abaisser leurs armes et de garder le silence afin que cet étrange sage à demi nu pût exercer son métier sans être dérangé.

Deux heures plus tard, la fièvre était tombée et le Nègre Rivas pouvait avaler un peu d'eau. Le lendemain, le guérisseur revint et renouvela le traitement. A la tombée du jour, le patient se tenait assis, engloutissant une épaisse bouillie de maïs, et quarante-huit heures plus tard, il faisait ses premiers pas alentour, avec sa blessure en bonne voie de guérison. Tandis que les autres guérilleros suivaient les progrès du convalescent, Angel Sánchez sillonnait la zone en compagnie du sorcier, récoltant des plantes dans sa musette.

Bien des années après, devenu chef de la police de la capitale, le Nègre Rivas ne se souvenait qu'il avait failli mourir qu'en ôtant sa chemise pour enlacer quelque nouvelle conquête, laquelle le questionnait immanquablement sur cette longue couture qui le sillonnait de part en part.

« Si le Nègre Rivas a été sauvé par un Indien tout nu, je sauverai Ester Lucero, dussé-je conclure un pacte avec le diable », conclut Angel Sánchez en faisant un saut jusque chez lui pour chercher les herbes qu'il avait conservées durant toutes ces années et dont, jusqu'à cet instant, il avait totalement oublié l'existence. Il les retrouva enveloppées dans du papier journal, racornies et friables, à côté de son cahier de poèmes, de son béret et d'autres souvenirs de guerre.

Le médecin revint à l'hôpital en courant comme un fuyard dans la chaleur de plomb qui faisait fondre l'asphalte. Il gravit les escaliers quatre à quatre et fit irruption dans la chambre d'Ester Lucero, en nage. La grand-mère et l'infirmière de garde l'avaient vu passer en trombe et s'approchèrent du judas de la porte. Elles le virent ôter sa blouse blanche, sa chemisette de coton, son pantalon noir, ses chaussettes de contrebande et ces chaussures à semelles de caoutchouc qu'il portait toujours. Horrifiées, elles le virent se dépouiller également de son caleçon et se retrouver ainsi dans le plus simple appareil, comme un conscrit.

— Sainte Marie, mère de Dieu ! s'exclama la grand-mère.

Par le judas, elles purent voir tant bien que mal le docteur déménager le lit jusqu'au milieu de la chambre, puis, après avoir posé ses deux mains, l'espace de quelques secondes, sur le crâne d'Ester Lucero, entamer un ballet frénétique autour de la patiente. Il levait les genoux jusqu'à toucher sa poitrine, effectuait de profondes inclinaisons du buste, agitait les bras, faisait des grimaces grotesques sans se départir un seul instant de ce rythme intérieur qui lui donnait des ailes. Pendant une grande demi-heure, il n'arrêta pas de danser comme un possédé, esquivant les bouteilles d'oxygène et les flacons de sérum. Puis il sortit quelques feuilles sèches de la poche de sa blouse, les laissa tomber dans une cuvette, les écrasa avec le poing jusqu'à les réduire peu ou prou en poudre, cracha dessus en abondance, malaxa le tout pour en faire une sorte de pâte et s'approcha de la moribonde. Les femmes le virent ôter les bandages et, ainsi que l'infirmière le consigna dans son rapport, oindre la blessure avec cette mixture dégoûtante, sans aucun égard pour les règles de l'asepsie ni pour le fait qu'il exhibait sans vergogne ses parties honteuses. Le traitement terminé, l'homme se laissa choir par terre, totalement épuisé, mais le visage éclairé d'un sourire de saint.

Si le docteur Angel Sánchez n'avait été le directeur de l'hôpital et un incontestable héros de la Révolution, on lui aurait passé une camisole de force et l'aurait expédié sans plus de formalités à l'asile. Mais nul n'osa enfoncer la porte qu'il avait fermée au verrou et quand le maire décida de le faire en ayant recours aux pompiers, quatorze heures s'étaient déjà écoulées et Ester Lucero se tenait assise sur son lit-cage, yeux grands ouverts, contemplant avec amusement son oncle Angel qui s'était à nouveau dépouillé de ses vêtements et entamait la seconde phase des soins en se lançant dans de nouvelles danses rituelles. Deux jours plus tard, quand débarqua la commission du ministère de la Santé spécialement dépêchée de la capitale, la patiente se promenait dans le couloir au bras de sa grand-mère, tout le village défilait à l'étage pour voir la jeune ressuscitée et la patron de l'hôpital, vêtu de manière irréprochable, recevait ses confrères derrière son bureau. La commission s'abstint de réclamer des détails sur les danses inusitées du praticien et consacra tous ses soins à se renseigner sur les plantes miraculeuses du sorcier.

Plusieurs années se sont écoulées depuis qu'Ester Lucero est tombée du manguier. La jeune fille s'est mariée avec un contrôleur du ciel et est allée vivre à la capitale où elle a donné le jour à une petite fille taillée dans l'albâtre et aux yeux noirs. De temps à autre, elle envoie des cartes postales semées d'abominations orthographiques. Le ministère de la Santé a mis sur pied quatre expéditions pour découvrir les herbes miraculeuses en forêt, sans le moindre succès. La végétation a englouti le village indigène et, avec lui, l'espoir d'apporter un remède scientifique aux accidents mortels.

Le docteur Angel Sánchez est demeuré seul, sans autre compagnie que l'image d'Ester Lucero qui lui rend visite dans sa chambre à l'heure de la sieste, enflammant son âme au gré d'une interminable bacchanale. Le prestige du docteur a beaucoup grandi dans la région depuis qu'on l'entend parler avec les astres en langues aborigènes.

Maria la simple

Maria la simple croyait à l'amour. C'est ce qui en fit une légende vivante. A son enterrement accourut tout le voisinage, jusqu'aux policiers et à l'aveugle du kiosque qui abandonnait rarement son commerce. La rue de la République resta déserte et, en signe de deuil, on pendit des rubans noirs aux balcons et on éteignit les lanternes rouges des maisons. Chaque être a son histoire et dans ce quartier, elles sont presque toujours tristes : histoires de misères et d'injustices accumulées, de violences subies, d'enfants morts-nés, d'amants en allés ; or celle de Maria était différente, elle brillait d'une sorte d'élégance qui faisait s'envoler l'imagination d'autrui. Elle s'était débrouillée pour exercer son métier seule, s'y livrant avec discrétion, sans tapage. Jamais elle n'avait montré la moindre inclination pour l'alcool ou pour les drogues, et elle n'accordait même aucun intérêt aux consolations à cinq sous que vendaient voyantes et pythonisses du voisinage. Elle paraissait à l'abri des tourments de l'espoir, préservée par la qualité de l'amour qu'elle s'était inventé. C'était un petit bout de femme inoffensif d'aspect, chétif, aux traits et aux gestes raffinés, tout de bonté et de douceur, mais les fois où quelque jules avait tenté de lui mettre le grappin dessus, il s'était retrouvé face à une tigresse écumante, tous crocs et toutes griffes dehors, disposée à rendre coup pour coup, dût-elle y laisser la vie. On apprit à lui ficher la paix. Tandis que les autres femmes passaient leur vie à dissimuler leurs bleus sous d'épaisses couches de maquillage à bon marché, elle vieillissait dans le respect général, avec un air de reine en haillons. Elle n'avait aucune idée du prestige attaché à son nom ni de la légende que les gens avait brodée à son sujet. C'était une vieille péripatéticienne à l'âme de pucelle.

Parmi ses souvenirs revenaient avec insistance une malle assassine et un homme hâlé sentant la mer, à partir de quoi ses amies purent découvrir un à un les morceaux de sa vie et les recoller patiemment, recourant aux ressources de l'imagination pour rajouter ce qui manquait, jusqu'à lui reconstituer un passé. Pour commencer, elle n'avait rien de commun avec les autres femmes de ce quartier. Elle venait d'un monde lointain où le teint est plus clair et où le castillan se parle avec un accent marqué aux consonances rocailleuses. Elle était née pour être grande dame, c'est du moins ce que les autres femmes déduisirent de son élocution recherchée et de ses manières peu courantes ; là-dessus, si quelque doute avait subsisté, elle les dissipa en rendant son dernier soupir. Elle s'en alla avec sa dignité intacte. Elle ne souffrait d'aucune maladie connue, elle ne montrait aucun signe de frayeur ni ne respirait par les oreilles, comme les agonisants ordinaires, elle se borna à annoncer qu'elle en avait par-dessus la tête d'être en vie, elle passa sa robe du soir, se mit du rouge à lèvres et ouvrit les rideaux de toile cirée qui donnaient accès à sa chambre, afin que tous pussent lui tenir compagnie.

— L'heure est venue pour moi de mourir, dit-elle pour toute explication.

Elle s'étendit sur son lit, le dos calé par trois oreillers revêtus pour la circonstance de taies amidonnées, et avala d'un trait un grand bol de chocolat bien épais. Les autres femmes le prirent à la rigolade, mais quand, quatre heures plus tard, il n'y eut plus moyen de la réveiller, elles comprirent que sa décision était irrévocable et elles se hâtèrent d'aller répandre la nouvelle dans le quartier. D'aucuns vinrent en simples curieux, mais la plupart se présentèrent en affichant un authentique chagrin et restèrent sur place pour ne pas la laisser seule. Ses amies mirent le café à passer afin d'en proposer aux visiteurs, il leur eût paru inconvenant de servir des alcools, on n'était tout de même pas là pour faire la fête. Vers six heures du soir, Maria fut parcourue par un frémissement, elle entrouvrit les paupières, jeta un regard autour d'elle sans pouvoir discerner les visages, et, sur ces entrefaites, quitta définitivement ce monde. Il ne se passa rien de plus. Quelqu'un avança qu'elle avait peut-être avalé du poison avec son chocolat, que, dans ce cas, ils risquaient d'être tous coupables en ne l'ayant pas transportée à temps à l'hôpital, mais nul n'accorda la moindre attention à ce que disait cette méchante langue.

— Si Maria a décidé de partir, c'était son droit, puisqu'elle n'avait ni parents ni enfants à charge, décréta la tenancière de la maison.

On écarta l'idée de la veiller dans quelque établissement funéraire, car sa mort sereinement préméditée constituait un événement hors série dans les annales de la rue de la République et il était juste qu'elle passât ses dernières heures avant la mise en terre dans l'environnement où elle avait vécu, non comme une étrangère dont nul ne se soucie de conduire le deuil. Certains furent néanmoins d'avis que veiller une morte dans une pareille maison risquait d'attirer le mauvais sort sur l'âme de la défunte ou sur celle des clients ; à tout hasard, on brisa un miroir autour du cercueil et on rapporta de l'eau bénite de la chapelle du séminaire pour en asperger les quatre coins de la pièce. Cette nuit-là fut chômée dans l'immeuble, on n'entendit ni musique ni éclats de rire, mais pas davantage de pleurs. On installa la bière sur la table de la salle à manger, les voisins prêtèrent des chaises où les visiteurs prirent place pour boire le café et deviser à voix basse. Au milieu de la pièce gisait Maria, la tête reposant sur un coussin de satin, les mains jointes, la photo de son enfant mort posée sur sa poitrine. Dans le courant de la nuit, la couleur de sa peau changea jusqu'à devenir foncée comme du chocolat.

C'est durant ces longues heures de veille autour de son cercueil que j'eus connaissance de l'histoire de Maria. Ses compagnes me racontèrent qu'elle était née à l'époque de la Première Guerre mondiale dans une province du sud du continent où les arbres perdent leurs feuilles au milieu de l'année et où le froid pénètre jusqu'à la moelle des os. C'était la fille d'une fière famille d'émigrants espagnols. En fouillant sa chambre, on avait trouvé dans une boîte à biscuits quelques papiers jaunis en piteux état, parmi lesquels un acte de naissance, des photos et des lettres. Son père était propriétaire terrien ; d'après une coupure de presse pâlie par le temps, sa mère avait été pianiste avant de convoler. Maria avait douze ans quand, traversant distraitement un passage à niveau, elle avait été heurtée par un train de marchandises. On la récupéra entre les rails, sans bobo apparent ; elle ne présentait que quelques égratignures et avait perdu son chapeau. Pourtant, au bout de quelque temps, chacun fut à même de constater que le choc avait projeté la fillette dans un état d'innocence dont elle ne devait plus jamais ressortir. Elle oublia jusqu'aux rudiments scolaires qu'elle avait appris avant l'accident, c'est à peine si elle avait gardé souvenir de quelques leçons de piano et du maniement de l'aiguille à coudre, et quand on lui adressait la parole, elle demeurait comme absente. Ce qu'elle n'oublia pas, en revanche, ce sont les règles du savoir-vivre, qu'elle conserva intactes jusqu'à son dernier jour.

L'impact de la locomotive avait laissé Maria incapable de raisonnement, d'attention comme de ressentiment. Elle était donc parfaitement armée pour le bonheur, mais ce ne fut pas là son lot. Quand elle eut seize ans, ses parents, désireux de se débarrasser sur quelqu'un d'autre de la charge de cette fille un peu demeurée, décidèrent de la marier avant que sa beauté ne vînt à se faner, et jetèrent leur dévolu sur un certain docteur Guevara, qui vivait retiré et n'était aucunement porté sur le mariage, mais qui leur devait quelque argent et ne put se récuser lorsqu'ils lui proposèrent cette union. La même année, les épousailles furent célébrées dans la stricte intimité, ainsi qu'il convenait à une jeune mariée qui n'avait plus toute sa tête et à son futur, de plusieurs décennies son aîné.

Maria prit place dans le lit matrimonial avec les dispositions d'esprit d'un petit enfant, alors même que son corps s'était épanoui et était déjà celui d'une femme. Le convoi avait annihilé sa curiosité naturelle, il n'avait pu anéantir l'impatience de ses sens. Elle ne pouvait tabler que sur ce qu'elle avait appris en observant les bêtes à la ferme, elle savait qu'il n'y a rien de tel que l'eau froide pour séparer les chiens quand ils restent collés durant un coït, que le coq gonfle ses plumes et coquerique quand il veut couvrir une poule, mais à ces leçons de choses elle ne trouva guère d'usage adéquat. Au cours de sa nuit de noces, elle vit s'avancer vers elle un vieillard tremblotant dans une chemise de flanelle ouverte, arborant au-dessous du nombril quelque chose d'inattendu. L'effet de surprise lui flanqua une constipation dont elle n'osa parler à personne et quand elle se mit à gonfler comme une baudruche, elle absorba un flacon entier d'eau de l'île Marguerite — remède antiscrofuleux et remontant qui, pris à hautes doses, servait également de purge — à la suite de quoi elle passa vingt-deux jours assise sur la cuvette des cabinets, si dérangée qu'elle faillit perdre certains organes vitaux, sans que cela eût le don de la désenfler. Bientôt, elle ne parvint plus à boutonner ses robes et quand l'échéance fut venue, elle accoucha d'un bébé tout blond. Après avoir passé un mois au lit, s'alimentant de bouillon de poule et buvant deux litres de lait par jour, elle se releva, plus forte et riche de ce qui avait jusque-là fait défaut à sa vie. Elle paraissait guérie de son état de somnambulisme permanent et se sentit même le courage d'aller s'acheter d'élégants atours ; elle n'eut cependant pas le loisir d'étrenner sa nouvelle garde-robe, le sieur Guevara, foudroyé par une attaque, succombant à table, dans la salle à manger, la cuiller à soupe à la main. Maria se résigna à s'affubler de toilettes de deuil et de chapeaux à longs voiles, ensevelie sous un mausolée de chiffons. Ainsi passèrent pour elle deux années en berne à tricoter des paletots pour les pauvres, avec pour toute distraction la compagnie de ses caniches et celle de son fils dont elle frisait les cheveux et qu'elle habillait en fille, comme on peut le voir sur un des portraits retrouvés dans la boîte à biscuits, assis sur une peau d'ours, éclairé par un rayon surnaturel.

Pour la jeune veuve, le temps s'arrêta comme un instant figé pour l'éternité : inchangé demeura l'air des pièces où planait la même odeur vétuste qu'y avait laissée son époux. Elle continua de vivre dans cette demeure, servie par les fidèles domestiques, surveillée de près par ses parents et ses frères qui se relayaient pour lui rendre quotidiennement visite, contrôler ses dépenses et prendre jusqu'aux moindres décisions. Les saisons passaient, les feuilles des arbres tombaient au jardin, les colibris refaisaient avec l'été leur apparition sans qu'intervînt aucun changement dans ses habitudes. Parfois, elle se demandait pourquoi elle s'habillait de noir, car elle avait fini par oublier cet époux décrépit qui, par deux fois, l'avait tenue mollement dans ses bras entre les draps de lin pour se repentir aussitôt de sa luxure, se jeter aux pieds de la Madone et se flageller à coups de cravache. De temps à autre, elle ouvrait son armoire pour aérer sa garde-robe et elle ne résistait pas à la tentation de se dépouiller de ses noirs oripeaux pour essayer en cachette ses robes rehaussées de pierreries, ses étoles de fourrure, ses souliers de satin, ses gants en chevreau. Elle se contemplait dans le miroir à trois faces et faisait la révérence à cette femme parée comme pour un bal, en qui elle avait bien du mal à se reconnaître.

Au bout de deux années de solitude, le grondement du sang bouillant dans ses veines lui devint insupportable. Le dimanche, sur le parvis de l'église, elle s'attardait pour voir passer les hommes, attirée par le son rauque de leurs voix, leurs joues rasées de frais, leur odeur de tabac. Elle soulevait le voile de son chapeau et leur souriait à la dérobée. Son père et ses frères eurent tôt fait de remarquer son manège et, convaincus que cette terre d'Amérique était bonne pour corrompre jusqu'à la décence des veuves, ils décidèrent, réunis en conseil de famille, de l'expédier chez un de ses oncles, en Espagne, où elle serait sans nul doute à l'abri des tentations frivoles, protégée par la solidité des traditions et la toute-puissance de l'Église. Ainsi débuta le périple qui allait changer le cours du destin de Maria la simple.

Ses parents la firent monter à bord d'un transatlantique en compagnie de son fils, d'une domestique et de ses caniches. Son encombrant équipage comprenait, outre les meubles de sa chambre et son piano, une vache qui voyageait à fond de cale pour approvisionner l'enfant en lait frais. Au milieu de nombreuses valises et de ses cartons à chapeaux, elle emportait également une énorme malle toute bordée et rivetée de cuivre, contenant les robes du soir sorties de la naphtaline. Sa famille ne pensait pas que Maria aurait chez ses oncle et tante la moindre occasion de les porter, mais ils n'avaient point voulu la contrarier. Les trois premiers jours, la voyageuse, vaincue par le mal de mer, ne put quitter sa couchette, mais elle finit par s'habituer au balancement du bateau et parvint à se lever. Elle fit alors venir la domestique pour l'aider à défaire ses bagages en vue de cette longue traversée.

L'existence de Maria a été marquée par des accidents subits, comme ce convoi qui lui avait emporté l'esprit et l'avait renvoyée dans une enfance sans retour. Elle était occupée à ranger ses vêtements dans le placard de sa cabine quand le garçonnet fourra la tête dans la malle grande ouverte. A cet instant précis, le tangage du navire referma brusquement le lourd couvercle dont la bordure métallique vint heurter la nuque de l'enfant, lui brisant le cou. Trois matelots furent nécessaires pour détacher la mère de cette malle maudite, et une dose de laudanum à terrasser un athlète pour l'empêcher de s'arracher les cheveux par poignées et de se défigurer avec ses ongles. Elle passa des heures à hurler, puis elle sombra dans un état crépusculaire, se balançant de droite et de gauche comme à l'époque où elle s'était taillé une réputation d'idiote. Le capitaine du bateau annonça la funeste nouvelle par haut-parleur, ânonna une brève prière, puis ordonna d'envelopper le petit cadavre dans les plis d'un drapeau et de le jeter par-dessus bord, car on était déjà en plein océan et il n'y avait pas moyen de le conserver jusqu'à la prochaine escale.

Plusieurs jours après la tragédie, Maria sortit d'un pas incertain et, pour la première fois, alla prendre l'air sur le pont. La nuit était tiède, du fond de la mer montait une troublante odeur d'algues, de coquillages et de vaisseaux naufragés qui lui entra par les narines et fit le tour de ses veines, y déclenchant comme une secousse tellurique. Elle contemplait l'horizon, l'esprit hagard, frissonnant de la tête aux pieds, quand elle perçut un sifflement insistant ; en se retournant à demi, elle découvrit, deux étages plus bas, une silhouette éclairée par la lune qui lui faisait des signes. Elle dévala en transe les échelles de coupée et s'approcha de l'homme basané qui l'avait interpellée ; soumise, elle se laissa dépouiller de ses voiles et de son lourd accoutrement de veuve, puis le suivit derrière un rouleau de cordages. Cueillie de plein fouet comme elle l'avait été jadis par le train, elle apprit en moins de trois minutes la différence entre un vieil époux consumé par la crainte de Dieu et un insatiable matelot grec embrasé par le besoin au terme de plusieurs semaines de chasteté océanique. Éblouie, la jeune femme eut la révélation de ses propres possibilités, elle sécha ses larmes et en redemanda. Ils passèrent une bonne partie de la nuit à faire l'amour et ne se détachèrent l'un de l'autre qu'en entendant la sirène d'alarme, un sinistre mugissement de naufrage qui perturba le silence des poissons. Pensant que l'inconsolable mère s'était précipitée à la mer, la domestique avait donné l'alerte et tout l'équipage était à sa recherche, hormis le Grec.

Nuit après nuit, Maria rejoignit son amant derrière les cordages, jusqu'au jour où le bateau se rapprocha des côtes caraïbes et où le parfum douceâtre des fleurs et des fruits, porté par la brise, acheva de lui tournebouler les sens. Sur proposition de son compagnon, elle accepta alors de quitter le navire où restait confiné le fantôme de son fils mort et où il ne manquait pas d'yeux pour les espionner, elle fourra l'argent du voyage dans ses jupons et prit congé de son passé de dame respectable. Ils mirent une chaloupe à la mer et disparurent dans le petit matin, laissant à bord la domestique, les caniches, la vache et la malle assassine. L'homme rama de ses gros bras de bourlingueur en direction d'un port qui surgit à leurs yeux, extraordinaire dans la lumière de l'aube, pareil à une vision d'un autre monde, avec ses bicoques, ses palmiers, ses oiseaux bigarrés. C'est là que s'installèrent les deux fugitifs, tant que dura leur cagnotte.

Le matelot se révéla grand buveur autant que dépensier. Il s'exprimait dans un jargon incompréhensible à Maria et aux habitants du cru, mais il parvenait à se faire comprendre à coups de grimaces et de sourires. Elle n'émergeait que lorsqu'il rentrait se livrer avec elle aux acrobaties auxquelles il s'était initié dans tous les lupanars entre Singapour et Valparaiso ; le reste du temps, elle demeurait prostrée, en proie à une langueur mortelle. Baignant dans les sucs et sueurs du climat, la jeune femme découvrit l'amour sans partenaire, s'aventurant en solitaire en de fallacieux territoires avec l'audace de ceux qui ignorent les risques. Le Grec manquait trop de perspicacité pour comprendre qu'il n'avait fait qu'ouvrir une vanne, qu'il n'avait été en somme que l'instrument d'une révélation, et il fut incapable d'apprécier le cadeau que lui offrait cette femme. Il avait à côté de lui une enfant préservée dans les limbes d'une innocence à toute épreuve, résolue à faire le tour de ses propres sensations avec les dispositions folâtres d'un jeune chiot, mais il ne sut lui emboîter le pas. Jusque-là, elle n'avait jamais connu le libre déploiement du plaisir, elle ne l'avait pas même imaginé, bien qu'il eût été de tout temps dans son sang comme le germe d'une fièvre incendiaire. En le découvrant, elle pensa qu'il s'agissait là de cette félicité céleste que les sœurs du collège promettaient pour l'Au-delà aux petites filles sages. Elle ne connaissait pas grand-chose du monde et aurait été bien en peine de lire une carte pour se localiser elle-même sur cette planète, mais à la vue des hibiscus et des perroquets, elle avait cru se retrouver au paradis et était bien décidée à en jouir. Là, personne ne la connaissait, elle avait pour la première fois les coudées franches, loin de chez elle, de l'inflexible tutelle de ses parents et de ses frères, de la pression sociale et des voiles de la messe, enfin libre de savourer le torrent d'émotions qui prenait naissance à la surface de sa peau et pénétrait par capillarité jusqu'à ses cavités les plus enfouies où il se déversait en cataractes, la laissant épuisée et comblée.

L'absence de malice de Maria, son imperméabilité au péché ou à la honte finirent par terroriser le marin. Les pauses entre chaque étreinte se firent plus longues, les absences de l'homme plus fréquentes, le silence grandit entre eux deux. Convaincu que la veuve qu'il avait séduite en haute mer s'était métamorphosée en araignée perverse prête à le dévorer comme une mouche dans le désordre du lit, le Grec s'employa à échapper à cette femme aux traits de petite fille qui l'appelait sans relâche, turgescente, humide et embrasée. C'est en vain qu'il chercha à soulager sa virilité surmenée en batifolant avec des prostituées, en se battant au couteau ou aux poings avec les souteneurs, en pariant aux combats de coqs la menue monnaie de ses bamboches. Lorsqu'il se retrouva les poches vides, il s'accrocha à cette bonne excuse pour disparaître complètement. Maria l'attendit patiemment plusieurs semaines. Parfois, la radio l'informait que tel marin français, ayant déserté un bâtiment britannique, ou tel Hollandais, enfui d'un vaisseau portugais, avait été assassiné à coups de surin dans les quartiers chauds du port, mais elle écoutait la nouvelle sans s'émouvoir, celui dont elle escomptait le retour étant un Grec échappé d'un transatlantique italien. Quand elle finit par ne plus pouvoir supporter l'échauffement de ses os et l'anxieuse fringale de son âme, elle sortit dans la rue chercher réconfort auprès du premier passant venu. Elle le prit par la main et le pria de la façon la plus exquise et la plus châtiée de bien vouloir lui faire la faveur de se déshabiller pour elle. L'inconnu hésita un peu devant cette jeune femme qui ne ressemblait en rien aux professionnelles de l'endroit, mais dont la proposition était on ne peut plus explicite, en dépit de sa formulation désuète. Il calcula qu'il pouvait distraire une dizaine de minutes de son temps en sa compagnie et la suivit sans se douter qu'il allait retrouver emporté par le tourbillon d'une authentique passion. Déconcerté et ému, il laissa un billet sur la table à l'intention de Maria, puis s'en fut crier sur tous les toits ce qui lui était arrivé. D'autres ne tardèrent pas à rappliquer, attirés par le bruit qu'il existait une femme capable de dispenser pour un moment l'illusion de l'amour. Tous les clients repartirent satisfaits. Maria devint ainsi la péripatéticienne la plus célèbre du port, celle dont les marins emportèrent le nom tatoué sur leurs avant-bras afin de le faire connaître sur d'autres océans, jusqu'à ce que sa légende eût fait le tour de la planète.

Le temps, le dénuement, les efforts pour tromper le désenchantement finirent par avoir raison de la fraîcheur de Maria. Son teint devint bis, elle n'eut bientôt plus que la peau sur les os ; pour plus de commodité, elle se tondit les cheveux comme une prisonnière ; mais elle conserva ses manières distinguées et la même fougue lors de chacun de ses tête-à-tête avec des hommes, car elle ne voyait pas en eux des êtres anonymes, mais comme un reflet d'elle-même dans les bras de son amant imaginaire. Redescendue sur terre, elle était bien incapable de percevoir le sordide et pressant besoin de son nouveau compagnon de passe, car elle se donnait chaque fois avec le même irrépressible élan amoureux, prenant les devants comme une jeune mariée délurée pour satisfaire tous les désirs de l'autre. Avec l'âge, sa mémoire sombra dans la plus grande confusion, elle proférait des choses extravagantes ; à l'époque où elle s'installa à la capitale et emménagea rue de la République, elle ne se souvenait plus d'avoir été autrefois la muse inspiratrice de tant de poèmes improvisés par des navigateurs de toutes races et elle demeurait perplexe quand quelqu'un descendait du port jusqu'en ville à seule fin de vérifier si celle dont il avait entendu parler en quelque coin d'Asie existait bien encore. Quand ils se retrouvaient en présence de cette misérable sauterelle, de ce tas d'os pathétique, de ce petit bout de femme de rien du tout, à voir la légende ainsi réduite en miettes, beaucoup faisaient demi-tour et s'en retournaient, dépités, mais quelques autres restaient par commisération. Ceux-ci se voyaient offrir une récompense inespérée. Maria refermait son rideau de toile cirée et dans la pièce flottait aussitôt un air d'une tout autre qualité. Plus tard, l'homme repartait émerveillé, emportant avec lui l'image d'une fille mythologique, non celle de la pitoyable petite vieille qu'il avait cru voir dans un premier temps.

Chez Maria, le passé s'effaçait petit à petit — son seul souvenir précis était sa terreur des malles et des trains —, et sans l'obstination de ses camarades de travail, nul n'aurait jamais eu connaissance de son histoire. Elle avait passé sa vie à attendre l'instant où le rideau de sa chambre s'ouvrirait pour livrer passage au marin grec ou à tout autre revenant sorti de son imagination qui la prendrait alors dans le cercle ajusté de ses bras pour lui restituer cette volupté partagée jadis sur le pont d'un navire de haute mer ; elle avait passé sa vie à rechercher sans relâche cette ancienne illusion en chaque homme de passage, rayonnant d'un amour de rêve, trompant les ombres en s'abandonnant à d'éphémères étreintes, étincelles qui se consumaient avant de brûler, et quand elle en eut assez d'attendre en pure perte et sentit son âme se couvrir à son tour de squames, elle décréta qu'il valait mieux pour elle quitter ce monde. C'est ainsi, avec la même délicate attention qu'elle mettait en chacun de ses faits et gestes, qu'elle eut alors recours à la bolée de chocolat.

L'oubli au plus profond de l'oubli

Elle se laissa caresser, silencieuse, sueur perlant au pli
de la taille, arôme de sucre caramélisé planant sur son
corps tranquille, comme si elle eût pressenti que le
moindre son risquait de remuer et réveiller les souvenirs,
de lui faire tout perdre, réduisant en poussière cet instant
où lui-même était un homme comme les autres, un amant
de rencontre dont elle avait fait la connaissance le matin
même, un de ces types sans histoires, attiré par la folle
avoine de ses cheveux, ses taches de rousseur, le tintin-
nabulement sonore de ses bracelets de gitane, qui l'avait
abordée dans la rue et s'était mis à marcher avec elle
sans but précis, parlant du temps qu'il faisait, des
embouteillages, et contemplant la foule avec cette assurance un peu forcée des compatriotes en terre étrangère ;
un homme sans chagrins ni rancœurs ni sentiment de
culpabilité, net comme la glace, qui souhaitait simplement
passer la journée avec elle à vagabonder dans les librairies
et les jardins publics, à boire du café, à se réjouir du
hasard qui les avait fait se rencontrer, à évoquer de
vieilles nostalgies, à quoi ressemblait la vie à cette époque
où l'un et l'autre avaient grandi dans la même ville, le
même quartier, il avait alors quatorze ans, tu te souviens
de ces hivers avec les chaussures trempées par la gelée
blanche, les poêles à pétrole, de ces étés de pêches mûres,

là-bas, au pays interdit. Peut-être se sentait-elle un peu seule ou bien lui avait-il paru que c'était une bonne occasion de faire l'amour sans se poser de questions, et c'est ainsi qu'en fin d'après-midi, aucun prétexte ne les incitant plus à poursuivre leur marche, elle le prit par la main et le conduisit jusque chez elle. Elle partageait avec d'autres exilés un appartement sordide dans un immeuble jaunâtre au fond d'une impasse encombrée de poubelles. Sa chambre était exiguë : un matelas posé à même le sol, garni d'une couverture rayée ; des étagères faites de planches posées sur deux piles de briques ; des livres, des affiches, des vêtements jetés sur une chaise, une valise dans un coin. Elle se déshabilla de but en blanc avec des airs de fille facile.

Il essaya de l'aimer. Il l'explora patiemment, glissant au gré de ses reliefs et de ses recreux, abordant sans hâte ses itinéraires, la pétrissant, docile argile sur les draps, jusqu'à ce qu'elle s'offrît, ouverte. C'est alors qu'il recula, muré dans une réserve muette. Elle se tourna pour le découvrir à son tour, recroquevillée sur le ventre de l'homme, y enfouissant son visage, comme si elle se fût débattue contre un reste de pudeur, tout en le palpant, le léchant, l'étrillant. Il voulut s'abandonner, les yeux clos, et la laissa s'activer un moment, jusqu'à ce qu'il se sentît submergé par la tristesse ou la honte et dût l'écarter. Ils rallumèrent une cigarette, il n'y avait plus trace de complicité entre eux, l'anticipation fébrile qui les avait unis au long de cette journée s'était dissipée et ne gisaient plus sur le lit que deux gosses orphelins à la mémoire absente, flottant dans le vide terrible de tant de mots imprononcés. En se rencontrant, ce matin-là, ils n'avaient rien ambitionné d'extraordinaire, leurs prétentions étaient restées modestes, seulement un peu de compagnie et de plaisir, rien de plus, mais au moment de s'aimer, la désolation avait eu le dessus. Nous sommes fatigués, fit-elle en souriant comme pour s'excuser de ce vague à l'âme qui s'était installé entre eux deux. Dans un ultime effort pour gagner du temps, il prit le visage de la jeune femme entre ses mains et lui baisa les paupières. Ils s'allongèrent côte à côte, doigts entrelacés, et évoquèrent leur existence dans ce pays où le hasard les avait conduits, une contrée verdoyante et généreuse où ils n'en resteraient pas moins à jamais des étrangers. Il songea à se rhabiller et à lui dire adieu avant que la tarentule de ses cauchemars ne vienne leur empoisonner l'atmosphère, mais il la vit si juvénile et vulnérable qu'il eut envie de devenir son ami. Ami, se dit-il, et non pas amant ; ami pour partager quelques instants de répit sans exigences ni engagements, ami pour ne pas rester seul et pour combattre la peur. Il n'était décidé ni à partir, ni à lui lâcher la main. Molle et chaude, une vague d'incommensurable pitié vis-à-vis d'elle et de lui-même vint lui brûler les yeux. Le rideau s'était gonflé comme une voile, elle se leva pour refermer la fenêtre, se figurant que la pénombre pourrait les aider à recouvrer l'envie d'être ensemble, le désir de s'étreindre. Mais il n'en fut rien : il avait besoin de cette portion de jour en provenance de la rue pour ne pas se sentir happé de nouveau par le puits de sa cellule, quatre-vingt-dix centimètres en tout et pour tout, hors du temps, à mijoter dans ses propres déjections, fou. Laisse le rideau ouvert, je veux pouvoir te regarder, mentit-il, n'osant lui confier la terreur que lui inspirait la nuit, quand le tourmentaient à nouveau la soif, ce bandage qui lui enserrait la tête comme une couronne de clous, ses visions de cavernes et l'assaut de fantômes sans nombre. Il ne pouvait pas lui parler de ça, car une chose en entraîne une autre et on finit par raconter ce qu'on n'a jamais dit à personne. Elle vint se rallonger, le caressa sans ardeur, passant les doigts sur ses petites marques, les étudiant. Ne t'inquiète pas, ça n'a rien de contagieux, ce ne sont que des cicatrices, ricana-t-il presque dans un sanglot. La jeune femme perçut son ton angoissé et suspendit son geste, figée, aux aguets. Il aurait dû choisir ce moment-là pour lui dire que ces instants ne constituaient en rien le début d'un nouvel amour, pas même celui d'une éphémère passion, qu'il ne s'agissait que d'une trêve, d'un bref moment d'innocence, et que, d'ici peu, quand elle se serait assoupie, il s'en irait ; il aurait dû lui dire qu'il ne pourrait y avoir de projets pour eux deux, pas même de furtifs rappels, qu'ils ne se promèneraient plus ensemble en se tenant par la main au long des rues, que les jeux des amants ne les réuniraient plus, mais il ne put proférer un mot, sa voix était restée accrochée au fond de son ventre comme par des griffes. Il se sentit sombrer. Il s'évertua à retenir cette réalité qui lui échappait, à agripper son esprit à n'importe quoi, aux vêtements jetés pêle-mêle sur la chaise, aux livres empilés par terre, à l'affiche du Chili collée au mur, à la fraîcheur de cette soirée caraïbe, à la sourde rumeur de la rue ; il chercha à se concentrer sur ce corps offert et à ne penser qu'à la chevelure exubérante de la jeune femme, à son odeur sucrée. Muettement, il l'implora d'être assez gentille pour l'aider à sauver ces quelques secondes, tandis qu'elle l'observait de l'autre bout du lit, assise comme un fakir, ses clairs mamelons et le petit œil de son nombril le regardant eux aussi, notant son tremblement, l'entrechoquement de ses dents, ses gémissements. Le jeune homme entendit le silence grandir en lui, il sut que son âme allait voler en éclats comme tant de fois déjà par le passé, et il cessa de lutter, lâchant la dernière prise qui le rattachait au présent, se laissant rouler au bas d'une falaise sans fin. Il sentit les courroies incrustées dans ses chevilles et ses poignets, la soudaine décharge, ses tendons arrachés, il entendit la voix qui insultait, exigeait des noms, les cris impossibles à oublier d'Ana, torturée à ses côtés, et ceux des autres, pendus par les bras dans la cour.

Mon Dieu, que se passe-t-il, qu'est-ce qui t'arrive ? lui parvint, lointaine, la voix d'Ana. Mais non, Ana était restée enlisée dans les marécages du Sud. Il crut distinguer une étrangère, dévêtue, qui le secouait et l'appelait par son nom, mais il ne parvint pas à s'arracher de l'ombre où s'agitaient des fouets, des drapeaux. Recroquevillé sur lui-même, il tenta de surmonter sa nausée. Il se mit à pleurer sur Ana, sur les autres. Qu'est-ce qui t'arrive ? — de quelque part, la jeune femme l'interpellait à nouveau. Rien, rien, viens contre moi, supplia-t-il, et elle s'approcha timidement, le prit dans ses bras, le berça comme un enfant, l'embrassa sur le front, lui dit pleure, pleure, le coucha sur le dos au milieu du lit et s'étendit sur lui, en croix.

Ils demeurèrent ainsi soudés l'un à l'autre pendant une éternité, jusqu'à ce que les hallucinations se fussent peu à peu éloignées, qu'il se fût retrouvé dans la chambre, à même de constater qu'il était malgré tout en vie, respirant, le cœur battant, avec son poids à elle sur son propre corps, sa tête à elle reposant sur sa propre poitrine, ses bras et ses jambes à elle sur les siens propres, l'air de deux orphelins terrorisés. A cet instant, comme si elle avait tout deviné, elle lui dit que la peur est plus forte que le désir, que l'amour ou la haine, que la culpabilité ou la colère, plus forte même que la fidélité à l'idéal. La peur est quelque chose de total, résuma-t-elle tandis que ses larmes lui coulaient le long du cou. Pour le garçon touché dans sa blessure la plus enfouie, tout se figea soudain. Il eut l'intuition qu'elle n'était pas seulement une jeune femme disposée à faire l'amour par compassion, mais qu'elle savait ce qui se trouvait tapi derrière son silence, sa solitude absolue, derrière cette chape de plomb sous laquelle il s'était soustrait au souvenir du colonel et de sa propre trahison, derrière l'évocation d'Ana Diaz et de ses autres camarades dénoncés qu'on avait emmenés l'un après l'autre, les yeux bandés. Comment pouvait-elle être au courant de tout cela ?

La jeune femme se leva. Son bras menu se découpa sur la clarté brumeuse de la fenêtre, cherchant à tâtons l'interrupteur. Elle alluma, ôta un à un ses bracelets de métal qui churent sans bruit sur le lit. Ses cheveux lui masquaient à demi le visage quand elle tendit les mains vers lui. Des cicatrices blanchâtres parsemaient aussi ses propres poignets. Il les examina un très long moment, pétrifié, jusqu'à ce que tout lui fût devenu limpide, mon amour, jusqu'à la voir attachée elle aussi par des courroies sur le gril électrique, et ils purent alors s'étreindre à nouveau, donner libre cours à leurs larmes, à leur fringale de serments et d'aveux, de paroles prohibées, de pro-messes d'avenir, partageant enfin le plus jalousement gardé de leurs secrets.

Le Petit Heidelberg

Cela faisait tant d'années que le Capitaine et la Petite Eloísa dansaient ensemble qu'ils avaient atteint le comble de la perfection. Chacun était capable de pressentir le prochain mouvement de l'autre, de deviner l'instant exact où il se mettrait à tourner, d'interpréter la plus infime pression d'une main, la plus légère translation d'un pied. En l'espace de quarante ans, pas une seule fois ils n'avaient perdu la cadence, évoluant avec la précision d'un couple habitué à faire l'amour et à dormir étroitement enlacé, ce qui fait qu'on avait toutes les peines du monde à imaginer qu'ils n'eussent jamais échangé le moindre mot.

Le Petit Heidelberg est un bal situé à quelque distance de la capitale, sur une hauteur entourée de bananeraies ; outre de la bonne musique et un air moins étouffant, on vous y offre un curieux ragoût aphrodisiaque relevé grâce à toutes sortes d'épices, trop roboratif pour l'ardent climat de cette contrée, mais parfaitement accordé aux traditions qui inspirèrent le propriétaire des lieux, don Rupert. Avant la crise pétrolière, quand on vivait encore dans l'illusion de l'abondance et qu'on importait des fruits d'autres latitudes, la spécialité de la maison était le *struddel* aux pommes, mais, depuis qu'il ne reste plus du règne de l'or noir qu'une montagne d'ordures indégradables et le souvenir d'une belle époque, on fait le *struddel* avec des mangues ou des goyaves. Les tables disposées en large cercle, ménageant au centre un espace libre pour la danse, sont recouvertes de nappes à carreaux verts et blancs, et les murs s'ornent de scènes bucoliques de la vie rurale dans les Alpes : bergères aux nattes blondasses, gaillards bien bâtis, vaches immaculées. Les musiciens — culottes courtes, chaussettes de laine, bretelles tyroliennes, coiffés de chapeaux de feutre qui, la transpiration aidant, ont perdu de leur panache et ressemblent de loin à des perruques verdâtres — sont juchés sur une estrade surmontée d'un aigle empaillé auquel, selon les dires de don Rupert, poussent de temps à autre des plumes nouvelles. L'un joue de l'accordéon, un autre du saxo, le troisième fait des pieds et des mains pour arracher simultanément des sons à la batterie et aux cymbales. L'accordéoniste est un virtuose de son instrument ; il chante également d'une voix chaude de ténor avec un vague accent andalou. Malgré son accoutrement saugrenu de tavernier suisse, c'est le chouchou des dames qui fréquentent assidûment ce bal, et nombre d'entre elles caressent en secret le rêve d'être prises avec lui dans quelque accident fatal, par exemple une avalanche ou un bombardement, où elles exhaleraient avec ravissement leur dernier soupir entre ces bras puissants, capables d'arracher des plaintes si déchirantes à l'accordéon. Le fait que l'âge moyen de ces dames tourne autour de soixante-dix ans n'atténue en rien la sensualité qui émane du chanteur, mais y mêle plutôt le souffle suave de la mort. L'orchestre se met au travail au coucher du soleil et termine à minuit, sauf les samedis et dimanches, quand les touristes affluent et qu'il lui faut continuer à jouer jusqu'au départ du dernier client, aux aurores. Il interprète des polkas, des mazurkas, des valses et diverses danses régionales d'Europe, comme si, au lieu de se trouver enclavé au milieu de la région caraïbe, le Petit Heidelberg campait sur les bords du Rhin.

A la cuisine règne doña Burgel, épouse de don Rupert, une formidable matrone que peu de gens connaissent, car le plus clair de son existence se déroule au milieu des casseroles et des amoncellements de légumes, absorbée dans la préparation de plats étrangers à l'aide d'ingrédients créoles. C'est elle qui a inventé le *struddel* aux fruits tropicaux et ce ragoût aphrodisiaque capable de revigorer les plus raplapla. Le service est accompli par les filles des patrons, une paire de solides femelles parfumées à la cannelle, au clou de girofle, à la vanille et au citron, et par quelques autres filles du village arborant toutes des joues rubicondes. La clientèle habituelle est composée d'immigrés européens qui se sont installés dans ce pays pour échapper à quelque guerre ou à la misère, commerçants, agriculteurs, artisans, des gens simples et de bonne composition, même s'ils ne le furent pas toujours, que la roue de la vie a comme égalisés, leur conférant une affabilité souriante de vaillants vieillards. Les hommes sont en veste et arborent un nœud papillon, mais au fur et à mesure que le branle de la danse et l'abondance de bière leur échauffent l'esprit, ils se dépouillent peu à peu du superflu jusqu'à rester en bras de chemise. Les femmes sont vêtues de couleurs gaies dans des coupes surannées, comme si leur toilette venait d'être exhumée de la malle de jeune mariée qu'elles avaient emportée en émigrant. De temps en temps surgit quelque bande d'adolescents agressifs dont l'arrivée est annoncée par un tohu-bohu tonitruant de motos et par un entrechoquement de bottes, de chaînes et de clefs ; ils viennent dans le seul but de se payer la tête des vieux, mais l'incident reste contenu dans les limites de la simple escarmouche, car le batteur et le saxo sont toujours prêts à retrousser leurs manches pour rétablir l'ordre.

Chaque samedi, vers neuf heures du soir, quand tout un chacun a déjà dégusté sa portion de ragoût aphrodisiaque et s'est abandonné au plaisir de la danse, la Mexicaine fait son entrée et s'assied seule à une table. C'est une provoquante quinquagénaire au corps de galion — haute sur quille, ventrue, la poupe avantageuse, le visage en figure de proue —, arborant un décolleté plutôt mûr mais encore ferme, ainsi qu'une fleur à l'oreille. Elle n'est certes pas la seule à être vêtue en danseuse de flamenco, mais, sur elle, cela fait plus naturel que sur les autres dames aux cheveux blancs et aux hanches tristes qui ne parlent même pas correctement l'espagnol. Quand elle danse la polka, la Mexicaine est un navire à la dérive, ballottée par des vagues abruptes, mais au rythme de la valse, on dirait qu'elle glisse sur un plan d'eau douce. Ainsi l'entrevoyait parfois en rêve le Capitaine, et il se réveillait alors sous l'effet d'une angoisse presque oubliée depuis son adolescence. On raconte que ledit Capitaine était originaire de quelque flotte nordique dont nul n'avait été capable de déchiffrer le nom. Il en connaissait un bout sur les vieux rafiots et les routes maritimes, mais tout son savoir reposait par le fond, sous son crâne, sans la moindre chance de servir jamais dans ces parages torrides où la mer n'est qu'un placide aquarium aux eaux vertes et translucides, peu propice à la navigation des intrépides bateaux de mer du Nord. C'était un homme grand et sec comme un arbre sans feuilles, au dos raide et à l'encolure encore droite, paradant dans son blazer à boutons dorés et auréolé de cet air tragique des bourlingueurs à la retraite. Jamais on ne lui avait entendu prononcer un traître mot en espagnol ni dans aucun autre idiome connu. Trente ans auparavant, don Rupert avait émis l'idée que le Capitaine était certainement finlandais, à cause de la couleur de glace de ses prunelles et des verdicts sans appel de son regard, et comme personne n'avait été en mesure de le contredire, on avait fini par l'admettre. Au demeurant, au Petit Heidelberg, la langue n'a guère d'importance, nul ne venant là pour faire la conversation.

Pour mettre tout le monde à l'aise, on a modifié certaines règles de conduite. Chacun peut aller seul sur la piste ou bien encore inviter quelqu'un à une autre table ; si elles le désirent, les femmes peuvent elles aussi prendre l'initiative et se permettre d'approcher un homme. C'est là une solution équitable pour les veuves esseulées. Nul n'invite à danser la Mexicaine, car on se doute qu'elle s'estimerait offensée ; tremblant à cette perspective, les cavaliers doivent attendre qu'elle prenne les devants. Elle pose sa cigarette dans le cendrier, décroise les cruelles colonnes de ses jambes, rajuste son bustier, s'avance jusqu'à l'élu et se plante devant lui sans lui adresser le moindre regard. Elle change de partenaire à chaque danse, mais il fut un temps où elle en réservait au moins quatre au Capitaine. De sa solide poigne de timonier, il la prenait par la taille et la guidait sur la piste sans se laisser couper l'inspiration par le poids des ans.

La plus ancienne paroissienne de l'endroit — en un demi-siècle, elle n'avait pas manqué un seul samedi soir au Petit Heidelberg — était la Petite Eloísa, une miniature de femme toute de douceur et de délicatesse, à l'épiderme en papier de riz, coiffée d'une couronne de cheveux diaphanes. Elle avait si longtemps gagné sa vie à confectionner des confiseries dans sa cuisine que l'arôme du chocolat l'avait imprégnée de la tête aux pieds et elle dégageait une odeur d'anniversaire. En dépit de son âge, elle avait conservé des gestes de sa prime jeunesse et était capable de passer la nuit entière à virevolter sur la piste de danse sans malmener l'échafaudage de son chignon ni altérer son rythme cardiaque. Elle avait débarqué dans ce pays au début du siècle, en provenance de quelque localité du sud de la Russie, en compagnie de sa mère qui était à l'époque d'une beauté resplendissante. Elles avaient passé leur vie ensemble à fabriquer des chocolats fourrés, sans prêter cas le moins du monde à la dureté du climat, du siècle et de leur solitude, sans maris ni famille, sans événements saillants, sans autre distraction que le Petit Heidelberg en fin de semaine. Depuis la mort de sa mère, la Petite Eloísa venait seule. Don Rupert l'accueillait sur le pas de la porte avec la plus grande déférence et l'accompagnait jusqu'à sa table, tandis que l'orchestre lui souhaitait la bienvenue en jouant les premiers accords de sa valse préférée. A certaines tables, on levait sa chope de bière pour saluer en elle non seulement la doyenne, mais sans doute aussi la plus aimée des habitués. Timide, jamais elle n'aurait osé inviter un homme à danser, mais, au cours de ces si nombreuses années, jamais elle n'eut besoin de le faire, car c'était pour chacun un insigne privilège que de la prendre par la main, de lui enlacer la taille avec suffisamment de délicatesse pour ne pas lui démettre une de ses petites vertèbres de verre, et de la conduire au milieu de la piste. C'était une danseuse pleine de grâce dont émanait ce parfum sucré capable de réveiller, chez quiconque le respirait, les meilleurs souvenirs de l'enfance.

Le Capitaine s'asseyait seul, toujours à la même table, il buvait modérément et ne montra jamais le moindre entichement pour le ragoût aphrodisiaque de doña Burgel. Il battait la mesure avec son pied et quand la Petite Eloísa était libre, il l'invitait à danser, se campant devant elle en entrechoquant discrètement les talons et en s'inclinant légèrement. Ils ne se parlaient jamais, ils se contentaient de se regarder et de se sourire entre les galops, les échappés, les déboulés de quelque vieille danse d'autrefois.

Par un samedi de décembre moins humide que d'ordinaire, deux touristes débarquèrent au Petit Heidelberg. Rien à voir, pour une fois, avec les Japonais disciplinés qu'on voyait rappliquer ces derniers temps ; il s'agissait de Scandinaves de haute taille, à la peau hâlée et aux cheveux décolorés, qui s'installèrent à une table pour observer avec fascination les danseurs. Gais et bruyants, ils entrechoquaient leurs chopes de bière, riaient de bon cœur et parlaient fort. Les mots proférés par les étrangers atteignirent le Capitaine à sa propre table ; de très loin, d'un autre espace et d'un autre temps, lui parvenaient les sonorités de sa propre langue, dans toute leur pureté et leur fraîcheur, comme inventées à l'instant, des mots qu'il n'avait plus entendu prononcer depuis des décennies, mais qui étaient demeurés intacts dans sa mémoire. Ses traits de vieux bourlingueur trahirent un certain attendrissement qui le fit balancer quelques minutes entre le mutisme absolu, où il se sentait fort à l'aise, et le plaisir presque oublié de se laisser aller à une conversation. Finalement, il se leva et se dirigea vers les inconnus. Derrière le bar, don Rupert remarqua soudain le Capitaine en train de dire quelque chose aux nouveaux venus, le corps légèrement penché, les mains derrière le dos. Bientôt, clients, serveuses et musiciens se rendirent compte que c'était la première fois, depuis qu'ils connaissaient cet homme, qu'ils le voyaient adresser la parole à quelqu'un, et tous se figèrent à leur tour pour mieux percevoir ce qu'il disait. Il avait une voix de grand-père, lente et cassée, mais il mettait dans chaque phrase une détermination à toute épreuve. Quand il eut fini d'exhaler tout ce qu'il avait dans la poitrine, il se fit un tel silence dans la salle que doña Burgel émergea de sa cuisine pour vérifier si quelqu'un n'était pas mort. Enfin, après une longue pause, l'un des touristes sortit de son ahurissement et appela don Rupert pour le prier, dans un anglais rudimentaire, de bien vouloir l'aider à traduire la déclaration du Capitaine. Les deux Nordiques suivirent le vieux marin jusqu'à la table où attendait la Petite Eloísa, puis don Rupert s'approcha à son tour, ôtant en chemin son tablier à l'idée qu'on allait assister à un événement solennel. Le Capitaine prononça quelques mots dans sa langue, un des étrangers les traduisit en anglais et don Rupert, les oreilles cramoisies et la moustache frétillante, les répéta dans un espagnol estropié.

— Petite Eloísa, le Capitaine demande si vous voulez bien vous marier avec lui.

La fragile petite vieille resta assise, les yeux écarquillés par la surprise, la bouche dissimulée derrière son mouchoir de batiste, et tous attendirent, suspendus à un soupir, jusqu'à ce qu'elle eût recouvré l'usage de la parole.

— Il ne vous semble pas que c'est un peu brusquer les choses ? minauda-t-elle.

Ses mots transitèrent par le tavernier et les touristes, puis la réponse emprunta le chemin inverse.

— Le Capitaine dit qu'il a attendu quarante ans pour vous le proposer et qu'il se sentirait incapable d'attendre qu'il se présente à nouveau quelqu'un qui s'exprime dans sa langue. Il vous prie de bien vouloir lui donner dès maintenant votre réponse.

— C'est d'accord, murmura d'une voix à peine perceptible la petite Eloísa, mais aucune traduction ne fut nécessaire, tout le monde avait compris.

Euphorique, don Rupert leva les bras au ciel et annonça les fiançailles, le Capitaine embrassa sa promise sur les deux joues, les touristes serrèrent la main de tout un chacun, les musiciens maltraitèrent leurs instruments dans un charivari de marche triomphale, et l'assistance fit cercle autour du couple. Les femmes épongeaient leurs larmes, les hommes trinquaient avec attendrissement, don Rupert s'était assis au bar, la tête entre les bras, secoué par l'émotion, cependant que doña Burgel et ses deux filles débouchaient des bouteilles du meilleur rhum. Aussitôt les musiciens attaquèrent la valse du *Beau Danube bleu* et tous dégagèrent la piste.

Le Capitaine prit par la main cette femme exquise qu'il avait si longtemps aimée sans paroles, et la conduisit au centre de la salle où ils évoluèrent avec la grâce de deux hérons accomplissant leur danse nuptiale. Le Capitaine la soulevait avec le même soin amoureux dont, tout jeune, il attrapait le vent dans les voiles de quelque vaisseau éthéré, il la faisait évoluer sur la piste comme s'ils se laissaient bercer par la houle paisible d'une baie, tout en lui disant dans sa langue de blizzards et de toundras tout ce dont son cœur n'avait pu s'épancher jusqu'à cet instant. Danse après danse, le Capitaine sentit qu'ils remontaient tous deux le cours des ans et que chaque pas les rendait plus légers, plus gais. Un tour après l'autre, les accords de la musique se faisaient plus vibrants, les pieds plus lestes, sa taille à elle plus mince, le poids de sa petite main dans la sienne plus ténu, sa présence de plus en plus désincarnée. Il vit alors la Petite Eloísa prendre peu à peu une consistance de dentelle, d'écume, de brume légère, jusqu'à devenir imperceptible et finir par disparaître tout à fait, et il se retrouva en train de virer, virer sur lui-même, les bras vides, sans autre compagnie qu'un faible arôme de chocolat.

Le ténor indiqua aux musiciens qu'ils devaient se tenir prêts à continuer de jouer indéfiniment la même valse, car il avait compris qu'à la toute dernière note, le Capitaine sortirait de son rêve et le souvenir de la Petite

Eloísa s'évanouirait à jamais. Émus, les vieux clients du Petit Heidelberg demeurèrent figés sur leurs chaises jusqu'à ce que la Mexicaine, dont l'arrogance s'était muée en charitable tendresse, finît par se lever et s'avancer subrepticement vers les mains tremblotantes du Capitaine pour danser avec lui.

La femme du juge

Nicolás Vidal avait toujours su qu'il perdrait la vie à cause d'une femme. On le lui avait prédit dès le jour de sa naissance, et la chose avait été confirmée par la patronne de l'épicerie la seule fois où il l'autorisa à lire son avenir dans le marc de café, mais jamais il ne s'était imaginé que ce serait à cause de Casilda, l'épouse du juge Hidalgo. Il l'avait aperçue pour la première fois le jour où elle avait débarqué au village pour se marier. Il ne l'avait guère trouvée affriolante, lui-même préférait les brunes bien roulées, n'ayant pas froid aux yeux, et cette fille transparente dans sa toilette de voyage, avec son regard de sainte nitouche et ses doigts extrafins, incapables de donner du plaisir à un homme, lui avait fait l'effet d'être aussi inconsistante qu'une poignée de cendre. N'ignorant rien de sa destinée, il se méfiait de la gent féminine et passa sa vie à fuir toute relation sentimentale, insensibilisant son cœur à l'amour et se bornant à de rapides passades pour tromper sa solitude. Casilda lui avait paru si anodine, si éloignée de ses goûts qu'il ne prit aucune précaution avec elle, et c'est ainsi que, le moment venu, il oublia la prédiction autour de laquelle n'avaient cessé de se former ses décisions.

Depuis le toit du bâtiment où il s'était planqué avec deux de ses hommes, il avait observé la donzelle de la capitale quand elle était descendue de voiture, le jour de ses noces. Elle était accompagnée d'une demi-douzaine de proches parents aussi délicats et pâlichons qu'elle, qui participèrent à la cérémonie en s'éventant d'un air sincèrement consterné avant de s'en repartir pour ne plus jamais revenir.

Comme tous les gens du village, Vidal s'était dit que la jeune mariée ne supporterait pas le climat et que, sous peu, les voisines auraient à la parer pour son propre enterrement. Au cas improbable où elle résisterait à la chaleur et à cette poussière qui rentrait par la peau et s'incrustait dans l'âme, sans doute succomberait-elle au mauvais caractère et aux manies de vieux garçon de son époux. Le juge Hidalgo était deux fois plus âgé qu'elle et cela faisait tant d'années qu'il dormait seul qu'il ne savait par quel bout commencer pour satisfaire une femme. Dans toute la province, on redoutait son humeur implacable et l'inexorabilité avec laquelle il appliquait la loi, fût-ce aux dépens de la simple justice. Dans l'exercice de ses fonctions, il ignorait ce qui avait pu partir d'un bon sentiment, châtiant avec une égale sévérité le vol d'une poule et l'homicide caractérisé. Il s'habillait strictement de noir, afin que tout un chacun fût conscient de la dignité de sa charge, et en dépit de l'invincible poussière de ce village revenu de tout, il arborait en permanence des chaussures polies à la cire d'abeille. Un homme comme ça n'est pas fait pour prendre femme, disaient les commères ; pourtant, aucun des présages qui avaient entouré le mariage ne s'accomplirent. Tout au contraire, Casilda survécut à trois accouchements successifs et paraissait heureuse. Le dimanche, elle allait avec son mari à la messe de midi, imperturbable sous sa mantille espagnole, épargnée par l'impitoyable dureté de ce sempiternel été, pâle et discrète comme une ombre. Nul ne l'entendit jamais prononcer davantage qu'un faible bonjour, esquisser des gestes plus démonstratifs qu'une inclinaison de tête ou quelque fugace sourire, elle semblait volatile, sur le point de s'évaporer dans un moment d'inattention. Elle donnait l'impression de ne pas exister et c'est ce qui plongea tout un chacun dans une profonde surprise quand on vit son influence sur le juge et les changements notables intervenus chez celui-ci.

Quoique Hidalgo continuât d'arborer la même apparence sévère et funèbre, ses décisions au tribunal prirent un tour singulier. A la stupeur générale, il laissa en liberté un garçon qui avait volé son employeur, arguant que pendant trois ans, son patron l'avait sous-payé et que l'argent dérobé constituait une manière de compensation. Il se refusa de même à punir une épouse adultère, soutenant que le mari n'était pas moralement en droit d'exiger qu'elle fût honnête dans la mesure où lui-même entretenait une maîtresse. Les mauvaises langues du village murmuraient que le juge Hidalgo, dès qu'il avait repassé le seuil de sa maison, n'était plus le même homme, qu'il se dépouillait de ses oripeaux solennels, jouait avec ses enfants, riait, prenait Casilda sur ses genoux, mais rien ne vint jamais confirmer ces ragots. Quoi qu'il en soit, c'est sa femme qui fut créditée de ces gestes de bienveillance, et son prestige grandit d'autant, même si rien de cela n'intéressait vraiment Nicolás Vidal : hors la loi, il était convaincu qu'il n'y aurait aucune pitié pour lui le jour où on le conduirait enchaîné devant le juge. Il ne prêtait guère l'oreille aux bavardages colportés sur doña Casilda et les rares fois où il l'aperçut de loin lui permirent de vérifier sa première impression, à savoir qu'il ne s'agissait que d'un ectoplasme à peine distinct.

Vidal était né une trentaine d'années auparavant dans une chambre sans fenêtres de l'unique bordel du village, fils de Juana la Taciturne et de père inconnu. Il n'avait pas sa place en ce bas monde, sa mère le savait et c'est pourquoi elle avait tenté de l'extirper d'elle-même en usant de morceaux de bougie, d'herbes, d'injections à l'eau de Javel, entre autres moyens expéditifs, mais le bébé s'était obstiné à survivre. Bien des années plus tard, à voir combien cet enfant était différent des autres, elle comprit que si les expédients drastiques qu'elle avait utilisés n'étaient pas parvenus à l'éliminer, ils avaient en revanche trempé son corps et son âme jusqu'à leur conférer la dureté du fer. A peine sorti du ventre de sa mère, la sage-femme le souleva pour l'examiner en pleine lumière et remarqua aussitôt qu'il avait quatre tétons.

— Pauvre petit, pronostiqua-t-elle, guidée par son expérience de ce genre de choses, il perdra la vie à cause d'une femme.

Ces mots pesèrent comme une difformité sur le garçon. Peut-être l'amour d'une femme eût-il rendu son existence moins misérable ? Pour le dédommager des nombreuses tentatives visant à le faire passer avant sa naissance, sa mère lui choisit un prénom seyant et un patronyme solide, pris au petit bonheur ; mais ce prénom princier ne suffit pas à conjurer les signes de la fatalité : Nicolás n'avait pas dix ans qu'il arborait déjà un visage balafré dans des rixes au couteau, et il ne tarda guère à vivre en marginal. A vingt ans, il était devenu le chef d'une bande de types qui n'avaient plus rien à perdre. L'habitude de la violence avait développé la puissance de ses muscles, la rue l'avait rendu sans merci et la solitude à laquelle l'avait condamné la peur de se perdre par amour avait modelé l'expression de son regard. Rien qu'à le voir, n'importe quel villageois pouvait jurer qu'il était bien le fils de Juana la Taciturne, car il avait comme elle les pupilles voilées de larmes non versées. Chaque fois qu'il se commettait quelque méfait dans la région, les gendarmes, soucieux de faire taire les protestations des habitants, partaient avec des chiens à la chasse à Nicolás Vidal, mais, après avoir tourné en rond dans les collines, ils s'en revenaient bredouilles. En vérité, ils ne souhaitaient pas le rencontrer, car ils n'étaient pas de taille à lutter contre lui. La bande avait si bien affirmé sa mauvaise réputation que hameaux et domaines avaient fini par lui payer tribut pour la tenir éloignée. Grâce à ces offrandes, les hommes auraient pu rester tranquilles, mais Nicolás Vidal les astreignaient à chevaucher en permanence leur monture au milieu d'un vent de mort et de saccage, de sorte qu'ils ne perdissent pas le goût de la guerre et que leur mauvaise réputation ne fût pas entamée. Nul n'osait se mesurer à eux. A deux ou trois reprises, le juge Hidalgo réclama au gouvernement l'envoi de militaires pour épauler ses effectifs policiers, mais, au bout de quelques randonnées inutiles, les soldats s'en retournaient à leurs casernes et les bandits à leurs équipées.

Une fois seulement, Nicolás Vidal faillit tomber dans les rets de la justice, mais son incapacité à s'émouvoir le sauva. Las de voir la loi foulée aux pieds, le juge Hidalgo avait résolu de passer outre aux scrupules et de manigancer un piège à l'intention du brigand. Il se rendait bien compte que pour défendre la justice, il allait commettre un acte atroce, mais, entre deux maux, il décida de choisir le moindre. Le seul appât auquel il pût songer était Juana la Taciturne, puisque Vidal n'avait point d'autre famille et qu'on ne lui connaissait pas de liaisons amoureuses. Il alla extraire la bonne femme de l'endroit où, faute de clients disposés à rémunérer ses services, elle en était réduite à laver par terre et nettoyer les cabinets, il la fit enfermer dans une cage confectionnée à ses mesures et déposer au beau milieu de la place d'armes, sans rien d'autre pour la sustenter qu'un broc d'eau.

— Quand elle aura avalé la dernière goutte, elle se mettra à crier. Son fils ne tardera pas à se montrer et je serai là à l'attendre avec les soldats, exposa le juge.

La rumeur qu'on avait eu recours à cette forme de

sévice, tombé en désuétude depuis la fin de l'esclavage des nègres, parvint aux oreilles de Nicolás Vidal peu avant que sa mère n'eût bu la dernière gorgée du cruchon. Ses hommes le virent accueillir la nouvelle en silence, sans laisser altérer son impassible masque de solitaire ni perturber le rythme placide au gré duquel il affilait son rasoir sur une courroie de cuir. Cela faisait bien des années qu'il n'avait eu aucun contact avec Juana la Taciturne et il ne gardait pas un seul souvenir agréable de son enfance, mais la question n'était pas d'ordre sentimental, il s'agissait d'une affaire d'honneur. Aucun homme digne de ce nom ne peut tolérer une pareille offense, se dirent les bandits tout en préparant leurs armes et leurs montures, disposés à lancer l'assaut et à y laisser leur peau s'il le fallait. Mais le chef ne donnait aucun signe de vouloir se presser.

Au fur et à mesure que s'écoulaient les heures, la tension grandissait au sein de la bande. Les hommes s'interrogeaient du regard, le visage en nage, sans oser émettre le moindre commentaire, attendant avec impatience, la main sur la crosse de leur revolver, sur la crinière de leur cheval, ou empoignant leur lasso. La nuit tomba et le seul à dormir dans tout le campement fut Nicolás Vidal. Au petit matin, les avis étaient partagés : les uns concluaient qu'il était encore plus dénaturé qu'ils ne l'avaient jamais imaginé, les autres estimaient que leur chef était en train d'échafauder quelque action spectaculaire pour enlever sa mère. La seule hypothèse qu'aucun ne formula, c'est qu'il pût manquer de courage, car il avait suffisamment montré qu'il en avait à revendre. Vers midi, ne supportant plus cette incertitude, ils allèrent lui demander ce qu'il comptait faire.

— Rien, répondit-il.

— Et ta mère ?

— Du juge ou de moi, nous verrons celui qui a le plus

de couilles, répliqua d'une voix imperturbable Nicolás Vidal.

Au troisième jour, Juana la Taciturne n'implorait plus pitié ni ne suppliait pour avoir de l'eau, car sa langue s'était racornie et les mots mouraient dans sa gorge avant de naître, elle gisait recroquevillée sur le sol de sa cage, les yeux égarés, les lèvres enflées, geignant comme une bête dans ses instants de lucidité et rêvant de l'enfer le reste du temps. Quatre sentinelles en armes surveillaient la prisonnière pour empêcher les voisins de lui donner à boire. Ses gémissements envahissaient tout le village, s'infiltraient par les volets clos, le vent leur faisait franchir les portes, ils se prenaient dans les recoins et les chiens les ramassaient pour les répercuter dans leurs hurlements, les nouveau-nés les contractaient et tous ceux qui les entendaient en avaient les nerfs en charpie. Le juge ne put empêcher les gens de défiler sur la place pour s'apitoyer devant la vieille femme, il ne parvint pas davantage à juguler la grève de solidarité des prostituées qui coïncida avec le jour où les mineurs touchaient leur quinzaine. Ce samedi-là, les rues étaient prises d'assaut par les ouvriers des mines, pressés de dépenser leur pactole avant de se renfoncer dans leurs galeries, mais le village était à présent privé de distractions en dehors de cette cage et de ce murmure contrit qui circulait sur toutes les lèvres depuis la rivière jusqu'à la grand-route longeant le littoral. Le curé prit la tête d'une délégation de paroissiens qui se présentèrent devant le juge pour le rappeler à la charité chrétienne et l'adjurer d'épargner à cette pauvre femme de mourir en martyre, mais le magistrat poussa le verrou de son bureau et refusa de les entendre, pariant que Juana la Taciturne ne tiendrait pas un jour de plus et que son fils finirait bien par tomber dans le piège. C'est alors que les notables du village décidèrent d'en appeler à doña Casilda.

L'épouse du juge les reçut dans le sombre salon de sa demeure et écouta leurs arguments à sa manière habituelle, en silence, yeux baissés. Cela faisait trois jours que son mari était absent, enfermé dans son bureau, attendant Nicolás Vidal avec une détermination qui frisait l'extravagance. Sans même se pencher à la fenêtre, elle savait tout ce qui se passait au-dehors, car le bruit du long supplice avait également pénétré dans les vastes pièces de sa maison. Doña Casilda laissa ses visiteurs prendre congé, puis elle passa aux enfants leurs effets du dimanche et s'en fut avec eux en direction de la place. Elle portait un panier contenant des vivres et un broc d'eau à l'intention de Juana la Taciturne. Quand les gendarmes la virent déboucher au coin de la rue, ils devinèrent ses intentions, mais ils avaient reçu des ordres précis, ils firent barrage avec leurs fusils lorsqu'elle tenta d'avancer sous les yeux d'une foule avide de voir ce qui allait se passer, puis ils lui empoignèrent le bras pour l'immobiliser. C'est alors que les gosses se mirent à crier.

Le juge Hidalgo se trouvait dans son bureau donnant sur la place. Il était le seul et unique habitant du quartier à ne s'être pas bouché les oreilles à la cire, car il demeurait en alerte en prévision du guet-apens, épiant le bruit des chevaux de Nicolás Vidal. Pendant trois jours et trois nuits, il avait enduré les geignements de sa victime et les insultes des voisins ameutés devant le bâtiment, mais lorsqu'il discerna la voix de ses enfants, il comprit qu'il avait atteint les limites de sa propre résistance. Épuisé, il sortit du tribunal avec une barbe datant du mercredi, les yeux enfiévrés par la veille, les épaules ployées sous le poids de son échec. Il traversa la rue, pénétra dans le quadrilatère de la place et s'approcha de son épouse. Ils s'entre-regardèrent avec tristesse. C'était la première fois en sept ans qu'elle le bravait, et elle avait choisi de le faire devant tout le village. Le juge

Hidalgo prit le panier et le broc des mains de doña Casilda et ouvrit lui-même la cage pour porter secours à sa prisonnière.

— Je vous l'avais bien dit, il a moins de couilles que moi, s'esclaffa Nicolás Vidal quand il fut informé de ce qui s'était passé.

Mais, le lendemain, ses ricanements devinrent amers lorsqu'on lui apporta la nouvelle que Juana la Taciturne s'était pendue au lanternon du bordel où elle avait consumé sa vie, parce qu'elle n'avait pu supporter la honte de voir son fils unique l'abandonner dans une cage au beau milieu de la place d'armes.

— Son heure a sonné, au juge, fit Vidal.

Son plan consistait à s'introduire nuitamment au village, à s'emparer du magistrat par surprise, à lui infliger une mort spectaculaire, puis à le fourrer dans cette maudite cage afin qu'à leur réveil, le lendemain, tous les habitants puissent contempler sa dépouille humiliée. Mais il apprit que la famille Hidalgo était partie pour quelque station balnéaire du littoral afin de cuver l'amertume de la défaite.

Le bruit que Nicolás s'était mis à leurs trousses pour se venger atteignit le juge Hidalgo à mi-parcours, dans une auberge où lui et les siens s'étaient arrêtés pour prendre quelque repos. L'endroit n'offrait guère de protection suffisante dans l'attente de l'arrivée d'un détachement de gendarmerie, mais il avait quelques heures d'avance et son véhicule était plus rapide que les chevaux. Il calcula qu'il pourrait arriver au bourg le plus proche et y obtenir de l'aide. Il ordonna à sa femme de remonter en voiture avec les enfants, appuya à fond sur l'accélérateur et se lança sur la grand-route. Il aurait dû arriver à destination avec une confortable marge de sécurité, mais il était écrit que Nicolás Vidal rencontrerait ce jour-là la femme qu'il avait passé toute sa vie à fuir.

Harassé par les nuits de veille, par l'hostilité des villageois, par l'humiliation qu'il avait endurée et par la tension de cette course destinée à sauver sa famille, le cœur du juge Hidalgo fit un bond dans sa poitrine et éclata sans un bruit. Privée de contrôle, la voiture quitta la route, fit quelques tête-à-queue et finit par s'immobiliser sur le bas-côté. Doña Casilda mit deux ou trois minutes à réaliser ce qui venait de se passer. Son mari était déjà un vieillard, elle avait maintes fois songé au jour où elle resterait veuve, mais jamais elle n'avait imaginé qu'il la laisserait ainsi à la merci de leurs ennemis. Elle ne s'attarda pas à y réfléchir, car elle comprit que si elle voulait sauver les enfants, il lui fallait agir sur-le-champ. Elle explora du regard l'endroit où elle se trouvait et faillit pleurer de détresse, car dans toute cette étendue désolée, calcinée par un soleil implacable, on ne distinguait nulle trace de vie humaine : rien que des collines sauvages sous un ciel chauffé à blanc par la lumière. Mais, en y regardant à deux fois, elle découvrit à flanc de coteau l'ombre d'une grotte et c'est dans cette direction qu'elle se mit à courir, portant deux de ses mouflets dans ses bras et le troisième accroché à ses jupes.

Par trois fois, elle escalada la pente en hissant à chaque fois l'un des enfants. C'était une cavité naturelle comme on en rencontre souvent dans cette région accidentée. Elle en inspecta l'intérieur afin de s'assurer qu'il ne servait pas de tanière à quelque bête sauvage, puis elle installa les gosses tout au fond et les embrassa sans verser une larme :

— Dans quelques heures, les gendarmes viendront vous chercher. D'ici là, ne sortez sous aucun prétexte, même si vous m'entendez crier. C'est bien compris ?

Les petits se pelotonnèrent, terrifiés, et après leur

avoir lancé un dernier regard d'adieu, la mère redévala la colline. Elle revint près de la voiture, ferma les yeux de son défunt époux, épousseta ses propres vêtements, se recoiffa et s'assit à attendre. Elle ignorait de combien d'hommes était constituée la bande de Nicolás Vidal, mais elle pria qu'ils fussent nombreux, ainsi auraient-ils du mal à se satisfaire d'elle ; puis elle rassembla ses forces et se demanda de combien elle retarderait sa fin si elle s'appliquait à ne mourir qu'à petit feu. Elle aurait voulu être opulente et robuste pour leur opposer une meilleure résistance et gagner ainsi du temps pour ses enfants.

Elle n'eut pas longtemps à attendre. Elle distingua bientôt de la poussière à l'horizon, puis elle entendit un galop et serra les dents. Décontenancée, elle constata qu'il s'agissait d'un cavalier isolé qui s'arrêta à quelques mètres d'elle, une arme à la main. Elle reconnut Nicolás Vidal à son visage balafré de coups de couteau. Il avait décrété qu'il partirait à la poursuite du juge Hidalgo sans ses hommes, car il s'agissait d'une affaire personnelle qui se réglerait entre eux deux. Elle comprit qu'elle allait devoir faire quelque chose de plus difficile que de mourir à petit feu.

Un simple coup d'œil suffit au bandit pour deviner que son ennemi, dormant en paix de sa belle mort, avait échappé à quelque châtiment que ce fût, mais sa femme se tenait devant lui, flottant dans la réverbération du jour. Il mit pied à terre et s'approcha d'elle. Elle ne fit pas un geste ni ne baissa les yeux, lui-même s'immobilisa, surpris, car c'était la première fois que quelqu'un le défiait ainsi sans marquer la moindre crainte. Ils se mesurèrent en silence pendant quelques secondes qui parurent une éternité, chacun jaugeant la force de l'autre, estimant sa propre résistance et reconnaissant qu'il avait affaire à un formidable adversaire. Nicolás Vidal rengaina son revolver et Casilda esquissa un sourire.

Un instant après l'autre, la femme du juge conquit de haute lutte chacune des heures qui suivirent. Elle déploya tous les moyens de la séduction répertoriés depuis l'aube des civilisations humaines, et d'autres qu'elle inventa sur le tas, poussée par la nécessité, afin de dispenser à cet homme les plus grandes voluptés possibles. Non seulement elle s'appliquait sur son corps à la manière d'une artisane experte, ébranlant chaque fibre pour en tirer du plaisir, mais elle mit au service de sa cause tout le raffinement de son propre esprit. L'un et l'autre avaient compris que leur vie était en jeu, ce qui donnait à leur étreinte une terrible intensité. Nicolás Vidal avait tourné le dos à l'amour depuis sa naissance, il ignorait tout de l'intimité, de la tendresse, des rires étouffés, de la fête des sens, du joyeux plaisir des amants. Chaque minute qui passait rapprochait le détachement de gendarmes et, dans la foulée, le peloton d'exécution, mais elle le rapprochait également de cette femme prodigieuse, et c'est pourquoi il se livra à eux volontiers en échange des présents qu'elle lui prodiguait. Casilda était timide et prude, elle avait été mariée à un austère barbon devant qui elle ne s'était jamais montrée nue. Durant cet inoubliable après-midi, elle ne perdit jamais de vue que son objectif était de gagner du temps, mais il y eut bel et bien un moment où elle s'abandonna, émerveillée par sa propre sensualité, et éprouva pour cet homme quelque chose qui ressemblait à de la gratitude. C'est pour cette raison qu'entendant le grondement lointain de la troupe, elle le supplia de s'enfuir et de se cacher dans les collines. Mais Nicolás Vidal préféra la prendre dans ses bras pour l'embrasser une toute dernière fois, accomplissant ainsi la prophétie qui avait scellé son destin.

Un chemin vers le Nord

Claveles Picero et son grand-père Jesús Dionisio Picero mirent trente-huit heures à parcourir les deux cent soixante-dix kilomètres séparant leur village de la capitale. Ils avaient franchi à pied les basses terres où l'humidité était telle que la végétation y macérait en permanence dans un bain de boue et de sève mêlées, ils avaient gravi et dévalé les collines entre les iguanes immobiles et les palmiers fourbus, ils avaient traversé les plantations de café en évitant contremaîtres, lézards et serpents, puis ils avaient déambulé sous les feuilles de tabac au milieu de moustiques phosphorescents et de papillons à l'éclat sidéral. A présent, ils se dirigeaient droit vers la ville en longeant le bord de la grand-route, mais, à deux ou trois reprises, ils durent faire d'amples détours pour esquiver des campements de soldats. Parfois, des routiers ralentissaient en parvenant à leur hauteur, attirés par le port de reine métisse et la longue chevelure noire de l'adolescente, mais un simple regard du vieux les dissuadait aussitôt d'esquisser la moindre tentative pour l'importuner. L'aïeul et sa petite-fille n'avaient point d'argent et ne savaient pas mendier. Quand les provisions qu'ils portaient dans un panier furent épuisées, ils poursuivirent, mus par leur seul courage. La nuit, ils s'entortillaient de la tête aux pieds dans les pans de leur cape et s'endormaient sous les arbres, marmonnant une prière à la Vierge et remettant leur âme à son fils afin de ne plus penser aux pumas et aux bestioles venimeuses. Ils se réveillaient couverts de scarabées bleus. Dès les premiers tressaillements de l'aube, alors que le paysage demeurait encore baigné par les dernières brumes du sommeil et qu'hommes et bêtes n'avaient pas encore entamé les travaux du jour, ils reprenaient leur marche pour profiter un peu de la fraîcheur. Ils firent leur entrée dans la capitale par le chemin des Espagnols, demandant aux gens qu'ils croisaient où ils pourraient trouver le secrétariat à la Protection sociale. Ils étaient dans un état tel que les os de Jesús Dionisio faisaient un bruit de castagnettes et que Claveles, dont la robe avait perdu toutes ses couleurs, arborait l'expression envoûtée d'une somnambule, comme si un siècle de fatigue s'était abattu sur la splendeur de ses vingt ans.

Jesús Dionisio était l'artisan le plus renommé de la province ; au terme de sa longue vie, il s'était acquis un prestige dont il ne tirait pas gloriole, car il considérait son propre talent comme un don au service de Dieu, dont il n'était en somme que le gérant. Il avait fait ses débuts comme potier et il lui arrivait encore de fabriquer des récipients en terre cuite, mais sa réputation était attachée aux saints taillés dans le bois et aux minuscules constructions en bouteilles, achetés par les paysans pour leurs autels domestiques ou vendus aux touristes de la capitale. C'était un travail extrêmement lent, une affaire de coup d'œil, de temps et de cœur, ainsi que l'expliquait le vieil homme aux enfants agglutinés autour de lui pour le voir travailler. Avec des pinces, il introduisait dans les bouteilles les bâtonnets coloriés, déposant un point de colle sur les parties qui devaient adhérer entre elles, et il attendait patiemment que tout fût sec avant d'agencer la pièce suivante. Sa spécialité, c'étaient les calvaires : une grande croix au milieu, à laquelle était suspendu un Christ sculpté avec ses clous, sa couronne d'épines et une auréole de papier doré, et deux autres croix plus modestes pour les deux larrons du Golgotha. Pour Noël, il confectionnait des crèches de l'Enfant Jésus garnies de colombes représentant l'Esprit saint et agrémentées d'étoiles et de fleurs symbolisant la Gloire. S'il ne savait pas lire ni signer de son nom, c'est que, du temps de son enfance, il n'existait aucune école dans les parages, mais il était capable de recopier quelques formules en latin du livre de messe pour décorer les piédestals de ses saints. Il disait volontiers que ses parents lui avaient appris à respecter les commandements de l'Église et son prochain, ce qui était bien plus précieux qu'avoir de l'instruction. Son art ne lui rapportant pas assez pour entretenir sa maisonnée, il arrondissait ses revenus en élevant des coqs de race excellents au combat. Chaque volatile exigeait de lui beaucoup de soins, il les nourrissait en leur fourrant dans le bec une purée de céréales écrasées dans du sang frais dont il se fournissait à l'abattoir, il devait les épouiller manuellement, leur aérer le plumage, leur limer les ergots et les entraîner quotidiennement afin qu'ils ne vinssent pas à manquer de cran au moment de faire leurs preuves. Il lui arrivait de se rendre en d'autres villages pour les voir combattre, mais il ne pariait jamais : à ses yeux, tout argent qui n'était pas gagné à la sueur de son front était une émanation du diable. Le samedi soir, il allait avec sa petite fille Claveles nettoyer l'église pour la cérémonie dominicale. Le curé ne réussissait pas toujours à passer, car il faisait la tournée des villages à vélo, mais les fidèles ne s'en réunissaient pas moins pour prier et chanter. Jesús Dionisio était également chargé de ramasser et conserver les oboles servant à l'entretien de l'église et à venir en aide au prêtre.

De sa femme Amparo Medina, Picero avait eu la bagatelle de treize enfants, dont cinq avaient survécu aux infections et accidents du premier âge. Alors que le couple pensait en avoir terminé avec le pouponnage, sa progéniture étant désormais adulte et ayant quitté son toit, le cadet s'en était revenu un jour en permission du service militaire, portant un paquet enveloppé dans des linges, qu'il avait déposé sur les genoux d'Amparo. En l'ouvrant, ils découvrirent qu'il s'agissait d'une fillette qui venait tout juste de naître, mi-agonisante par manque de lait maternel et pour avoir été secouée tout au long du voyage.

— D'où est-ce que tu as sorti ça, fiston ? s'enquit Jesús Dionisio Picero.

— Il paraît qu'elle est de moi, répondit le jeune homme sans oser soutenir le regard paternel, étreignant son béret d'uniforme entre ses mains moites.

— Et si ce n'est pas trop demander, où est passée la mère ?

— Je ne sais pas. Elle a laissé la petite à la porte de la caserne avec un papier disant que c'était moi le père. Le sergent m'a recommandé de la confier aux bonnes sœurs, il prétend qu'il n'y a pas moyen de prouver qu'elle est vraiment de moi. Mais elle me fait trop pitié, je ne veux pas qu'elle soit orpheline...

— Où a-t-on vu une mère abandonner ainsi son enfant nouveau-né ?

— Ce sont des choses qui arrivent en ville.

— Ah bon. Et comment s'appelle cette pauvre petite ?

— Comme vous la baptiserez, père, mais si vous me demandez mon avis, j'aime bien Claveles, les œillets étaient les fleurs préférées de sa mère.

Jesús Dionisio partit chercher la chèvre pour la traire,

cependant qu'Amparo nettoyait le bébé avec un peu d'huile, tout en priant la Vierge de la Grotte de lui donner le courage de s'occuper à nouveau d'un autre enfant. Quant au fils cadet, voyant la petite entre de bonnes mains, il prit congé avec gratitude, jeta son sac sur son épaule et s'en retourna à la caserne purger sa punition.

Claveles poussa chez ses grands-parents. C'était une fillette friponne et rebelle, impossible à faire plier en la raisonnant ou en usant de l'autorité, mais qui cédait aussitôt quand on la prenait par les sentiments. Elle se levait aux aurores et devait marcher sept bons kilomètres jusqu'à une sorte de hangar planté au milieu des prés où une maîtresse d'école rassemblait les gosses des environs pour leur inculquer une instruction élémentaire. Elle aidait sa grand-mère aux tâches domestiques et son grand-père à l'atelier, elle allait dans la colline lui chercher de l'argile et elle lui nettoyait ses pinceaux sans jamais prêter d'intérêt aux autres aspects de son art. Claveles avait neuf ans quand Amparo Medina, qui n'avait cessé de se recroqueviller et avait rapetissé aux dimensions d'une enfant, fut trouvée froide dans son lit, brisée par tant de maternités et d'années de travail. Son mari troqua son meilleur coq contre quelques planches et lui confectionna un sarcophage décoré de scènes bibliques. Sa petite-fille la revêtit pour ses funérailles d'une tenue de sainte Bernadette, tunique blanche et cordon céleste à la taille, celle-là même qu'on lui avait fait porter pour sa première communion, et qui alla très bien au corps ratatiné de la vieille femme. Jesús Dionisio et Claveles quittèrent la maison pour le cimetière en tirant une voiture à bras sur laquelle reposait le cercueil orné de fleurs en papier. En chemin s'agglutinèrent à eux des amis, hommes et femmes à la tête couverte, qui les accompagnèrent en silence.

Le vieux sculpteur de saints et sa petite-fille restèrent

seuls à la maison. En signe de deuil, ils peignirent une grande croix sur la porte et tous deux portèrent durant des années un crêpe noir cousu à leur manche. L'aïeul s'évertua à suppléer sa femme dans les détails pratiques de l'existence, mais rien ne fut plus comme avant. L'absence d'Amparo Medina l'avait envahi de l'intérieur comme une affection maligne, il sentait son sang se diluer, sa mémoire s'obscurcir, ses os mollir comme du coton, son esprit se remplir de doutes. Pour la première fois de sa vie, il s'insurgea contre le destin, ne comprenant pas pourquoi celui-ci avait emporté sa femme, et pas lui. A compter de ce jour, il ne put plus faire de crèches, de ses mains sortirent uniquement des calvaires et des saints martyrs tout vêtus de noir auxquels Claveles collait des inscriptions contenant les messages pathétiques à la divine Providence que lui dictait son grand-père. Ces figurines ne remportèrent pas le même succès auprès des touristes de la ville, plus portés sur les coloris criards qu'ils associaient à tort au goût indigène, ni parmi les paysans qui avaient grand besoin d'adorer des divinités gaies et pimpantes, leur seule consolation dans cette vallée de larmes étant d'imaginer un Ciel toujours en fête. Jesús Dionisio Picero se retrouva presque dans l'incapacité d'écouler les produits de son artisanat, mais il ne cessa pas pour autant d'en fabriquer, car à s'y employer le temps s'écoulait sans fatigue, comme si la journée ne faisait toujours que commencer. Cependant, ni le travail ni la présence de sa petite-fille ne suffirent à soulager sa peine et il se mit à boire en cachette afin que nul ne remarquât sa déchéance. Fin saoul, il appelait sa femme et réussissait parfois à l'entrevoir près du fourneau de la cuisine. La maison, privée des soins diligents d'Amparo Medina, allait à vau-l'eau, les poules tombèrent malades, il fallut vendre la bique, le potager sécha sur pied et le foyer ne tarda pas à devenir le plus misérable du coin.

Claveles partit travailler peu après dans un village voisin. A quatorze ans, son corps avait déjà atteint sa forme et ses proportions définitives, et comme elle n'avait pas la peau cuivrée ni les fortes pommettes des autres membres de la famille, Jesús Dionisio Picero en conclut que sa mère devait être blanche, ce qui expliquait le fait bizarre qu'elle l'eût abandonnée à la porte d'une caserne.

Au bout d'un an et demi, Claveles Picero rentra à la maison avec le visage constellé de taches de son et un ventre proéminent. Elle trouva son grand-père sans autre compagnie qu'une meute de chiens affamés et deux coqs dépenaillés lâchés dans la cour ; parlant tout seul, le regard éperdu, il donnait l'impression de ne pas s'être lavé depuis un bon bout de temps. Le plus grand désordre régnait autour de lui. Il avait laissé son lopin de terre à l'abandon et passait son temps à fabriquer des saints avec une frénésie frisant la démence, mais il ne subsistait presque plus rien de son talent d'antan. Ses sculptures étaient des personnages lugubres et difformes, impropres à la dévotion comme à la vente, qui s'entassaient dans les coins comme du bois de chauffage. Jesús Dionisio Picero avait tant changé qu'il n'essaya même pas d'infliger à sa fille un discours disant que c'est péché de mettre au monde des enfants de père inconnu ; en vérité, on aurait dit qu'il n'avait pas remarqué les manifestations de la grossesse. Il se contenta d'embrasser la jeune fille en tremblotant et en l'appelant Amparo.

— Regarde-moi bien, grand-père, je suis Claveles et je m'en vais rester ici, car il y a vraiment beaucoup à faire, dit l'adolescente — et elle s'en fut allumer la cuisinière afin de faire bouillir quelques patates et mettre de l'eau à chauffer pour la toilette du vieillard.

Au cours des mois qui suivirent, Jesús Dionisio parut émerger de son deuil, il cessa de boire, se remit à cultiver son jardin, à s'occuper de ses coqs et à faire le ménage à l'église. Il adressait encore la parole à son épouse disparue et il lui arrivait de temps à autre de prendre la petite-fille pour son aïeule, mais il avait recouvré la faculté de rire. La compagnie de Claveles et la perspective de compter bientôt un nouvel enfant sous son toit lui rendirent son amour des couleurs et il cessa progressivement d'enduire ses saints de peinture noire, les parant de draperies plus seyantes pour l'autel. Le bébé de Claveles sortit un beau jour du ventre de sa mère sur le coup de six heures de l'après-midi et fut recueilli par les mains calleuses de son arrière-grand-père, qui en connaissait un bout en ce domaine pour avoir lui-même aidé à venir au monde ses treize enfants.

— Il s'appellera Juan, décréta l'accoucheur improvisé dès qu'il eut sectionné le cordon et enveloppé son descendant dans une couche.

— Pourquoi Juan ? Il n'y a aucun Juan dans la famille, grand-père.

— Parce qu'ainsi se prénommait le meilleur ami de Jésus, et que ce petit sera mon ami. Quel est le nom du père ?

— Considérez qu'il n'a pas de père.

— Soit, Picero, alors, Juan Picero.

Une quinzaine de jours après la naissance de son arrière-petit-fils, Jesús Dionisio se mit à tailler les bâtonnets destinés à une crèche, la première qu'il confectionnait depuis la mort d'Amparo Medina.

Claveles et son aïeul ne tardèrent pas à se rendre compte que l'enfant était anormal. Il avait un regard éveillé et gigotait comme n'importe quel bébé, mais il ne réagissait pas quand on lui parlait et il pouvait rester des heures sans bouger. Ils firent le trajet jusqu'à l'hôpital où on leur confirma qu'il était sourd et que, de ce fait, il serait muet. Le médecin ajouta que, dans son cas, il n'y avait pas grand espoir, à moins qu'ils eussent la chance de pouvoir le placer en ville dans un établissement où on lui apprendrait à bien se tenir et où on verrait à lui fournir à l'avenir un gagne-pain correct, de sorte qu'il ne continue pas à être une charge pour les autres.

— Pas question. Juan restera avec nous, décréta Jesús Dionisio Picero sans même consulter du regard Claveles qui pleurait, la tête dissimulée sous son châle.

— Qu'allons-nous faire, grand-père ? demanda-t-elle lorsqu'ils sortirent.

— L'élever, tiens !

— Comment ?

— Avec patience, tout comme il en faut pour entraîner un coq ou mettre des calvaires en bouteille. C'est une question de coup d'œil, de temps et de cœur.

Ainsi firent-ils. Sans tenir compte de ce que le nourrisson ne pouvait les entendre, ils lui parlaient sans trêve, lui chantaient des chansons, le déposait près du poste de radio qu'ils faisaient marcher à plein volume. L'aïeul prenait la menotte de l'enfant et l'appuyait fermement sur sa propre poitrine pour lui faire sentir les vibrations de sa voix quand il s'exprimait, il l'incitait à crier et accueillait ses grognements avec force démonstrations de joie. A peine le mouflet tint-il assis sur ses fesses qu'il l'installa dans une caisse à côté de lui et l'entoura, pour jouer, de morceaux de bois, de noix, d'osselets, de bouts de chiffons, de petits cailloux ; plus tard, quand Juan eut appris à ne pas la porter à sa bouche, il lui passait une boule de terre glaise pour la modeler. Chaque fois qu'elle trouvait du travail, Claveles partait au village, laissant son fils aux mains de Jesús Dionisio. Où qu'il dirigeât ses pas, l'enfant suivait le vieillard comme son ombre, et il était rare qu'on vît l'un sans l'autre. Entre eux deux se noua une solide camaraderie qui gomma leur formidable différence d'âge et la barrière du silence. Juan s'accoutuma à observer les gestes et mimiques de son bisaïeul pour déchiffrer ce qu'il voulait dire, et les résultats furent si probants que l'année où il apprit à marcher, il était déjà capable de lire dans ses pensées. De son côté, Jesús Dionisio se conduisait avec lui comme une mère. Tandis que ses doigts fignolaient les délicats produits de son artisanat, son instinct suivait l'enfant pas à pas, attentif au moindre danger, mais il n'intervenait que dans les cas de force majeure. Il ne se précipitait pas pour le consoler après une chute ou pour le secourir quand il était dans l'embarras, l'habituant de la sorte à se débrouiller par ses propres moyens. A un âge où d'autres mouflets se meuvent encore en trébuchant comme de jeunes chiots, Juan Picero était capable de s'habiller, de se débarbouiller et de manger tout seul, de donner sa pitance à la basse-cour et d'aller chercher de l'eau au puits ; il savait tailler les éléments les plus simples des statues de saints, mélanger les couleurs et préparer les bouteilles destinées à recevoir les calvaires.

— Il va falloir l'envoyer à l'école pour qu'il ne demeure pas aussi borné que moi, dit Jesús Dionisio Picero quand l'enfant alla sur ses sept ans.

Claveles se livra à quelques investigations, mais on lui fit savoir que son fils ne pouvait suivre des cours normaux, car aucune institutrice ne serait disposée à s'aventurer dans l'abîme de solitude où il était plongé.

— Ça ne fait rien, grand-père, il gagnera sa vie en fabriquant des saints, tout comme vous, fit Claveles d'une voix résignée.

— Ça ne nourrit pas son homme.

— Tout le monde ne peut pas s'instruire, grand-père.

— Juan est sourd, mais il n'est pas bête. Il a beaucoup de discernement et est capable de sortir de ce trou. La vie à la campagne est trop dure pour lui.

Claveles se convainquit que l'aïeul avait perdu la

jugeote et que son amour pour l'enfant l'empêchait de voir ses limites. Elle acheta un abécédaire et s'évertua à inculquer à son fils ses maigres connaissances, mais elle ne parvint pas à lui faire comprendre que ces gribouillages représentaient des sons, et elle finit par perdre patience.

C'est vers cette époque que débarquèrent les envoyés bénévoles de Mrs Dermoth. C'était une petite bande de jeunes en provenance de la capitale qui sillonnaient les régions les plus reculées du pays en évoquant un plan humanitaire destiné à venir en aide aux plus pauvres. En certains endroits du monde, expliquaient-ils, il naissait trop d'enfants que leurs parents ne parvenaient pas à nourrir, alors qu'en d'autres, de nombreux couples étaient sans progéniture. Leur organisation tentait de remédier à ce déséquilibre. Ils se présentèrent à la bicoque des Picero, munis d'une carte de l'Amérique du Nord et de dépliants en couleurs où l'on voyait des photos d'enfants bruns côtoyant des parents blonds dans de luxueux cadres avec cheminées allumées, gros chiens laineux, sapins couverts de givre argenté et de boules de Noël. Après avoir dressé un rapide bilan de l'indigence des Picero, ils les informèrent sur la mission caritative de Mrs Dermoth qui repérait les mouflets les moins bien lotis pour les confier en adoption à des familles fortunées afin de leur épargner une vie de misère. A la différence des autres institutions se proposant les mêmes objectifs, celle-ci ne s'occupait que des gosses affectés d'une tare de naissance ou handicapés à la suite d'un accident ou de quelque maladie. Là-bas, dans le Nord, il existait des couples — bons chrétiens, à l'évidence — qui étaient prêts à adopter ce genre d'enfants. Ils disposaient de tout ce qu'il fallait pour les tirer d'affaire. Là-bas, dans le Nord, il y avait des cliniques et des écoles où on accomplissait des miracles ; aux sourds-muets, par exemple, on apprenait à déchiffrer le mouvement des lèvres et à s'exprimer, puis on les envoyait dans des collèges spéciaux où ils recevaient une formation complète, certains s'inscrivaient même à l'université et en sortaient avocats ou médecins. L'organisation était déjà venue en aide à de nombreux enfants, les Picero pouvaient le constater sur les photos, regardez comme ils ont l'air heureux, bien portants, avec tous ces jouets, dans ces maisons de riches. Les volontaires ne pouvaient rien promettre, mais ils feraient tout leur possible pour obtenir qu'un de ces couples accueille Juan afin de lui donner toutes les chances que sa mère ne pouvait lui offrir.

— Quoi qu'il arrive, il ne faut jamais se séparer de ses enfants, fit Jesús Dionisio Picero tout en plaquant la tête du garçonnet contre sa poitrine pour l'empêcher de lire sur leurs traits et de deviner de quoi il était question.

— Ne soyez pas égoïste, mon brave, pensez plutôt à ce qui vaut mieux pour lui. Vous ne voyez pas que, là-bas, il aura tout ce qu'il lui faut ? Vous n'avez pas de quoi lui acheter les médicaments nécessaires, vous n'êtes pas à même de l'envoyer à l'école, que va-t-il advenir de lui ? Ce pauvre petit n'a même pas de père.

— Mais il a une mère et un arrière-grand-père ! répliqua le vieux du tac au tac.

Les visiteurs s'en furent, abandonnant sur la table les dépliants de Mrs Dermoth. Les jours suivants, Claveles se surprit à maintes reprises à les consulter, comparant ces vastes demeures joliment décorées avec son humble baraque de planches au toit de chaume et au sol de terre battue, ces parents aimables et bien mis avec elle, fourbue et marchant pieds nus, ces gosses entourés de jouets et le sien, occupé à malaxer de la terre glaise.

Une semaine plus tard, Claveles rencontra les bénévoles au marché où elle était allée écouler quelques-unes des sculptures de son grand-père ; elle prêta de nouveau l'oreille aux mêmes arguments, que c'était le genre d'occasion qui ne se représenterait pas, que les gens adoptent d'ordinaire des enfants en bonne santé, jamais des débiles mentaux, que ces personnes du Nord étaient animées de nobles sentiments, elle devait y réfléchir à deux fois, car elle se mordrait les doigts toute sa vie d'avoir privé son fils de tant d'avantages, le condamnant à vivre dans la souffrance et le dénuement.

— Pourquoi tiennent-ils seulement à avoir des enfants mal portants ? s'enquit Claveles.

— Parce que ce sont des Yankees à moitié saints. Notre organisation ne s'occupe que des cas les plus douloureux. Il nous serait bien plus facile de placer des enfants normaux, mais il s'agit de venir en aide aux plus nécessiteux.

Claveles Picero revit plusieurs fois les bénévoles. Ils se présentaient toujours quand l'aïeul ne se trouvait pas à la maison. Vers la fin novembre, ils lui exhibèrent le portrait d'un couple d'âge moyen, debout sur le seuil d'une blanche villa entourée d'un parc, et lui dirent que Mrs Dermoth avait trouvé les parents idéaux pour son fils Ils lui indiquèrent sur la carte l'endroit précis où ils résidaient, lui expliquèrent qu'en hiver, là-bas, il tombait de la neige et que les enfants en faisaient des bonshommes, qu'ils skiaient et patinaient sur la glace, qu'en automne les bois paraissaient d'or et que, l'été venu, on pouvait nager dans le lac. Le couple se faisait une telle joie d'adopter le petit qu'il lui avait déjà acheté une bicyclette. On lui montra également la photo de la bicyclette. Et tout cela sans compter que, par-dessus le marché, Claveles se voyait offrir la somme de deux cent cinquante dollars, de quoi trouver à se marier et avoir des gosses bien portants. Ce serait folie que de refuser une pareille aubaine.

Quarante-huit heures plus tard, profitant que Jesús Dionisio était parti faire le ménage à l'église, Claveles

Picero passa son plus beau pantalon à son fils, lui suspendit autour du cou sa médaille de baptême et lui expliqua dans le langage des gestes inventé à son intention par le vieillard qu'ils ne se reverraient pas avant long-temps, peut-être même jamais, mais que tout cela était pour son bien, qu'il allait partir pour un endroit où il aurait à manger tous les jours et où il recevrait des cadeaux pour son anniversaire. Elle le conduisit à l'adresse indiquée par les bénévoles, signa un papier confiant la garde de Juan à Mrs Dermoth et s'en fut en courant pour éviter que son fils ne remarquât ses larmes et ne se mît à pleurer lui aussi.

Quand Jesús Dionisio Picero apprit ce qui s'était passé, il en perdit le souffle et la voix. A grands coups de battoir, il envoya valdinguer par terre tout ce qui se trouvait à sa portée, y compris les saints en bouteille, après quoi il se rua sur Claveles, la frappant avec une violence inattendue chez un individu de son âge et d'un tempérament si doux. A peine eut-il recouvré l'usage de la parole qu'il l'accusa d'être pareille à sa mère, capable d'abandonner son propre petit, ce que même les bêtes sauvages de la montagne ne faisaient pas, et il en appela au fantôme d'Amparo Medina pour qu'elle les vengeât de cette petite-fille dénaturée. Au cours des mois suivants, il n'adressa pas un mot à Claveles, il n'ouvrit la bouche que pour manger et marmonner des malédictions, cependant que ses doigts s'affairaient à manier ses instruments de sculpteur. Les Picero s'habituèrent à vivre dans un silence farouche, chacun vaquant à ses occupations. Elle faisait la cuisine tandis qu'il mettait le couvert, puis il mangeait sans détacher les yeux de son assiette. Tous deux s'occupaient des bêtes et du potager, chacun refaisant les gestes que lui dictaient ses propres habitudes, en parfaite coordination avec l'autre, sans jamais se frôler. Les jours de marché, elle prenait les bouteilles et les saints de bois, s'en allait les vendre, revenait avec quelques provisions et laissait l'argent restant dans un pot. Le dimanche, ils se rendaient séparément à l'église, comme des étrangers.

Peut-être eussent-ils passé ainsi la fin de leurs jours sans s'adresser la parole si, vers la mi-février, Mrs Dermoth n'avait fait parler d'elle. Le grand-père entendit la nouvelle à la radio alors que Claveles était occupée à laver le linge dans la cour : d'abord l'exposé des faits par le speaker, puis leur confirmation par le secrétaire d'État à la Protection sociale en personne. Le cœur battant à tout rompre, il se précipita sur le pas de la porte en appelant Claveles à grands cris. La jeune femme se retourna et, à voir son visage décomposé, crut que le vieux était en train de trépasser et courut le soutenir.

— Ils l'ont tué, doux Jésus, c'est sûr qu'ils l'ont tué, gémit Picero en tombant à genoux.

— Qui donc, grand-père ?

— Juan... — et, à demi étouffé par les sanglots, il lui répéta les propos du secrétaire d'État à la Protection sociale, comme quoi les membres d'une organisation criminelle dirigée par une certaine Mrs Dermoth se livraient au trafic d'enfants indigènes. Ils les choisissaient de préférence malades ou de famille misérable, et promettaient de les placer en adoption. Ils les mettaient pendant un certain temps à l'engrais, puis, quand ils étaient en meilleur état, ils les livraient à une clinique clandestine où on les opérait. Des dizaines de petits innocents avaient ainsi été sacrifiés, réduits à l'état de banques d'organes sur lesquelles prélever des yeux, des reins, un foie ou toute autre partie du corps qui étaient expédiés vers le Nord pour y être transplantés. Le secrétaire d'État avait précisé qu'à l'intérieur d'une des maisons où s'effectuait leur gavage, on avait découvert vingt-huit gosses qui attendaient leur tour ; la police était intervenue et le gouvernement poursuivait l'enquête pour démanteler les ramifications de cet horrible trafic.

Ainsi débuta le long voyage à pied de Claveles et de Jesús Dionisio pour aller à la capitale parler au secrétaire d'État à la Protection sociale. Avec toute la déférence voulue, ils souhaitaient lui demander si leur enfant ne se trouvait pas parmi ceux qu'on avait retrouvés et si, le cas échéant, on ne pouvait pas le leur rendre. Il restait fort peu de chose de l'argent qu'on leur avait versé, mais ils étaient prêts à travailler comme esclaves pour Mrs Dermoth tout le temps qu'il faudrait pour lui rembourser jusqu'au dernier *cent* de ses deux cent cinquante dollars.

Le pensionnaire de Maîtresse Inés

Maîtresse Inés pénétra à *La Perle d'Orient*, vide de tout client à cette heure, elle se dirigea vers le comptoir où Riad Halabi roulait une pièce de tissu à fleurs multicolores, et elle lui annonça qu'elle venait de couper le cou à l'un des hôtes de sa pension de famille. Le commerçant sortit son mouchoir immaculé et s'en couvrit la bouche.

— Qu'est-ce que tu racontes là, Inés ?

— Ce que tu as entendu, le Turc.

— Il est mort ?

— Évidemment.

— Et maintenant, qu'est-ce que tu vas faire ?

— C'est justement ce que je viens te demander, fit-elle en rajustant une mèche de ses cheveux.

— Il serait préférable que je ferme le magasin, soupira Riad Halabi.

Ils se connaissaient depuis si longtemps que ni l'un ni l'autre n'aurait su dire le nombre d'années que cela pouvait faire, bien que tous deux gardassent souvenir du moindre détail de cette première journée où avait débuté leur amitié. Il était à l'époque un de ces marchands ambulants qui vont au long des routes, proposant leur camelote, sans boussole ni destination définie ; immigrant arabe pourvu d'un faux passeport turc, solitaire et fourbu, la lèvre fendue par un bec-de-lièvre, il mourait d'envie de s'asseoir à l'ombre. Quant à elle, c'était alors une femme encore jeune à la croupe ferme et aux épaules robustes, la seule institutrice au village, mère d'un garçon d'une douzaine d'années issu d'une éphémère liaison. Toute la vie de la maîtresse d'école gravitait autour de ce fils qu'elle entourait d'un dévouement inflexible ; elle avait du mal à dissimuler le faible qu'elle avait pour lui, mais lui appliquait les mêmes règles de discipline qu'aux autres enfants de l'école afin que nul n'allât raconter qu'elle l'élevait de travers ; et pour contrebalancer l'hérédité retorse du père, elle lui avait modelé à l'opposé un jugement clair et un cœur bienveillant. L'après-midi même où Riad Halabi avait fait son entrée dans Agua Santa par un bout, une petite bande de jeunes ramenait par l'autre bout le corps du fils de l'institutrice sur un brancard de fortune. Il s'était introduit sur quelque terrain privé pour ramasser une mangue et le propriétaire, un étranger que nul ne connaissait dans les parages, lui avait tiré dessus dans le dessein de lui faire peur, le marquant au milieu du front d'un petit rond noirâtre par où s'échappait la vie. C'est en ces circonstances que le commerçant se découvrit une vocation de chef et, sans trop savoir comment, se trouva propulsé au cœur de l'événement, consolant la mère, organisant les obsèques comme s'il avait appartenu à la famille, retenant la population pour l'empêcher d'aller écharper l'auteur du coup de feu. Entre-temps, l'assassin avait compris qu'il aurait bien du mal à rester sain et sauf en demeurant sur place et il avait fui le village, bien décidé à n'y plus jamais remettre les pieds.

Le lendemain matin, il revint à Riad Halabi de prendre la tête de la foule qui défila depuis le cimetière jusqu'à l'endroit où était tombé l'enfant. Tous les habitants d'Agua Santa passèrent la journée à charrier des mangues qu'ils déversèrent par les fenêtres de la maison de l'étranger jusqu'à l'en remplir du sol au plafond. En l'espace de quelques semaines, le soleil fit fermenter les fruits qui éclatèrent, libérant un jus épais ; les murs s'imbibèrent d'un sang mordoré, d'un pus douceâtre, transformant la demeure en une sorte de fossile de dimensions préhistoriques, une énorme bête en état de putréfaction, fouaillée par l'infinie diligence des larves et par les moustiques de la décomposition.

La mort du garçonnet, le rôle qui lui était échu au cours de ces journées, l'accueil que lui avait réservé Agua Santa avaient décidé de la vie de Riad Halabi. Il oublia les traditions de nomadisme de ses ancêtres et s'installa au village. Il y ouvrit son magasin, *La Perle d'Orient*. Il se maria une première fois, fut veuf, se remaria et continua à commercer, cependant que ne faisait que grandir sa réputation d'homme juste. De son côté, Inés forma plusieurs générations de mouflets avec la même tendresse opiniâtre qu'elle avait témoignée à son propre enfant, jusqu'au jour où, vaincue par la fatigue, elle céda la place à de nouvelles institutrices venues de la capitale avec de nouveaux syllabaires, et où elle prit sa retraite. Quand elle eut quitté sa salle de classe, elle se sentit vieillir d'un coup, elle avait l'impression que le temps s'accélérait, que les jours passaient trop vite, sans qu'elle pût se remémorer à quoi ses heures avaient été employées.

— Je ne sais plus où j'en suis, le Turc. Je crois bien que je suis en train de mourir sans m'en rendre compte, confia-t-elle.

— Tu es toujours aussi bien portante, Inés. Ce qu'il y a, c'est que tu crèves d'ennui, il ne faut pas que tu restes à ne rien faire, lui répondit Riad Halabi.

C'est lui qui lui donna l'idée d'ajouter quelques chambres à sa maison pour en faire une pension de famille.

— Il n'y a pas le moindre hôtel dans ce village.

— Les touristes non plus n'y courent pas les rues, objecta-t-elle.

— Des draps propres et un petit déjeuner chaud sont une bénédiction pour les voyageurs de passage.

Ce qui se vérifia, notamment pour les chauffeurs de camions-citernes de la Compagnie pétrolière qui s'arrêtaient passer la nuit à la pension quand la fatigue et la monotonie de l'autoroute peuplaient leur cerveau d'hallucinations.

Maîtresse Inés était la personnalité féminine la plus respectée d'Agua Santa. Elle avait enseigné tous les enfants du cru pendant plusieurs décennies, ce qui lui conférait assez d'ascendant pour s'immiscer dans la vie de tout un chacun et tirer les oreilles à tel ou tel quand elle l'estimait nécessaire. Les jeunes filles lui présentaient leurs fiancés pour qu'elle approuvât leur choix, les époux la consultaient dans leurs querelles, elle était conseillère, arbitre et juge en tous problèmes, et son autorité était mieux affirmée que celle du curé, du médecin ou des forces de l'ordre. Rien ne l'arrêtait dans l'exercice de ce pouvoir. Un beau jour, elle fit irruption dans le poste de police, passa devant le Lieutenant sans même le saluer, s'empara du trousseau de clefs pendu à un clou et fit quitter sa cellule à un de ses élèves incarcéré à la suite d'une cuite. L'officier voulut l'en empêcher, mais elle l'envoya promener et s'en fut, emmenant le garçon par la peau du cou. Une fois dans la rue, elle lui administra une paire de claques et lui promit que si elle l'y reprenait, elle lui baisserait elle-même son pantalon pour lui infliger une raclée dont il se souviendrait.

Le jour où Inés vint lui annoncer qu'elle avait tué un de ses clients, Riad Halabi, qui la connaissait trop bien, ne douta pas un seul instant qu'elle parlait sérieusement. Il la prit par le bras et parcourut avec elle les quelques centaines de mètres qui séparaient *La Perle d'Orient* de la pension. C'était une des plus belles constructions du village, faite de brique crue et de bois, avec une sorte de vaste auvent où suspendre son hamac pour la sieste quand il faisait très chaud, des cabinets de toilette avec l'eau courante et des ventilateurs dans toutes les chambres. A cette heure, l'établissement semblait vide, seul se reposait au salon un pensionnaire qui sirotait une bière en regardant d'un œil hébété la télévision.

— Où est-il ? souffla le commerçant arabe.

— Dans une des pièces du fond, répondit Inés sans baisser la voix.

Elle le conduisit jusqu'à l'enfilade de chambres à louer reliées par une longue galerie couverte ornée de liseron mauve grimpant aux colonnes et de fougères en pots suspendues aux poutres, encadrant une cour intérieure où poussaient bananiers et néfliers. Inés ouvrit la toute dernière porte et Riad Halabi pénétra dans la pièce obscure. Les persiennes étaient tirées et il eut besoin de quelques instants pour s'habituer à la pénombre et découvrir sur le lit le cadavre d'un vieillard à l'aspect inoffensif, un étranger au village, tout décrépit, macérant dans la mare de sa propre mort, le pantalon souillé d'excréments, la tête retenue par une bande de peau livide affichant un air épouvantablement désolé comme s'il demandait qu'on voulût bien l'excuser pour tout ce désordre, ce sang versé, cet embarras terrible qu'il causait en s'étant laissé assassiner. Riad Halabi se laissa choir sur la seule chaise que comptait la pièce, les yeux rivés au plancher, essayant de dominer ses haut-le-cœur. Inés resta debout, bras croisés sur la poitrine, calculant qu'il lui faudrait deux bons jours pour ravoir les taches, et au moins deux autres encore pour dissiper tous ces relents de merde et d'épouvante.

— Comment tu t'y es prise ? finit par demander Riad Halabi en s'épongeant le front.

— Avec la machette à fendre les noix de coco. Je me suis approchée par-derrière, un seul coup a suffi. Le pauvre diable ne s'est rendu compte de rien.

— Mais pourquoi ?

— C'est la vie, je ne pouvais pas faire autrement. Regarde cette guigne : ce vieillard ne pensait pas s'arrêter à Agua Santa, il s'apprêtait à traverser le village quand un gravillon a pulvérisé son pare-brise. Il est venu passer quelques heures ici, le temps que l'Italien du garage en fasse venir un autre. Il a beaucoup changé, nous avons tous pris un coup de vieux, à ce qu'il semble, mais je l'ai reconnu sur-le-champ. Cela faisait des années et des années que je l'attendais, j'étais sûre qu'il rappliquerait tôt ou tard. C'est le type aux mangues.

— Allah nous protège ! murmura Riad Halabi.

— Tu crois que nous devons faire venir le Lieutenant ?

— Ne dis pas de bêtises, comment peux-tu émettre une idée pareille ?

— Je suis dans mon droit, c'est lui qui a tué mon enfant.

— Le Lieutenant ne comprendrait pas, Inés.

— Œil pour œil, dent pour dent, le Turc. N'est-ce pas ainsi que dit ta religion ?

— Voyons, Inés, la loi ne marche pas comme ça.

— Bon, on peut alors l'arranger un peu et dire qu'il a mis lui-même fin à ses jours ?

— N'y touche pas. Combien de pensionnaires y a-t-il dans l'établissement ?

— Il n'y a qu'un routier. Il va s'en aller dès qu'il fera plus frais, il doit rouler jusqu'à la capitale.

— Bien. Ne prends personne d'autre. Ferme à clef la porte de cette chambre et attends-moi. Je reviendrai cette nuit.

— Que vas-tu faire ?

— Je vais résoudre ça à ma manière.

Riad Halabi avait soixante-cinq ans mais conservait toute la vigueur physique de son jeune âge et la même force morale qui l'avait placé en tête de la foule le jour de son arrivée à Agua Santa. Il sortit de chez Maîtresse Inés et s'en fut d'un pas rapide rendre la première des très nombreuses visites dont il dut s'acquitter cet après-midi-là. Dans les heures qui suivirent, un chuchotement se répandit avec insistance à travers le village, les habitants secouèrent leur torpeur immémoriale, excités par la nouvelle la plus fantastique qui fût, une nouvelle qu'ils allaient répétant d'une maison à l'autre comme une incoercible rumeur, qui enflait comme pour exploser en clameurs et en cris, mais qui se voyait conférer un prix exceptionnel par la nécessité même de la maintenir à l'état de murmure. Avant le coucher du soleil, on percevait déjà dans l'atmosphère cette joyeuse agitation qui devait rester au fil des années un des traits dominants de ce village, incompréhensible aux étrangers de passage qui étaient bien en peine de déceler quelque chose d'extraordinaire dans ce qui leur apparaissait seulement comme un trou perdu, semblable à tant d'autres en lisière de la forêt. Les hommes se mirent à affluer de bonne heure à la taverne, les femmes sortirent sur le trottoir en traînant leurs chaises de cuisine et s'installèrent pour prendre le frais, les jeunes se précipitèrent en masse sur la place comme si on avait été dimanche. Le Lieutenant et ses hommes effectuèrent deux ou trois rondes de routine, puis acceptèrent l'invitation des filles du lupanar, lesquelles prétendaient célébrer quelque anniversaire. A la tombée de la nuit, il y avait davantage de monde dans les rues que pour la fête de tous les saints, chacun s'absorbant dans ce qu'il avait à faire avec un zèle si démonstratif qu'on se serait cru devant une masse de figurants interprétant un film, les uns jouant aux dominos, d'autres sirotant un verre de rhum ou fumant au coin des rues, quelques couples déambulant main dans la main, les mères couraillant après leurs mouflets, les vieilles lorgnant ce qui se passait sur le pas de leurs portes. Le curé illumina la chapelle et fit sonner les cloches à toute volée pour appeler les fidèles à entamer la neuvaine d'Isidore, saint et martyr, mais nul n'avait l'esprit à ce genre de dévotions.

Sur le coup de neuf heures et demie se rassemblèrent chez Maîtresse Inés le commerçant arabe, le médecin du village et quatre jeunes gens qu'elle avait enseignés depuis le *b a ba*, déjà de solides gaillards revenus du service militaire. Riad Halabi les conduisit jusqu'à la chambre du fond où ils trouvèrent le cadavre couvert d'insectes : la fenêtre était restée ouverte et c'était l'heure des moustiques. Ils fourrèrent le malheureux dans un sac de grosse toile, le sortirent à bout de bras jusque dans la rue et le balancèrent sans autre forme de cérémonie à l'arrière de la fourgonnette de Riad Halabi. Ils traversèrent le village en empruntant la rue principale, saluant comme à l'ordinaire tous ceux qu'ils venaient à croiser. Certains leur rendirent leur salut avec un enthousiasme excessif, alors que d'autres feignirent de ne pas les voir, riant sous cape comme des garnements surpris à commettre quelque espièglerie. La camionnette se dirigea vers l'endroit où, nombre d'années auparavant, le fils de Maîtresse Inés s'était penché une dernière fois pour ramasser un fruit. Ils virent au clair de lune la propriété envahie par le chiendent de l'abandon, défigurée par la décrépitude et les mauvais souvenirs, colline enchevêtrée où les manguiers poussaient à l'état sauvage, où les fruits tombés des branches pourrissaient sur place, donnant naissance à d'autres arbustes qui en engendraient à leur tour de nouveaux, et ainsi de suite, jusqu'à constituer une forêt hermétique qui avait englouti les clôtures, les chemins et jusqu'aux vestiges de la maison dont ne subsistait à l'état de traces qu'une imperceptible odeur de marmelade. Les hommes allumèrent leurs lampes à pétrole et s'enfoncèrent en plein bois en se frayant passage à coups de machette. Quand ils estimèrent s'être suffisamment avancés, l'un d'eux pointa le doigt en direction du sol et c'est là, au pied d'un arbre gigantesque ployant sous les fruits, qu'ils creusèrent un trou profond où ils déposèrent le sac de toile. Avant de le recouvrir de terre, Riad Halabi récita une brève prière musulmane, dans la mesure où il n'en connaissait point d'autres. De retour au village vers minuit, ils constatèrent que nul n'était encore rentré chez soi, que les lumières continuaient à briller à toutes les fenêtres, que les rues étaient pleines de monde.

Entre-temps, Maîtresse Inés avait lavé à l'eau et au savon les murs et le mobilier de la chambre, elle avait brûlé la literie, aéré toute la maison, puis elle s'était mise à attendre ses amis devant le dîner préparé et un cruchon de rhum coupé de jus d'ananas. Le repas se déroula dans la bonne humeur à évoquer les derniers combats de coqs, un sport barbare, disait Maîtresse Inés — moins barbare en tout cas que ces courses de taureaux où un matador colombien venait de se faire bousiller le foie, rapportèrent les hommes. Riad Halabi fut le dernier à prendre congé. Cette nuit-là, pour la première fois de sa vie, il se sentait vieux. Sur le pas de la porte, Maîtresse Inés lui prit les mains et les garda un instant dans les siennes.

— Merci, le Turc, lui dit-elle.

— Pourquoi as-tu fait appel à moi, Inés ?

— Parce que tu es l'être que j'affectionne le plus au monde, et parce que c'est toi qui aurais dû être le père de mon enfant.

Le lendemain, les habitants d'Agua Santa s'en retournèrent à leurs occupations de toujours, exaltés et grandis par leur superbe complicité, un secret de bon voisinage qu'ils mettraient tous leurs soins à conserver, se le transmettant au fil des ans comme une parabole du bon droit, jusqu'à ce que la mort de Maîtresse Inés nous en délie tous et m'autorise maintenant à la raconter.

Haute considération

C'était un couple de coquins. Lui arborait un faciès de pirate avec des cheveux et une moustache teints d'un noir de jais (mais, avec l'âge, il se donna un nouveau genre et garda ses poils blancs, ce qui lui adoucit les traits et lui conféra un air plus circonspect). Quant à elle, elle était de constitution robuste, avec cette peau laiteuse des rousses anglo-saxonnes qui, dans sa jeunesse, reflétait la lumière par touches opalescentes, mais qui, la maturité venue, se transforma en papier mâché. Les années qu'elle avait passées dans les campements pétroliers et les villages perdus sur la frontière n'avaient point entamé la vigueur héritée de ses ascendants écossais. Ni les moustiques, ni la chaleur, ni les mauvaises mœurs n'étaient venus à bout de son organisme, pas plus qu'ils n'avaient émoussé sa propension à n'en faire qu'à sa tête. A quatorze ans, elle avait plaqué son père, un pasteur protestant qui prêchait la Bible au cœur de la forêt, tâche parfaitement inutile dans la mesure où nul n'entendait goutte à son charabia en anglais et où, sous ces latitudes, les mots, y compris la Parole divine, se perdent dans le charivari des oiseaux. A cet âge-là, l'adolescente était déjà faite et en pleine possession de ses moyens. Ce n'était pas quelqu'un de sentimental. Elle repoussa l'un après l'autre les hommes qui, attirés par l'embrasement de sa chevelure, si rare sous les tropiques, lui offraient leur protection. Elle n'avait jamais entendu parler de l'amour et il n'était pas dans son tempérament de se le figurer, mais elle sut en revanche tirer le meilleur parti de la seule chose qui lui appartînt en propre, tant et si bien qu'à vingt-cinq ans elle possédait une poignée de diamants cousus dans la doublure de ses jupons. Elle les remit sans l'ombre d'une hésitation à Domingo Toro, le seul homme qui était parvenu à la dompter, un aventurier qui sillonnait la région, chassant les caïmans et se livrant au trafic d'armes et de whisky frelaté. C'était un gredin sans foi ni loi, le compagnon idéal pour Abigail McGovern.

Les premiers temps, le couple dut monter des coups quelque peu extravagants pour arrondir son pactole. Avec ses diamants à elle et quelques liquidités qu'il avait tirées de la contrebande, de ses peaux de sauriens et de la tricherie au jeu, Domingo fit provision au casino de plaques qu'il savait en tous points identiques à celles d'un établissement situé de l'autre côté de la frontière, où la valeur de la monnaie était fort supérieure. Il remplit une valise de ces plaques et s'en fut les changer contre des devises sonnantes et trébuchantes. Il parvint à renouveler l'opération par deux fois avant que les autorités ne montrent des signes d'inquiétude, mais il apparut alors qu'on ne pouvait rien lui reprocher qui tombât sous le coup de la loi. Pendant ce temps, Abigail faisait commerce de poteries qu'elle achetait aux culs-terreux et refilait comme pièces archéologiques aux Yankees de la compagnie pétrolière, réussissant si bien qu'elle put bientôt étendre son entreprise à de fausses peintures coloniales fabriquées par un étudiant dans un réduit, derrière la cathédrale, et patinées à la sauvette à l'eau de mer, à la suie et au pipi de chat. A cette époque, elle s'était dépouillée de son accoutrement et de son parler ordurier de voleur de bestiaux, elle s'était coupé les cheveux et portait une garde-robe de prix. Bien que son goût fût trop recherché, ses efforts pour paraître élégante trop voyants, on pouvait la prendre pour une vraie dame, ce qui lui permettait d'étendre ses relations et concourait au succès de ses affaires. Elle donnait rendez-vous à ses clients dans les salons de l'hôtel d'Angleterre et tout en servant le thé à gestes mesurés qu'elle avait appris à copier, elle évoquait des parties de chasse et des tournois de tennis dans des lieux hypothétiques aux consonances britanniques que nul n'aurait su situer sur une carte. Au bout de la troisième tasse, elle en venait sur le ton de la confidence à l'objet de la rencontre, exhibait des photographies des prétendues antiquités et laissait clairement entendre que son propos était de sauver ces trésors de la négligence des autochtones. Le gouvernement n'avait pas les moyens de préserver ces pièces exceptionnelles, prétendait-elle, et bien que la chose fût illégale, le sens du devoir archéologique commandait de les faire sortir en douce du pays.

Les Toro ayant jeté les bases d'une fortune rondelette, Abigail estima que le moment était venu pour eux de faire souche et s'employa à persuader Domingo de la nécessité d'avoir un patronyme qui sonne bien.

— Qu'est-ce que tu as à reprocher au nôtre ?

— Personne ne s'appelle Toro, c'est un nom de gargotier, répliqua Abigail.

— C'est celui de mon père, je ne vois pas pourquoi j'en changerais.

— Dans ce cas, il va falloir convaincre les gens que nous faisons partie des riches.

Elle suggéra d'acheter des terres et d'y produire des bananes et du café, comme les parvenus d'autrefois, mais Domingo n'était guère attiré par l'idée de s'établir dans les provinces de l'intérieur, terres sauvages exposées aux bandes de brigands, à l'armée ou aux guérilleros, aux vipères et à toutes sortes d'autres calamités ; il considérait qu'il n'y avait rien de plus stupide que de vouloir aller se bâtir un avenir en forêt alors que celui-ci se trouvait à portée de main en plein centre de la capitale ; il était plus sûr de s'adonner au commerce, comme ces milliers de Juifs et de Syriens qui débarquaient avec leur misérable baluchon sur l'épaule et qui, au bout de quelques années, parvenaient à vivre dans une certaine aisance.

— Ah non, trêve de turqueries ! Ce que je veux, c'est une famille entourée de considération, qu'on nous donne du Monsieur et Madame, et que personne ne se mêle plus de nous parler en gardant son chapeau sur la tête, répondit-elle.

Mais il insista tant et si bien qu'elle finit par se ranger à sa décision, car lorsqu'elle lui tenait tête, son mari ripostait en lui infligeant de longues périodes d'abstinence et de mutisme. Il disparaissait alors de la maison pendant plusieurs jours d'affilée, puis il s'en revenait en piteux état de ses amours clandestines, se changeait et repartait de plus belle, laissant une Abigail d'abord hors de ses gonds, puis terrifiée à l'idée de le perdre. C'était une femme terre à terre, totalement dépourvue de sentiments romantiques, et si elle avait jamais recelé une once de tendresse, les années de tapin s'étaient chargées de la faire disparaître, mais Domingo était le seul homme qu'elle pouvait supporter auprès d'elle et elle n'était pas prête à le laisser partir. A peine Abigail cédait-elle qu'il revenait dans son lit. Rien qui ressemblât à un bruyant rabibochage : simplement, ils reprenaient le train-train auquel ils étaient habitués et renouaient avec la complicité de leurs tours pendables. Domingo Toro installa une chaîne de magasins dans les quartiers pauvres, cassant les prix mais écoulant la marchandise en grandes quantités. Ces points de vente servaient en fait d'écrans à d'autres trafics moins licites. L'argent continua à s'amasser et ils purent se payer des caprices de riches, mais Abigail n'était toujours pas satisfaite : elle s'était rendu compte qu'une chose était de vivre dans le luxe, une autre — bien différente — d'être reconnu par la société.

— Si tu m'avais écoutée, on ne nous prendrait pas pour des boutiquiers arabes ! reprocha-t-elle à son mari. Quelle idée de te mettre à vendre des nippes !

— Je ne vois pas de quoi tu te plains, nous ne manquons de rien.

— Continue si ça te chante à t'occuper de tes bazars de crève-la-faim. Moi, je vais acheter des chevaux de course.

— Des chevaux ? Mais qu'est-ce que tu connais aux chevaux, ma pauvre ?

— Ils sont racés et tous les gens importants possèdent des chevaux.

— Nous allons courir à la ruine !

Pour une fois, Abigail parvint à imposer sa volonté et au bout de quelque temps, ils purent constater que l'idée n'avait pas été si mauvaise. Non seulement les bêtes leur fournirent l'occasion de fréquenter les vieilles familles d'éleveurs, mais, de surcroît, elles se révélèrent rentables ; pourtant, bien que les Toro fissent fréquemment leur apparition dans les pages hippiques des journaux, ils ne figurèrent à aucun moment dans la chronique mondaine. Dépitée, Abigail versa de plus en plus dans l'ostentation. Elle passa commande d'un service de porcelaine avec son propre portrait peint à la main sur chaque pièce, de coupes en cristal taillé, de meubles aux pieds ornés de gargouilles en furie, sans compter un fauteuil élimé qu'elle fit passer pour une relique coloniale, répétant à tout un chacun qu'il avait appartenu au Libérateur, ce pour quoi elle avait suspendu un cordon rouge en travers du siège, interdisant qu'on posât son postérieur là où le Père de la Patrie avait mis le sien. Elle engagea une préceptrice allemande pour ses enfants et un bourlingueur hollandais qu'elle costuma en amiral pour piloter le yacht familial. Seules traces du passé à subsister : les tatouages de flibustier de Domingo et le mal de dos qu'Abigail avait contracté à force de se trémousser, jambes écartées, à l'époque barbare de sa vie ; mais Domingo dissimulait ses tatouages sous ses manches longues, et quant à Abigail, elle s'était fait confectionner un corset de fer rembourré de coussinets de soie pour empêcher la douleur de tasser sa dignité. C'était alors une matrone obèse, couverte de bijoux, aux allures néroniennes. L'ambition avait opéré sur son physique des ravages que ses aventures en forêt n'avaient pas réussi à y inscrire.

Dans l'intention d'attirer la fine fleur de la haute société, les Toro offraient chaque année pour Carnaval une fête costumée : la cour de Bagdad avec les éléphants et les chameaux du zoo et toute une armée de garçons attifés en Bédouins ; le bal à Versailles où les invités vêtus de brocart et coiffés de perruques poudrées dansaient le menuet entre les glaces biseautées — exemples parmi d'autres de réceptions à tout casser qui défrayèrent la chronique locale et donnèrent lieu à de violentes diatribes dans la presse de gauche. Il fallut poster des gardes devant la résidence pour empêcher les étudiants, indignés par tant de gaspillage, de venir peindre des graffiti sur les colonnes et de projeter des étrons par les fenêtres, avançant que les nouveaux riches remplissaient leurs baignoires de champagne alors que les nouveaux pauvres en étaient réduits à chasser les chats de gouttière pour se caler l'estomac. Ces bombances leur valurent une certaine respectabilité dans la mesure où les frontières entre classes étaient en train de s'estomper ; de tous les horizons de la terre débarquaient au pays des gens attirés par les remugles du pétrole, la capitale se développait de manière anarchique, les fortunes se faisaient et se défaisaient en un tournemain et on n'était plus à même de vérifier les origines de qui que ce fût. Les vieilles familles n'en tenaient pas moins les Toro à distance, bien qu'elles-mêmes descendissent d'immigrants dont le seul mérite était d'avoir atteint ce littoral avec un demi-siècle d'avance. Leurs membres participaient aux banquets de Domingo et Abigail, ils se promenaient parfois à travers la mer des Caraïbes à bord du yacht piloté par la main ferme du capitaine hollandais, mais ils se gardaient de payer de retour les attentions dont ils bénéficiaient. Peut-être Abigail eût-elle été condamnée à se résigner à ce rang subalterne si un événement inattendu n'avait relancé leurs chances.

Cet après-midi d'août, Abigail émergea toute suffoquante de la sieste, il faisait une chaleur de plomb, l'air était chargé de promesses d'orage. Elle passa une robe de soie par-dessus son corset et se fit conduire à l'institut de beauté. La voiture traversa les embouteillages toutes vitres fermées afin d'éviter que quelque contestataire — de ceux dont le nombre croissait de jour en jour — n'allât cracher sur la passagère, et se gara à cinq heures pile devant l'établissement dans lequel Abigail s'engouffra après avoir demandé au chauffeur de venir la reprendre une heure plus tard. Lorsque ce dernier revint la chercher, elle n'était plus là. Les coiffeuses précisèrent que cinq minutes après être arrivée, la dame avait dit s'absenter pour une course rapide, mais qu'elle n'avait point reparu. Entre-temps, Domingo avait reçu à son bureau le premier appel des Pumas rouges, un groupes extrémiste dont personne n'avait jamais entendu parler jusque-là, lesquels lui avaient annoncé qu'ils avaient enlevé sa femme.

Ainsi débuta l'affaire qui allait assurer le prestige des Toro. La police arrêta le chauffeur et les coiffeuses, quadrilla des quartiers entiers et envahit la résidence des Toro, au grand dam des voisins. Un camion de la télévision bloqua la rue pendant plusieurs jours et une cohorte de journalistes, de détectives et de badauds piétina les pelouses des demeures environnantes. Domingo Toro fit son apparition sur le petit écran, assis dans le fauteuil de cuir de sa bibliothèque entre une mappemonde et une pouliche embaumée, suppliant les auteurs du rapt de lui rendre la mère de ses enfants. Le magnat de la braderie, comme le surnommait la presse, offrit un million pour récupérer sa femme, chiffre prohibitif si l'on sait qu'un autre groupe de guérilleros avait obtenu moitié moins pour un ambassadeur moyen-oriental. Pourtant, la somme ne parut pas suffisante aux Pumas rouges qui réclamèrent le double. Après avoir découvert la photo d'Abigail dans les journaux, beaucoup se dirent que la meilleure affaire eût consisté, pour Domingo, à payer ce montant, non pour rentrer en possession de sa conjointe, mais pour que les ravisseurs la conservassent. Une exclamation incrédule parcourut le pays quand le mari, ayant consulté quelques banquiers et avocats, accepta la transaction en dépit des recommandations de la police. Quelques heures avant le paiement de la somme convenue, il reçut par la poste une mèche de cheveux roux accompagnée d'un mot précisant que le prix avait à nouveau monté d'un quart de million. Ce furent alors les enfants des Toro qui se montrèrent à la télévision pour envoyer des messages de détresse filiale à Abigail. Jour après jour, la sinistre surenchère monta ainsi d'un degré sous les yeux captivés des reporters.

Le suspense prit fin cinq jours plus tard à l'instant précis où l'intérêt de l'opinion commençait à se détourner vers d'autres sujets de préoccupation. Abigail fut retrouvée ligotée et bâillonnée dans une voiture garée en plein centre, assez nerveuse et les cheveux en bataille, mais sans traces visibles de sévices et plutôt même plus replète qu'auparavant. Cet après-midi-là, quand Abigail regagna son domicile, une petite foule se massa dans la rue pour applaudir l'époux qui avait su donner une si grande preuve d'amour.

Face aux assauts des journalistes et aux exigences de la police, Domingo Toro s'en tint à une attitude de galanterie discrète : il refusa de révéler combien il avait payé, arguant que son épouse n'avait pas de prix. L'exagération populaire lui prêta un chiffre hautement improbable, beaucoup plus que ce qu'aucun homme n'avait jamais versé pour une femme, encore moins pour la sienne propre. Les Toro s'en trouvèrent transformés en symboles d'opulence, on raconta qu'ils étaient aussi riches que le président, lequel avait tiré profit pendant des années des revenus pétroliers du pays et dont la fortune estimée figurait parmi les cinq plus grandes du monde. Domingo et Abigail furent promus dans cette haute société dont l'accès leur avait été jusque-là refusé. Rien ne put assombrir leur triomphe, pas même les manifestations d'étudiants qui déployèrent des banderoles à l'université pour accuser Abigail de s'être kidnappée elle-même, le magnat d'avoir sorti des millions d'une poche pour se les fourrer dans l'autre sans avoir à payer d'impôts, et la police d'avoir avalé cette histoire de Pumas rouges pour effrayer les gens et justifier les purges frappant les partis d'opposition. Mais les mauvaises langues ne parvinrent pas à saper le splendide effet produit par cet enlèvement, et une décennie plus tard, les Toro-McGovern étaient devenus l'une des familles les plus dignes de respect du pays.

La vie qui n'en finit pas

Il est toutes sortes d'histoires. Certaines naissent au fur et à mesure qu'on les raconte, leur substance est le langage même ; avant d'être mise en mots, chacune est à peine une émotion, une velléité de l'esprit, une image ou quelque impalpable réminiscence. D'autres viennent entières, rondes comme des pommes, et peuvent être répétées à l'infini sans que leur signification risque de s'en trouver altérée. D'aucunes sont prélevées dans la réalité et développées au gré de l'inspiration, alors que d'autres germent d'un éclair d'inspiration et deviennent réalité du fait même d'être racontées. Il y a enfin des histoires secrètes qui demeurent enfouies parmi les ombres de la mémoire ; pareilles à des organismes vivants, il leur pousse des racines, des tentacules, elles se couvrent d'adhérences, de parasites, et se transforment avec le temps en matière à cauchemars. C'est ainsi que pour exorciser les démons d'un souvenir, il est parfois nécessaire de le narrer à la manière d'un conte.

Ana et Roberto Blum avaient vieilli ensemble si unis que, les années passant, ils en étaient venus à paraître frère et sœur ; tous deux arboraient la même expression d'étonnement bonasse, les mêmes rides, des mouvements des mains et une voussure du dos analogues. Similaires étaient les habitudes et les aspirations qui marquaient leur comportement. Ils avaient partagé chaque journée de la majeure partie de leur vie et à force de tant marcher la main dans la main et de dormir dans les bras l'un de l'autre, ils pouvaient à volonté se retrouver dans le même rêve. Jamais ils n'avaient été séparés depuis qu'ils s'étaient connus, un demi-siècle auparavant. A cette époque, Roberto étudiait la médecine, il était déjà habité par la passion qui allait déterminer le cours de son existence, celle de purifier le monde et de secourir son prochain ; quant à Ana, c'était une de ces filles virginales capables de tout embellir par leur candeur. Ils se découvrirent par la musique. Elle était violoniste dans un orchestre de chambre ; lui était issu d'une famille de virtuoses, il aimait jouer du piano et ne manquait aucun concert. Il remarqua sur scène cette adolescente vêtue de velours noir, avec son col de dentelle, qui jouait de son instrument les yeux fermés, et il tomba amoureux d'elle à distance. Des mois passèrent sans qu'il osât lui adresser la parole et lorsqu'il le fit, quatre phrases leur suffirent pour comprendre qu'ils étaient voués à une union parfaite. La guerre les surprit avant qu'ils aient pu se marier et comme des milliers d'autres Juifs hallucinés par la terreur des persécutions, ils durent fuir l'Europe. Ils embarquè-rent d'un port hollandais sans autre bagage que les vêtements qu'ils portaient, quelques livres appartenant à Roberto et le violon d'Ana. Le bâtiment vogua deux ans à la dérive sans pouvoir se ranger le long d'un quelconque débarcadère, aucune nation de l'hémisphère ne voulant accepter sa cargaison de réfugiés. Après avoir tourné en rond sur plusieurs mers, il parvint au littoral caraïbe. Coquillages et lichens avaient transformé sa coque en véritable chou-fleur, de ses flancs l'humidité suintait comme sous l'effet d'un catarrhe chronique, ses machines avaient pris une teinte verdâtre et l'équipage aussi bien que les passagers — hormis Ana et Roberto, prémunis du désespoir par les mirages de l'amour — avaient vieilli de deux cents ans. Résigné à la perspective d'errer pour le reste de l'éternité, le capitaine fit relâcher sa carcasse de transatlantique dans un coin écarté de la baie, face à une plage au sable phosphorescent et aux sveltes palmiers empanachés de plumes, pour permettre aux matelots de descendre nuitamment faire provision d'eau douce. Mais impossible de reprendre le large : le lendemain à l'aube, on ne put faire redémarrer les machines, corrodées à force de marcher grâce à un mélange de poussier et d'eau salée, à défaut de meilleur carburant. Au milieu de la matinée surgirent à bord d'une vedette les autorités du port le plus proche, une poignée de mulâtres à la mine réjouie et à l'uniforme débraillé qui, malgré la meilleure volonté du monde, leur ordonnèrent de quitter les eaux territoriales, conformément aux règlements en vigueur, mais, apprenant le triste sort de cette cargaison humaine et le déplorable état du bateau, suggérèrent au capitaine de rester là quelques jours à profiter du soleil : peut-être qu'en leur donnant un peu de mou, les difficultés se dénoueraient d'elles-mêmes, comme il arrive souvent. Pendant la nuit, tous les occupants du bâtiment d'infortune prirent place dans les canots et allèrent fouler le sable brûlant de ce pays dont ils pouvaient à peine articuler le nom, avant de se perdre à l'intérieur des terres parmi leur végétation voluptueuse, bien décidés à se couper la barbe, à se dépouiller de leurs haillons moisis, à tourner le dos aux vents océaniques qui leur avaient tanné l'âme.

Ainsi débuta le destin d'immigrants d'Ana et Roberto Blum : ils travaillèrent d'abord comme manœuvres pour assurer leur subsistance, puis, lorsqu'ils se furent initiés aux us de cette société volubile, ils y poussèrent leurs racines et Roberto put achever ses études de médecine

interrompues par la guerre. Leur ordinaire était composé
de bananes et de café, ils occupaient dans une humble
pension une chambre de dimensions exiguës. Dans la
fenêtre s'encadrait un bec de gaz de la rue. La nuit,
Roberto profitait de cette source de lumière pour étudier,
et Ana pour coudre. Leurs travaux terminés, l'un s'asseyait à contempler les étoiles au-dessus des toits envi-
ronnants, tandis que l'autre interprétait sur son violon
des mélodies anciennes, habitude qu'ils conservèrent pour
conclure chacune de leurs journées. Des années plus tard,
quand le nom de Blum fut devenu célèbre, les avant-
propos de livres et les interviews de presse présentèrent
cette période de dénuement comme un épisode éminem-
ment romantique. Leurs conditions de vie avaient changé,
mais ils avaient gardé une attitude d'extrême modestie,
incapables d'effacer les traces de leurs souffrances passées
comme de se débarrasser du sentiment de précarité propre
à l'exil. De taille semblable, tous deux étaient bien
charpentés et arboraient les mêmes yeux clairs. Roberto
avait l'allure d'un savant, une tignasse rebelle lui couvrait
les oreilles, il portait de grosses lunettes rondes à monture
d'écaille, s'habillait d'un sempiternel costume gris qu'il
remplaçait par un autre en tous points identique quand
Ana renonçait à en repriser les poignets, et il avait
coutume de prendre appui sur une canne de bambou
qu'un ami lui avait rapportée des Indes. C'était un
homme peu loquace, précis dans sa manière de s'exprimer
comme dans tout le reste, mais doué d'un humour si fin
que le poids de son érudition en devenait plus léger. Ses
élèves s'en souviendraient comme du plus bienveillant
des professeurs. Ana, elle, était douée d'un tempérament
enjoué et confiant, elle était incapable d'imaginer la
méchanceté chez autrui, ce qui fait qu'elle en était elle-
même exempte. Roberto reconnaissait que sa femme était
dotée d'un remarquable sens pratique et il lui confia

d'emblée toutes les décisions importantes, ainsi que le soin de tenir les cordons de la bourse. Aux petits soins avec lui, Ana était comme une mère pour son mari, elle lui coupait les ongles et les cheveux, surveillait sa santé, ses menus, son sommeil, toujours prête à répondre au moindre de ses appels. La présence de l'un était si indispensable à l'autre qu'Ana renonça à sa vocation musicale, qui l'aurait contrainte à de fréquents déplacements ; elle ne reprenait l'archet que dans l'intimité de leur foyer. Elle eut coutume d'accompagner Roberto, jusque tard dans la nuit, à la morgue ou à la bibliothèque de l'université où il restait à poursuivre ses recherches durant de longues heures. Tous deux prisaient la solitude et le silence des bâtiments après leur fermeture.

Puis ils rentraient à pied par les rues désertes jusqu'au quartier de miséreux où ils avaient élu domicile. A la faveur du développement anarchique de la ville, cette zone était devenue un repaire de trafiquants, de tapineuses et de truands où les voitures de police elles-mêmes n'osaient se hasarder après le coucher du soleil ; tous deux le traversaient au point du jour sans être inquiétés. Tout le monde les connaissait. Il n'était pas un bobo, pas un tracas qui ne donnât lieu à consultation auprès de Roberto ; pas un gosse n'avait poussé là sans goûter aux biscuits d'Ana. Il se trouvait toujours quelqu'un pour expliquer de but en blanc aux étrangers du quartier que le vieux couple, pour des raisons sentimentales, était intouchable. On ajoutait que les Blum étaient une des gloires de ce pays, que le Président en personne avait décoré Roberto et qu'ils étaient l'un et l'autre si dignes de respect que les forces de l'ordre elles-mêmes se gardaient de les importuner quand elles faisaient irruption dans les parages avec leurs machines de guerre, envahissant une maison après l'autre.

Je fis leur connaissance vers la fin des années soixante, quand, dans sa démence, Marraine s'ouvrit la gorge avec un rasoir. Nous la transportâmes à l'hôpital, perdant son sang à gros bouillons, sans que personne nourrît le moindre espoir de la sauver, mais, par chance, Roberto Blum se trouvait là et il s'employa posément à la recoudre et à lui remettre la tête en place. A la stupeur des autres médecins, Marraine s'en sortit. Je passai de nombreuses heures assise à son chevet durant ses semaines de convalescence et j'eus ainsi maintes occasions de bavarder avec Roberto. Ainsi naquit peu à peu entre nous une solide amitié. Les Blum n'avaient point d'enfants et je crois que cela leur manquait ; au fil du temps, ils en vinrent à me traiter comme le leur. J'allais souvent leur rendre visite, rarement le soir pour ne pas avoir à m'aventurer seule dans ce quartier ; ils me recevaient toujours en servant quelque plat spécial à déjeuner. J'aimais bien aider Roberto dans son jardinage et Ana à la cuisine. Parfois, elle prenait son violon et me régalait d'une ou deux heures de musique. Ils me confièrent la clef de leur maison et quand ils partaient en déplacement, c'est moi qui m'occupais de leur chien et arrosais les plantes.

En dépit du retard que la guerre avait fait prendre à sa carrière, les succès de Roberto Blum avaient été précoces. A l'âge où les autres praticiens s'initiaient encore à leur art dans les blocs opératoires, il avait déjà publié plusieurs traités dignes d'éloges, mais sa notoriété débuta avec la parution de son ouvrage sur le droit à une mort paisible. La médecine privée ne le tentait guère, sauf lorsqu'il s'agissait de soigner un ami ou quelque voisin, et il préférait exercer son métier dans les hôpitaux de pauvres où il pouvait s'occuper d'un plus grand nombre de malades et apprendre chaque jour quelque chose de nouveau. Ses longues heures de garde dans les pavillons réservés aux mourants lui inspirèrent une vive compassion pour ces corps fragiles enchaînés à leurs appareils de survie, endurant le supplice des aiguilles et des tuyaux, auxquels la science refusait une fin digne sous prétexte d'entretenir coûte que coûte leur faible souffle. Il souffrait de ne pouvoir les aider à quitter ce monde, d'être au contraire obligé de les maintenir malgré eux sur leurs lits d'agonisants. Parfois, la torture ainsi infligée à l'un de ses patients était si intolérable qu'il ne parvenait plus à la chasser un instant de son esprit. Ana devait le réveiller, car il hurlait dans son sommeil. Dans le havre des draps, il étreignait sa femme et pressait son visage contre ses seins, en proie au désespoir.

— Pourquoi ne débranches-tu pas les tuyaux et n'abrèges-tu pas les tourments de ce pauvre malheureux ? C'est ce qu'il te reste de plus charitable à faire. De toute façon, il va mourir. Un jour de plus ou de moins...

— Cela ne m'est pas possible, Ana. La loi est on ne peut plus claire : nul n'a le droit de vie ou de mort sur autrui. Au demeurant, pour moi, c'est un problème de conscience.

— Nous sommes déjà souvent passés par là. Chaque fois, tu es rongé par les mêmes remords. Personne ne le saurait, ce serait l'affaire d'une ou deux minutes...

S'il arriva à Roberto de passer à l'acte, Ana fut la seule à le savoir. L'ouvrage qu'il avait rédigé exposait que la mort, avec sa charge de terreurs ancestrales, n'est en fait que l'abandon d'une coquille devenue inutilisable, cependant que l'esprit se fond à nouveau dans l'énergie primordiale du Cosmos. Tout comme la naissance, l'agonie n'est qu'une étape du voyage et mérite qu'on la considère avec la même mansuétude. Il n'y a pas la moindre vertu à prolonger les soubresauts et battements de cœur d'un organisme au-delà du terme naturel, et la tâche du médecin doit être de faciliter le décès plutôt que de prêter son concours à la lourde bureaucratie de la mort. Mais une pareille décision ne pouvait seulement dépendre du discernement des professionnels et de la miséricorde des proches, encore fallait-il que la loi énonce certains critères.

Les propositions de Blum suscitèrent un beau tohu-bohu de prêtres, d'avocats et de médecins. L'affaire ne tarda pas à déborder les milieux scientifiques et à descendre dans la rue où les opinions s'affrontèrent. C'était la première fois que quelqu'un abordait ce sujet ; jusque-là, la mort était passée sous silence, chacun misait sur l'immortalité dans le secret espoir de vivre toujours. Tant que la discussion demeura sur le terrain philosophique, Roberto Blum participa à tous les forums afin d'y faire prévaloir ses thèses, mais lorsqu'elle dégénéra en nouveau divertissement collectif, il chercha refuge dans le travail, outré par l'importance avec laquelle on exploitait sa théorie à des fins commerciales. La mort faisait un malheur ; dépouillée de toute réalité, c'était devenu un piquant sujet à la mode.

Une fraction de la presse accusa Blum de plaider en faveur de l'euthanasie et compara ses idées à celles des nazis, tandis qu'une autre l'acclamait comme un saint. Il ignora tout ce vent et poursuivit ses recherches et son travail à l'hôpital. Son livre fut traduit en plusieurs langues et diffusé en divers pays étrangers où le sujet provoqua également des réactions passionnées. Son portrait apparaissait souvent dans les magazines scientifiques. On lui proposa cette année-là une chaire à la faculté de médecine et il eut tôt fait d'y devenir le professeur le plus sollicité par les étudiants. Il n'y avait chez Roberto Blum nulle trace d'arrogance, rien du fanatisme exaltant des dispensateurs de révélations divines, mais l'assurance placide des hommes d'étude. Plus grandissait sa réputation, plus recluse se faisait l'existence du couple. L'impact de cette célébrité soudaine les effarouchait et ils finirent par ne plus admettre qu'un petit nombre de gens dans le cercle de leurs intimes.

Les théories de Roberto furent oubliées du public aussi rapidement qu'elles avaient connu les faveurs de la mode. La loi ne fut pas amendée, on ne discuta même pas du problème au Congrès ; pourtant, dans les milieux universitaires et parmi les chercheurs, le prestige du docteur ne fit que croître. Au cours des trois décennies suivantes, Blum forma plusieurs générations de chirurgiens, découvrit des remèdes inédits et de nouvelles techniques opératoires ; il mit au point un système de dispensaires volants constitué de fourgonnettes, d'embarcations et de petits avions équipés de tout le nécessaire pour secourir les parturientes aussi bien que les victimes d'épidémies en tous genres, sillonnant le territoire national afin de porter aide et assistance jusque dans les régions les plus reculées, là où les missionnaires avaient été jusqu'alors les seuls à mettre le pied. Il reçut de nombreux lauriers, fut recteur de l'université pendant dix ans et ministre de la Santé pendant quinze jours, temps qu'il lui fallut pour réunir les preuves de la corruption administrative et du gaspillage des ressources, puis de les présenter au Président qui n'eut d'autre choix que de le destituer, car il n'était pas question d'ébranler le gouvernement pour faire plaisir à un idéaliste. Au cours de ces décennies, Blum poursuivit ses recherches sur les mourants. Il publia plusieurs articles sur le devoir de vérité envers les incurables afin qu'ils aient le temps de préparer leur âme et ne partent pas tétanisés par la stupeur du trépas, d'autres sur le respect dû au suicide et aux diverses façons de mettre fin à ses jours sans souffrances ni cris inutiles.

Le nom de Blum courut à nouveau les rues lors de la publication de son dernier livre, qui non seulement secoua la science traditionnelle, mais sema une avalanche de faux espoirs dans l'ensemble du pays. Sa longue pratique hospitalière avait conduit Roberto à soigner d'innombrables malades du cancer ; il avait observé qu'alors que la mort terrassait certains, d'autres, soumis au même traitement, en réchappaient. Dans son ouvrage, Roberto s'évertuait à mettre en évidence la relation entre le cancer et le moral du patient, certifiant que la tristesse et la solitude favorisaient la prolifération des cellules malignes ; si le malade était déprimé, les défenses de son organisme diminuaient d'autant ; en revanche, s'il se trouvait de bonnes raisons de continuer à vivre, son corps se battait sans trêve contre le mal. Il expliquait que les soins ne pouvaient par conséquent se cantonner à la chirurgie, à la chimiothérapie ou à un quelconque traitement pharmaceutique, qui ne s'attaquaient qu'aux manifestations physiques du mal, mais qu'il convenait de considérer avant tout la condition morale du patient. Le dernier chapitre laissait entendre que cette condition est à son meilleur chez ceux qui peuvent miser sur la qualité de leur couple ou sur toute autre relation affective, car l'amour a des effets bénéfiques que les remèdes les plus puissants ne peuvent eux-mêmes prétendre surpasser.

La presse fleura sur-le-champ les extraordinaires potentialités de cette théorie et mit dans la bouche de Blum des choses qu'il n'avait jamais dites. Si le thème de la mort avait naguère suscité un engouement peu courant, c'est un phénomène tout aussi naturel qui se trouva ainsi abordé comme une véritable révélation. On attribua à l'amour les vertus de la pierre philosophale, on prétendit qu'il pouvait guérir toutes les maladies. Tout le monde parlait du livre, alors que bien peu l'avaient lu. La simple hypothèse selon laquelle aimer peut être bon pour la santé s'embrouilla dans la mesure où tout un chacun tint à y apporter ses additifs ou ses restrictions, tant et si bien que l'idée originelle de Blum se trouva recouverte par un enchevêtrement d'absurdités qui semèrent une formidable confusion dans l'opinion. Il ne manqua pas d'aigrefins pour s'employer à tirer profit de l'affaire en s'appropriant l'amour comme s'ils venaient de l'inventer. On vit proliférer de nouvelles sectes ésotériques, des écoles de psychologie, des cours pour débutants, des clubs de solitaires, des pilules rendant l'attirance infaillible, des parfums ravageurs et une multitude de devins de pacotille qui se servirent de leurs tarots ou de leurs boules de cristal pour vendre des sentiments à quatre sous. A peine eut-on découvert qu'Ana et Roberto Blum étaient un couple de vieillards attendrissants, qu'ils avaient vécu très longtemps ensemble, qu'ils avaient gardé intactes vigueur du corps, facultés mentales et qualité de leur relation amoureuse, qu'on les transforma en exemples vivants. En dehors des scientifiques qui s'échinèrent à analyser l'ouvrage, les seuls à le lire sans courir après le sensationnalisme furent les malades du cancer ; pour eux, néanmoins, l'espoir d'une guérison définitive dégénéra en atroce tromperie, car il ne se trouvait en vérité personne pour leur indiquer où trouver l'amour, comment l'obtenir, encore moins la façon de le préserver. Bien que l'idée de Blum ne manquât sans doute pas de logique, elle était pratiquement inapplicable.

Roberto était effondré par les proportions qu'avait pris le scandale, mais Ana lui rappela ce qui était déjà advenu auparavant et le persuada que le mieux à faire était de se poser sur une chaise et d'attendre un peu, car toute cette agitation ne durerait guère. C'est bien ce qui se passa. Les Blum n'étaient pas en ville quand le tapage retomba. Roberto avait abandonné son travail à l'hôpital et à l'université, prétextant qu'il était fatigué et désormais en âge de mener une existence plus tranquille. Mais il n'était pas parvenu à se mettre à l'abri de sa propre célébrité ; sa maison ne cessait d'être envahie par des malades implorants, des journalistes, des étudiants, des professeurs, des curieux qui débarquaient à toute heure. Il me confia qu'il avait besoin de silence, car il songeait à écrire un autre livre, et je l'aidai à chercher quelque lieu retiré où se réfugier. Nous trouvâmes un chalet à la Colonie, étrange village juché sur un escarpement tropical, réplique exacte d'une bourgade bavaroise du siècle passé, une bizarrerie architecturale faite de maisonnettes de bois peint, d'horloges à coucous, de géraniums en pot, d'écriteaux en lettres gothiques, habitée par une population de gens blonds arborant les mêmes tenues tyroliennes et les mêmes joues rubicondes que celles qu'avaient apportées leurs arrière-grands-parents en émigrant de la Forêt Noire. Bien que la Colonie fût déjà à cette époque l'attraction touristique qu'elle est de nos jours, Roberto put louer une maison suffisamment à l'écart pour être épargnée par l'affluence des fins de semaine. Tous deux me prièrent de m'occuper de leurs affaires à la capitale, je me chargeai de récupérer leur pension, les factures, le courrier. Au début, je leur rendis de fréquentes visites, mais je ne tardai pas à m'apercevoir qu'en ma présence ils faisaient montre d'une cordialité quelque peu forcée, bien différente de l'accueil chaleureux qu'ils me prodiguaient autrefois. L'idée ne m'effleura pas qu'ils avaient quelque chose contre moi, jamais je n'ai cessé de compter sur leur estime et leur confiance ; j'en déduisis simplement qu'ils désiraient rester en tête à tête et préférai désormais communiquer avec eux par téléphone ou par lettres.

Quand Roberto m'appela pour la dernière fois, cela faisait une bonne année que je ne les avais revus. A lui je parlais fort peu, mais j'avais de longues conversations avec Ana. Je lui donnais des nouvelles du reste du monde et elle me racontait son passé qui paraissait de plus en plus reprendre vie pour elle, comme si toutes ces réminiscences d'antan faisaient partie de son présent dans le silence qui l'entourait désormais. Parfois, elle me faisait parvenir par divers canaux des galettes d'avoine qu'elle avait préparées à mon intention, ainsi que des sachets de lavande pour parfumer les armoires. Les derniers mois, elle m'envoya également de délicats présents : un mouchoir que son mari lui avait offert nombre d'années auparavant, des clichés de sa jeunesse, une broche ancienne. Je suppose que ces gestes, s'ajoutant à leur souhait de vivre isolés et à la façon dont Roberto évitait de parler de son livre en cours, auraient dû me mettre la puce à l'oreille, mais j'étais à cent lieues d'imaginer ce qui se passait alors dans ce chalet montagnard. Plus tard, quand il me fut donné de lire le journal d'Ana, j'appris que Roberto n'avait pas écrit une seule ligne. Tout ce temps, il l'avait entièrement consacré à aimer sa femme, sans pour autant parvenir à infléchir le cours des événements.

En fin de semaine, le voyage à la Colonie ressemble à un pèlerinage de voitures aux moteurs brûlants progressant pare-choc contre pare-choc, mais les autres jours, surtout à la saison des pluies, il s'agit d'une promenade solitaire sur une route en épingle à cheveux qui franchit les sommets entre des précipices imprévus et des forêts de bambous et de palmiers. Cet après-midi-là, il y avait des nuages accrochés aux reliefs et tout le paysage paraissait d'ouate. La pluie avait réduit les oiseaux au silence et on n'entendait que le bruit de la pluie contre les vitres. Plus haut, l'air se rafraîchit et je sentis l'orage se dissiper dans la brume comme sous l'effet d'un nouveau climat, d'un changement de latitude. Soudain, à un détour du chemin surgit ce fameux village à l'allure germanique, avec ses toits en pente pour supporter une neige qui ne tomberait jamais. Pour arriver chez les Blum, il fallait traverser toute la bourgade qui, à cette heure, paraissait déserte. Leur chalet était identique aux autres, construit en bois sombre avec des auvents sculptés et des fenêtres à rideaux de dentelle ; devant fleurissait un jardinet bien entretenu, à l'arrière s'étendaient des plates-bandes de fraisiers. Il soufflait une bise glacée qui sifflait entre les arbres, mais je ne remarquai aucune fumée sortant des cheminées. Le chien, qui leur avait tenu compagnie tout au long de ces années, était couché devant l'entrée et ne bougea pas quand je l'appelai ; il se borna à lever la tête et à me regarder sans remuer la queue, comme s'il ne me reconnaissait pas, mais il m'emboîta le pas quand j'eus poussé la porte — qui n'était pas fermée à clé — et franchi le seuil. Il faisait noir. Je cherchai à tâtons l'interrupteur et allumai. Tout avait l'air en ordre, on remarquait dans les vases des branches d'eucalyptus fraîchement coupées qui imprégnaient l'air d'une odeur de propre. Je traversai la salle de séjour de cette maison louée où rien ne trahissait la présence des Blum, hormis les amoncellements de livres et le violon, et je fus étonné qu'en quelque dix-huit mois mes amis n'eussent pas mieux marqué de leur personnalité l'endroit où ils vivaient.

J'empruntai l'escalier et montai à l'étage où se trouvait la chambre à coucher principale, une pièce spacieuse au haut plafond barré de poutres rustiques, aux murs couverts d'un papier délavé, au mobilier ordinaire de style vaguement provençal. Une lampe de chevet éclairait le lit sur lequel gisait Ana dans sa robe de soie bleue et parée du collier de corail que je lui avais vus tant de fois. Dans la mort, elle avait la même expression candide que sur sa photo de mariage, nombre d'années auparavant, quand le capitaine du bateau l'avait unie à Roberto à

soixante-dix milles des côtes, en cet après-
fique où les poissons volants avaient surgi de la
annoncer aux réfugiés que la terre promise n'était
loin. Le chien qui m'avait suivie se blottit dans un coin
en gémissant doucement.

Sur la table de nuit, à côté d'un ouvrage de broderie
inachevé et du journal intime d'Ana, je découvris un mot
de Roberto écrit à mon intention ; il m'y priait de
m'occuper du chien et de les inhumer tous deux dans le
même cercueil au cimetière de ce village de légende. Ils
avaient décidé de mourir ensemble, le cancer dont Ana
était atteinte étant entré dans sa phase terminale ; ils
préféraient voyager vers l'étape suivante en se tenant par
la main, comme ils l'avaient toujours fait, afin qu'à
l'instant fugace où l'esprit se détache du corps, ils ne
courent pas le risque de se perdre dans quelque dédale
du vaste univers.

Je fis le tour de la maison, à la recherche de Roberto.
Je le trouvai dans une petite pièce attenante à la cuisine
où il avait aménagé son bureau ; assis à une table de bois
clair, la tête entre les mains, il sanglotait. Devant lui
reposait la scringuc avec laquelle il avait injecté le poison
à sa femme, remplie de la dose qui lui était destinée. Je
lui caressai la nuque ; il redressa la tête et me regarda
longuement. Je suppose qu'il avait voulu épargner à Ana
les souffrances de la fin et qu'il avait préparé leur
commun départ de telle manière que rien ne vînt altérer
la sérénité de cet instant : il avait fait le ménage, disposé
des bouquets dans les vases, il avait vêtu et coiffé sa
femme, puis, quand tout avait été fin prêt, il avait
procédé à l'injection. Tout en la berçant de la promesse
qu'il l'aurait rejointe quelques minutes plus tard, il s'était
allongé à ses côtés et l'avait tenue dans ses bras jusqu'à
ce qu'il fût assuré qu'elle avait cessé de vivre. Il avait
rempli de nouveau la seringue, il avait remonté sa manche

de chemise et avait cherché à tâtons la veine, mais les choses n'avaient pas tourné comme il l'avait prévu. C'est alors qu'il m'avait téléphoné.

— Je ne peux pas, Éva, je ne peux pas. Il n'y a qu'à toi que je puisse le demander... De grâce, aide-moi à mourir.

Un subtil miracle

La famille Boulton descendait d'un boutiquier de Liverpool qui avait émigré vers le milieu du XIXe siècle avec sa formidable ambition pour seul bien et qui avait fait fortune grâce à une flottille de cargos dans le pays le plus austral et le plus à l'écart du reste du monde. Les Boulton étaient des membres éminents de la colonie britannique, et, comme tant d'Anglais éloignés de leur île, ils avaient préservé leur langue et leurs traditions avec une absurde ténacité, jusqu'à ce que le mélange avec du sang créole eût rabattu leur morgue et leur eût fait troquer leurs prénoms anglo-saxons pour d'autres, moins distingués.

Gilberto, Filomena et Miguel étaient nés à l'apogée de la fortune des Boulton, mais, tout au long de leur vie, ils avaient assisté au déclin du trafic maritime et vu s'évaporer une partie substantielle de leurs revenus. Bien qu'ils eussent cessé d'être riches, ils étaient néanmoins parvenus à préserver leur style de vie. Il était difficile de trouver trois êtres aussi différents d'allure et de caractère que les deux frères et la sœur. La vieillesse aidant, les traits de chacun s'étaient accentués, mais, en dépit de leurs apparentes dissemblances, leurs âmes se rejoignaient sur l'essentiel.

Gilberto était un poète d'un peu plus de soixante-dix

ans aux traits délicats et au maintien de danseur dont l'existence s'était écoulée à l'écart des contingences matérielles entre les livres d'art et les antiquités. Il était le seul des trois enfants à avoir été éduqué en Angleterre, expérience qui l'avait profondément marqué. Il en avait gardé pour toujours la manie du thé. Jamais il ne prit femme, en partie parce qu'il n'avait pas rencontré à temps la jeune fille pâle qui surgissait à tant de reprises dans ses poèmes de jeunesse, en partie aussi parce que du jour où il eut renoncé à ce mirage, il était trop tard, ses habitudes de vieux garçon étant déjà trop enracinées en lui. Il se gaussait de ses yeux bleus, de ses cheveux jaunâtres et de leur commun ancêtre, déclarant que la quasi-totalité des Boulton n'étaient que de vulgaires commerçants qui, à force de se prendre pour des aristocrates, avaient fini par se persuader qu'ils l'étaient. Il n'en portait pas moins des vestes de tweed avec des pièces de cuir aux coudes, il jouait au bridge, lisait le *Times* avec trois semaines de retard et cultivait l'humour et le flegme attribués aux intellectuels britanniques.

D'une rondeur et d'une simplicité de paysanne, Filomena était veuve et grand-mère de plusieurs petits-enfants. Elle était douée d'une grande tolérance qui la portait à accepter aussi bien les accès d'anglophilie de Gilberto que les chaussures trouées et les cols de chemise effilochés de Miguel. Jamais la vaillance ne lui faisait défaut quand il s'agissait de s'occuper des petites misères physiques de Gilberto, de l'écouter réciter ses bizarres poèmes, ou d'apporter son concours aux projets sans nombre de Miguel. Infatigablement, elle tricotait des paletots à l'intention de son frère cadet qui les mettait une ou deux fois, puis en faisait cadeau à plus nécessiteux. Les aiguilles étaient comme un prolongement de ses doigts, elles s'activaient à un rythme saccadé, émettant un continuel tic-tac qui signalait sa présence et l'accompagnait en permanence, tout comme l'odeur de jasmin de son eau de toilette.

Miguel Boulton était prêtre. A la différence de ses frère et sœur, il était brun et court sur pattes, couvert des pieds à la tête d'une toison noire qui lui aurait conféré un aspect franchement bestial si son visage n'avait été empreint d'une telle bienveillance. Vers l'âge de dix-sept ans, il avait abandonné les commodités de la demeure familiale et n'y revenait que pour prendre part aux déjeuners dominicaux avec ses parents, ou pour se faire soigner par Filomena les rares fois où il tombait sérieusement malade. Il n'éprouvait pas la moindre nostalgie pour les aises de son adolescence ; ses accès de mauvaise humeur ne l'empêchaient pas de considérer que la chance lui avait souri et de s'estimer satisfait de son sort. Il vivait à proximité de la décharge municipale, dans un misérable bidonville des abords de la capitale aux rues sans revêtement, sans trottoirs, sans arbres. Sa cabane était faite de planches et de tôles. Parfois, l'été, montaient de terre des fumerolles pestilentielles : c'étaient les émanations de gaz en provenance des dépôts d'ordures qui s'étaient infiltrées dans le sous-sol. Son mobilier se composait d'un lit de camp, d'une table, de deux chaises et d'étagères pour supporter les livres ; aux murs, des affiches révolutionnaires, des croix en fer-blanc fabriquées par des prisonniers politiques, d'humbles tapisseries brodées par les mères des disparus, et des fanions de son équipe de football favorite. A côté du crucifix devant lequel il communiait seul chaque matin et rendait grâces à Dieu tous les soirs d'être encore en vie, était suspendu un drapeau rouge. Le père Miguel était un de ces êtres habités par l'effrayante passion de la justice. Dans toute sa longue existence, il avait vu tant et tant de souffrances autour de lui qu'il était incapable de songer à une douleur personnelle, ce qui, ajouté à la conviction d'agir au nom de Dieu, le rendait téméraire. Chaque fois que les militaires forçaient sa porte et l'embarquaient en l'accusant de menées subversives, il leur fallait le bâillonner, car même en le rouant de coups, ils ne parvenaient pas à l'empêcher de les abreuver d'injures entrecoupées de citations des Évangiles. Il avait été arrêté si souvent, il avait tant multiplié les grèves de la faim par solidarité avec les détenus, et hébergé tant de fugitifs qu'en vertu du calcul des probabilités, il aurait déjà dû être mort plusieurs fois. La photo qui le représentait accroupi devant un bâtiment de la police politique, avec une pancarte proclamant : « Ici on torture », avait été diffusée dans le monde entier. Il n'était pas de châtiment capable de le briser, mais comme il était déjà trop connu, on n'osa pas le faire disparaître, comme tant d'autres. La nuit, quand il se campait devant son minuscule autel domestique pour converser avec Dieu, il en venait à se demander avec effroi si ses seuls mobiles étaient bien l'amour du prochain et la soif de justice, ou si n'entrait pas également dans ses actes une part d'orgueil satanique. Cet homme capable d'endormir un petit enfant en lui fredonnant des boléros et de passer des nuits blanches à veiller les malades ne se fiait pas à la bonté de son propre cœur. Toute sa vie, il avait dû se défendre contre la colère qui lui épaississait les sangs et dont les explosions étaient chez lui impossibles à contenir. En son for intérieur, il se demandait néanmoins ce qu'il adviendrait de lui si les circonstances ne lui prodiguaient tant de si bons motifs de se défouler. Filomena se faisait du souci pour lui, mais Gilberto était d'avis que si rien de bien grave ne lui était arrivé en ayant passé quelque soixante-dix ans sur le fil du rasoir, il n'y avait aucune raison de s'inquiéter, l'ange gardien de leur frère ayant démontré son efficacité à toute épreuve.

— Les anges n'existent pas. Ce sont des erreurs sémantiques ! ripostait Miguel.

— Cesse de proférer des hérésies, mon petit père !

— C'étaient de simples messagers jusqu'à ce que saint Thomas d'Aquin se soit mêlé d'inventer ces balivernes.

— Tu vas me faire croire que la plume de l'archange Gabriel, que l'on vénère à Rome, provient de la queue d'un vautour ? plaisantait Gilberto.

— Si tu ne crois pas aux anges, c'est que tu ne crois en rien, intervenait Filomena. Pourquoi rester curé ? Tu devrais changer de métier.

— On a déjà suffisamment perdu de siècles à discuter sur le point de savoir combien de ces créatures peuvent tenir sur la pointe d'une épingle. Qu'est-ce qu'on en a à faire ? Cessez de gaspiller votre énergie avec les anges, occupez-vous plutôt d'aider les pauvres !

Sa vue avait décliné insensiblement et il était devenu presque aveugle. Il voyait encore un peu de l'œil gauche, mais plus rien du droit, il ne pouvait plus lire et éprouvait de la difficulté à s'aventurer loin de chez lui, car il s'égarait dans les rues. Il dépendait de plus en plus de Filomena pour ses déplacements. Elle l'accompagnait ou bien lui envoyait la voiture avec son chauffeur, Sebastián Canuto, dit El Cuchillo[1], un ex-droit commun que Miguel avait sorti de prison et remis dans le droit chemin, et qui était au service de la famille depuis deux décennies. Avec l'agitation politique de ces dernières années, El Cuchillo s'était transformé en discret garde du corps du curé. Dès qu'on entendait parler d'une marche de protestation, Filomena lui donnait congé pour la journée et il filait vers le bidonville de Miguel, équipé d'une matraque et de deux coups-de-poing américains planqués dans ses poches. Il se postait dans la rue, épiant la sortie du

1. Le Couteau. (N.d.T.)

prêtre, puis il le suivait à distance, prêt à en venir aux coups pour le défendre, voire à le traîner à l'abri si la situation l'exigeait. Miguel vivait trop dans les nuages pour se rendre compte de ces manœuvres de protection qui l'eussent rendu furieux, car il aurait trouvé injuste d'en bénéficier alors que le reste des manifestants essuyait les horions, le jet des lances à eau et les gaz lacrymogènes.

Il s'en fallait de peu que Miguel eût fêté son soixante-dixième anniversaire quand un épanchement à l'œil gauche le plongea en quelques minutes dans une obscurité totale. Il se trouvait à l'église pour une réunion nocturne avec les gens du bidonville, évoquant la nécessité de s'organiser face à l'envahissante décharge publique, car on ne pouvait continuer à vivre au milieu de toutes ces mouches et dans cette odeur de pourriture. Bien des habitants du coin se situaient dans le camp opposé à la religion catholique ; en vérité, il n'y avait pas pour eux de preuves de l'existence de Dieu, au contraire, les vicissitudes de leur sort démontraient de manière irréfutable que le monde n'était qu'un panier de crabes, mais ils n'en considéraient pas moins le bâtiment paroissial comme le centre naturel du bidonville. La croix que Miguel portait sur sa poitrine n'était pour eux qu'une broutille, une sorte de fantaisie de vieillard. Le prêtre marchait de long en large, comme à son habitude, quand il sentit les battements de ses tempes et de son cœur s'emballer et son corps se couvrir de la tête aux pieds d'une sueur poisseuse. Il incrimina la chaleur de la discussion, s'épongea le front du revers de sa manche et ferma un moment les paupières. Quand il les rouvrit, il se crut aspiré par un tourbillon vers le fond de la mer, il ne percevait plus qu'une houle vertigineuse, des taches, du noir sur du noir. Il tendit un bras pour chercher appui.

— Le courant a été coupé, dit-il en songeant à un nouveau sabotage.

Ses amis l'entourèrent, saisis d'effroi. Le père Boulton était un extraordinaire camarade ; si loin que remontaient leurs souvenirs, ils l'avaient vu vivre parmi eux. Jusquelà, ils l'avaient cru invincible, voyant en lui un homme râblé, tout en muscles, à la voix d'adjudant et aux mains de maçon qui se joignaient dans la prière alors qu'en vérité elles avaient plutôt l'air faites pour la bagarre. Ils réalisèrent soudain combien il était usé et ils le découvrirent tout rabougri, minuscule : un gosse tout ridé. Un chœur de femmes improvisa les premiers soins, elles l'obligèrent à s'étendre par terre, elles lui posèrent des compresses sur le front, lui donnèrent à boire du vin chaud, lui massèrent les pieds ; mais cela resta sans effet et tout ce tripatouillage empêchait au contraire le malade de respirer. Miguel finit par écarter les gens qui s'affairaient au-dessus de lui et par se relever, bien décidé à affronter sans broncher ce nouveau malheur.

— Je suis une vraie catastrophe, dit-il sans se départir de son calme. Merci de bien vouloir prévenir ma sœur. Dites-lui que j'ai eu un embêtement, mais ne lui donnez pas de détails, qu'elle n'aille pas se faire du mouron.

Sebastián Canuto arriva dans l'heure, farouche et taciturne comme à l'accoutumée ; il déclara que Madame Filomena ne pouvait pas rater l'épisode de son feuilleton télévisé et qu'elle lui envoyait un peu d'argent et un panier de vivres pour ses ouailles.

— Cette fois, Cuchillo, il ne s'agit pas de ça. J'ai l'impression que je suis devenu aveugle.

L'homme le hissa à bord de l'automobile et, sans poser de questions, le conduisit à l'autre bout de la capitale, dans la résidence des Boulton qui dressait son élégante architecture au milieu d'un parc quelque peu à l'abandon, mais non dénué encore de majesté. Il héla à pleine voix tous les occupants de la demeure, aida l'infirme à mettre pied à terre, puis le souleva comme une plume, bouleversé de le découvrir si léger, si docile. Son rude faciès de récidiviste était baigné de larmes quand il vint apporter la nouvelle à Gilberto et Filomena.

— Par la damnée grognasse qui m'a mis au monde, voilà don Miguelito qui a perdu ses yeux. Il ne nous manquait plus que ça ! sanglota le chauffeur, incapable de se contenir.

— Ne dis pas de grossièretés devant le poète, lança le prêtre.

— Mets-le au lit, Cuchillo, ordonna Filomena. Ça n'est pas grave, il a dû prendre froid. Voilà ce qui arrive quand on se balade sans paletot !

— Le temps a suspendu son cours / L'hiver est là de nuit comme de jour / Il règne un pur silence d'antennes / fouillant les ténèbres[1]... — se mit à improviser Roberto.

— Dis à la cuisinière de préparer un bouillon de poule, fit sa sœur en lui coupant le sifflet.

Le médecin de famille constata qu'il ne s'agissait aucunement d'un coup de froid et recommanda que Miguel consultât un ophtalmologiste. Le lendemain, après un exposé enflammé sur la santé, don de Dieu et droit du peuple que l'infâme système dominant avait transformé en privilège d'une caste, le malade accepta de se rendre chez un spécialiste. Sebastián Canuto conduisit les deux frères et la sœur à l'hôpital de la Zone Sud, seul établissement admis par Miguel dans la mesure où on y soignait les plus pauvres d'entre les pauvres. Sa soudaine cécité avait mis le curé d'une humeur de chien, il ne parvenait pas à comprendre quel dessein le Seigneur poursuivait en faisant de lui un invalide au moment précis où on avait plus que jamais besoin de ses services.

1. *Aunque es de noche,* du poète chilien Carlos Bolton.

La résignation chrétienne lui était sortie de l'esprit. De but en blanc, il refusa qu'on le guidât ou le soutînt, il préférait avancer en titubant au risque de se rompre les os, moins par orgueil que pour s'habituer au plus tôt à cette nouvelle infirmité. Filomena chuchota des instructions à l'oreille du chauffeur pour qu'il modifiât l'itinéraire et les conduisît à la Clinique allemande, mais son frère, à qui l'odeur de la misère n'était que trop familière, commença à nourrir des soupçons dès qu'ils eurent franchi le seuil de l'établissement, et put vérifier leur bien-fondé en entendant de la musique dans l'ascenseur. Il fallut le faire sortir de là en quatrième vitesse avant qu'une bagarre n'éclatât. A l'hôpital, ils durent patienter quatre heures ; Miguel les mit à profit pour s'enquérir des malheurs des autres patients présents dans la salle d'attente, Filomena pour entamer un nouveau tricot, et Gilberto pour composer le poème sur les antennes fouillant les ténèbres qui avait germé en lui la veille.

— Il n'y a plus rien à faire pour l'œil droit ; pour rendre un peu de vision au gauche, il faudrait l'opérer de nouveau, fit le médecin qui avait fini par les recevoir. Il a déjà subi trois interventions et les tissus sont très amochés, il y faudrait des techniques et des instruments spéciaux. A mon avis, le seul endroit où on pourrait s'y risquer est l'Hôpital militaire...

— Impossible ! l'interrompit Miguel. Jamais je ne mettrai les pieds dans ce repaire de barbares !

Interloqué, le praticien lança un clin d'œil indulgent à l'adresse de l'infirmière qui le lui rendit avec un sourire complice.

— Ne commence pas à faire des caprices, Miguel. Il n'y en aura que pour un jour ou deux, je ne vois pas en quoi ce serait trahir tes principes. Personne ne va en enfer pour ça ! lui remontra Filomena — mais son frère rétorqua qu'il préférait rester aveugle pour le restant de ses jours plutôt que de donner aux militaires le plaisir de lui rendre la vue.

Sur le pas de la porte, le médecin le retint un instant par le bras.

— Attendez, mon père... Avez-vous entendu parler de la clinique de l'Opus Dei ? Là-bas aussi, ils disposent de moyens très modernes.

— L'Opus Dei ? s'exclama le curé. Vous avez dit l'Opus Dei ?

Filomena tenta de l'entraîner hors du cabinet, mais il se cramponna au chambranle pour faire savoir au praticien qu'il n'irait pas non plus demander service à ces gens-là.

— Mais pourquoi ?.... Ils ne sont pas catholiques ?

— Ce sont des pharisiens réactionnaires !

— Excusez-moi, bredouilla le médecin.

Remonté en voiture, Miguel débita à ses frère et sœur, ainsi qu'au chauffeur, que l'Opus Dei était une organisation funeste, plus préoccupée de donner bonne conscience aux gens de la haute que de procurer à manger à ceux qui crèvent de faim, et qu'il était plus facile à un chameau de passer par le chas d'une aiguille qu'à un riche d'entrer dans le Royaume des Cieux, ou quelque chose d'approchant. Il ajouta que ce à quoi ils venaient d'assister montrait une fois de plus combien tout allait de travers dans ce pays où seuls les privilégiés pouvaient se faire soigner correctement alors que les autres devaient se contenter d'herbes de miséricorde et de cataplasmes d'humiliation. Pour finir, il demanda qu'on le ramenât directement chez lui, car il devait arroser les géraniums et préparer son sermon dominical.

— Je suis d'accord, déclara Gilberto — déprimé par les heures d'attente et par le spectacle d'une telle profusion de malheurs et de laideurs à l'hôpital ; il n'était vraiment pas habitué à ce genre d'expéditions.

— D'accord sur quoi ? s'enquit Filomena.

— Sur le fait que nous ne pouvons pas nous rendre à l'Hôpital militaire, ce serait vraiment trop pendable ! Mais nous pourrions donner sa chance à l'Opus Dei, vous ne pensez pas ?

— Mais de quoi parles-tu ? s'écria son frère. Je t'ai déjà dit ce que j'en pensais.

— On dirait que nous n'avons pas les moyens ! renchérit Filomena, sur le point de perdre patience.

— Ça ne coûte rien de demander, avança Gilberto en se passant dans le cou son mouchoir parfumé.

— Ces gens-là sont si absorbés à brasser des fortunes dans les banques et à broder des chasubles au fil d'or qu'ils n'ont plus la tête à prêter attention aux misères d'autrui. Le Ciel ne se gagne pas à coups de génuflexions, mais...

— Mais vous n'êtes pas pauvre, don Miguelito ! l'interrompit Sebastián Canuto, cramponné à son volant.

— Ne m'insulte pas, Cuchillo ! Je suis aussi pauvre que toi. Fais demi-tour et conduis-nous à cette clinique afin de montrer au poète que, comme toujours, il vit sur une autre planète.

Ils furent reçus par une dame fort aimable qui leur fit remplir un formulaire et leur proposa du café. Au bout d'un quart d'heure, tout trois passèrent dans le cabinet du docteur.

— Avant tout, docteur, j'aimerais savoir si vous faites vous aussi partie de l'Opus Dei ou si vous travaillez simplement ici, dit le prêtre.

— J'appartiens bien à l'Œuvre, fit le médecin en souriant mollement.

— A combien revient la consultation ? demanda le curé d'un ton ouvertement sarcastique.

— Vous avez des problèmes financiers, mon père ?

— Dites-moi combien.

— Rien, dès lors que vous ne pouvez pas payer. Les dons sont à la discrétion de chacun.

Un bref instant, le père Boulton perdit de son assurance, mais son désarroi fut de courte durée.

— Ça ne ressemble pourtant pas à une œuvre de bienfaisance.

— C'est une clinique privée.

— Ouais... Ne viennent ici que les gens qui ont les moyens de faire des dons.

— Écoutez, mon père, si ça ne vous plaît pas, je vous conseille d'aller voir ailleurs, riposta le praticien. Mais vous ne partirez pas sans que je vous aie examiné. Si vous voulez, vous pouvez même m'amener tous vos protégés, ici nous les soignerons de notre mieux, ceux qui ont de l'argent paient pour ça. Et maintenant, ne bougez plus, ouvrez bien les yeux.

Après un examen minutieux, le médecin confirma le diagnostic antérieur, tout en ne se montrant guère optimiste.

— Nous disposons ici d'une excellente équipe, mais il s'agit là d'une intervention extrêmement délicate. Je ne veux pas vous bercer d'illusions, mon père, seul un miracle peut vous rendre la vue, conclut-il.

Miguel était si abattu que c'est à peine s'il l'avait écouté, mais Filomena s'accrocha à cet espoir.

— Un miracle, dites-vous ?

— Euh.... c'est une façon de parler, madame. La vérité est que personne ne saurait lui garantir qu'il pourra voir à nouveau.

— Si c'est un miracle que vous voulez, je sais où m'adresser, fit Filomena en fourrant son tricot dans son sac. Merci beaucoup, docteur. Préparez tout pour l'opération, nous serons vite de retour.

Ayant repris place dans la voiture entre Miguel, muet pour la première fois depuis longtemps, et Gilberto, exténué par les émotions de cette journée, Filomena ordonna à Sebastián Canuto de filer vers la montagne. L'homme lui lança un regard en coin et sourit, ravi de cette initiative. Ce n'était pas la première fois qu'il conduisait sa patronne vers cette destination, mais il ne le faisait jamais de gaieté de cœur, la route était comme un serpent entortillé sur lui-même, mais, en l'occurrence, il était stimulé par l'idée de venir en aide à l'être qu'il estimait le plus au monde.

— Où va-t-on, à présent ? marmonna Gilberto, faisant appel à toute son éducation britannique pour ne pas s'écrouler de fatigue.

— Il vaudrait mieux que tu fasses un somme, le trajet sera long, lui exposa sa sœur. Nous nous rendons à la grotte de Juana de los Lirios[1].

— Tu dois être tombée sur la tête ! s'exclama le curé ahuri.

— Il s'agit d'une sainte.

— Pures sornettes ! L'Église ne s'est pas prononcée sur son cas.

— Le Vatican a toujours cent ans de retard quand il s'agit de reconnaître les saints. Nous ne pouvons pas attendre aussi longtemps, décréta Filomena.

— Si Miguel a décidé de ne pas croire aux anges, il croira encore moins aux bienheureuses autochtones, d'autant que cette Juana est issue d'une famille de propriétaires fonciers, soupira Gilberto.

— Cela n'a rien à voir, elle a vécu dans la plus grande pauvreté. Ne va pas encore donner des idées à Miguel ! s'exclama Filomena.

— Si les siens ne s'étaient pas montrés disposés à dépenser une fortune pour avoir une sainte dans la

1. Jeanne aux lys. *(N.d.T.)*

famille, personne n'en aurait jamais entendu parler, trancha le curé.

— Elle est plus miraculeuse que n'importe lequel de tes saints étrangers !

— De toute façon, il me semble bien prétentieux de demander à bénéficier d'un traitement particulier. On a beau dire, je ne suis rien du tout et je n'ai pas le droit de déranger le Ciel avec des sollicitations personnelles, bougonna l'aveugle.

Juana avait commencé à faire parler d'elle au lendemain de sa mort prématurée ; les paysans du coin, impressionnés par sa vie dévote et ses œuvres de charité, lui adressaient des prières pour obtenir quelque faveur. Le bruit n'avait pas tardé à se répandre que la défunte était capable d'accomplir des prodiges, puis il avait enflé de plusieurs tons pour culminer avec ce qu'on appela le miracle de l'Explorateur. L'homme s'était égaré dans la cordillère depuis une bonne quinzaine de jours, les équipes de secours avaient abandonné les recherches et étaient sur le point de le déclarer mort quand il était réapparu, épuisé et mourant de faim, mais sain et sauf. Dans ses déclarations à la presse, il raconta qu'il avait vu en rêve l'image d'une jeune fille en robe longue, portant un bouquet de fleurs dans les bras. A son réveil, il avait humé un fort parfum de lys, ne doutant pas un seul instant que ce fût là un message céleste. En suivant le pénétrant arôme de ces fleurs, il avait réussi à sortir du labyrinthe de gorges et de ravins et à se retrouver aux abords d'un chemin. En comparant sa vision à un portrait de Juana, il certifia qu'il s'agissait bien de la même personne. La famille de la jeune fille se chargea alors de faire connaître l'histoire, d'édifier une grotte à l'endroit où l'explorateur avait reparu et d'user de tous les moyens à sa disposition pour soumettre le cas au Saint-Siège. Pour l'heure, cependant, le collège de cardinaux ne donnait pas de réponse. A Rome, on se méfiait des décisions précipitées, on avait derrière soi des siècles et des siècles d'un exercice circonspect du pouvoir et on espérait bien en avoir davantage encore devant soi, de sorte qu'on ne se hâtait en rien, *a fortiori* pour les béatifications. On y recevait des flopées de témoignages du continent sud-américain où surgissaient à tout bout de champ prophètes, ascètes, prédicateurs, stylites, martyrs, vierges, anachorètes et autres personnages hors du commun que les gens vénéraient, mais il n'était pas question de tomber en extase devant chacun. La plus grande prudence était de mise en ce genre d'affaires, car le moindre faux pas pouvait plonger dans le ridicule, surtout en ces temps de pragmatisme où l'incrédulité l'emportait sur la foi. Quoi qu'il en soit, les adorateurs de Juana n'avaient pas attendu la sentence de Rome pour lui réserver un traitement de sainte. On vendait des images et des médailles à son effigie et on publiait chaque jour dans les journaux des avis la remerciant pour telle ou telle faveur qu'elle avait accordée. A l'intérieur de la grotte, on avait planté une telle quantité de lys que leur odeur étourdissait les pèlerins et rendait stériles tous les animaux domestiques à la ronde. Lampes à huile, cierges et torches répandaient dans l'air une fumée épaisse et stagnante ; l'écho des cantiques et des prières ricochait d'une montagne à l'autre, plongeant les condors en vol dans un abîme de perplexité. Rapidement, l'endroit se couvrit d'ex-voto et de tout un assortiment d'appareils orthopédiques et de répliques d'organes humains en réduction que les croyants y déposaient en guise de preuves de guérison surnaturelle. Grâce à une collecte publique, on réunit assez d'argent pour empierrer la route, et au bout de quelque deux ans, un itinéraire en zigzags, mais tout à fait praticable, relia la capitale au sanctuaire.

Les Boulton arrivèrent à destination à la nuit tombante. Sebastián Canuto aida les trois vieillards à gravir le raidillon qui menait à la grotte. En dépit de l'heure tardive, les fidèles étaient encore nombreux ; les uns se traînaient à genoux sur le sol caillouteux, soutenus par quelque parent prévenant, d'autres priaient à voix haute ou allumaient des cierges devant une statue en plâtre de la sainte. Filomena et El Cuchillo s'agenouillèrent pour formuler leur vœu, Gilberto se laissa choir sur un banc pour songer à la façon dont la vie tournait sur elle-même, tandis que Miguel restait debout, marmonnant que si on en était à solliciter des miracles, pourquoi diable ne demandait-on pas plutôt la chute du tyran et que la démocratie fût restaurée une fois pour toutes !

Quelques jours plus tard, les praticiens de la clinique de l'Opus Dei lui opérèrent gratuitement l'œil gauche après avoir prévenu son frère et sa sœur qu'ils ne devaient point se faire trop d'illusions. Le prêtre pria Filomena et Gilberto de s'abstenir de toute allusion à Juana de los Lirios, c'était déjà assez de l'humiliation d'être secouru par ses adversaires idéologiques. Dès qu'il fut autorisé à sortir, Filomena l'emmena chez elle sans tenir compte de ses protestations. Miguel arborait un énorme pansement qui lui couvrait la moitié du visage et l'intervention l'avait considérablement affaibli, mais son sens de l'humilité demeurait intact. Il déclara qu'il ne souhaitait pas être soigné par des mains mercenaires, si bien qu'il fallut congédier l'infirmière engagée pour la circonstance. Filomena et le fidèle Sébastián Canuto se chargèrent de veiller sur lui, tâche rien moins que légère dans la mesure où le convalescent était d'une humeur massacrante, ne supportait pas de rester au lit et refusait d'avaler quoi que ce fût.

La présence du prêtre bouleversa de fond en comble les habitudes de la demeure. Les radios de l'opposition et *La Voix de Moscou* captée sur ondes courtes retentissaient à toute heure et on assistait à un défilé permanent de banlieusards affligés en provenance du bidonville de Miguel, venus rendre visite au malade. Sa chambre se remplit de modestes cadeaux : des dessins des mouflets de l'école, quelques biscuits, des plantes vertes ou des fleurs plantées dans des boîtes de conserve, une poule pour le bouillon et jusqu'à un chiot de deux mois qui pissait sur les tapis persans et grignotait les pieds des meubles, qu'on lui avait amené dans l'idée de le dresser et d'en faire un chien d'aveugle. Quoi qu'il en soit, la convalescence fut rapide et quarante-huit heures après l'opération, Filomena téléphona au médecin pour l'informer que son frère y voyait assez bien.

— Mais ne lui ai-je pas dit de ne pas toucher à son bandage ! s'écria le praticien.

— Il l'a encore, expliqua la femme à l'appareil. A présent, il voit de l'autre œil.

— Quel autre œil ?

— L'œil d'à côté, docteur, celui qui était mort.

— Impossible ! J'arrive tout de suite. Ne le faites bouger sous aucun prétexte ! ordonna le chirurgien.

A la résidence des Boulton, il trouva son patient en pleine forme, ingurgitant des pommes frites et regardant le feuilleton télévisé, le chien sur les genoux. Incrédule, il ne put que constater que le prêtre voyait sans gêne aucune de l'œil qui été devenu aveugle huit ans auparavant, et, son bandage enlevé, il apparut avec évidence qu'il voyait aussi de l'œil qui venait d'être opéré.

Le père Miguel fêta ses soixante-dix ans à l'église paroissiale de son quartier. Sa sœur Filomena et ses amies organisèrent une caravane d'automobiles bourrées de pâtés en croûte et de gâteaux, de petits fours, de corbeilles de fruits et de jarres de chocolat, conduite par El Cuchillo qui transportait le vin et les alcools dissimulés dans des bouteilles de sirop d'orgeat. Le curé avait représenté les hauts et les bas de sa rude existence sur de grandes feuilles de papier qu'il avait affichées aux murs de l'église. Il y racontait avec un brin d'ironie les aléas de sa vocation depuis cet instant où, à l'âge de quinze ans, il avait reçu l'appel de Dieu comme un coup de massue sur la nuque, puis sa lutte contre les péchés capitaux, en premier lieu la gourmandise et la luxure, plus tard la colère, jusqu'à ses récentes mésaventures dans les locaux de la police à un âge où les autres vieux croûtons se balançaient dans leur fauteuil à bascule en comptant les étoiles. Il avait épinglé un portrait de Juana, couronnée d'une guirlande de fleurs, à côté des inévitables drapeaux rouges. La fête débuta par une messe accompagnée par quatre guitares, à laquelle assistèrent tous les gens du voisinage. On avait installé des haut-parleurs afin que la foule qui débordait dans la rue pût suivre la cérémonie. A l'issue de la bénédiction, plusieurs personnes sortirent des rangs pour témoigner de quelque nouveau cas d'abus des autorités, mais Filomena s'avança à grands pas pour déclarer que les lamentations avaient assez duré et que l'heure était venue de s'amuser. Tout le monde passa dans la cour, quelqu'un mit de la musique et commencèrent aussitôt les danses et le festin. Les dames des hauts quartiers firent le service, cependant qu'El Cuchillo allumait un feu d'artifice et que le curé dansait un charleston, entouré par tous ses paroissiens et amis, afin de bien montrer que non seulement il y voyait comme un aigle, mais que, par-dessus le marché, il n'avait pas son pareil pour faire la noce.

— Ces fêtes populaires manquent cruellement de poésie, constata Gilberto au bout de son troisième verre de faux sirop d'orgeat, mais ses haut-le-corps de lord anglais ne parvenaient point à dissimuler qu'il s'amusait bien.

— Hé, curaillon, raconte-nous ton miracle ! s'écria une voix, et le reste de l'assemblée lui fit chorus.

Le prêtre fit taire la musique, remit de l'ordre dans sa tenue, lissa du plat de la main le peu de cheveux qui lui couronnaient le crâne, et d'une voix brisée par la reconnaissance, il se prit à évoquer Juana de los Lirios sans l'intervention de qui tous les artifices de la science et de la technique fussent demeurés impuissants.

— Si au moins c'était une sainte prolétaire, on serait moins en peine de lui faire confiance ! souffla un insolent, et un éclat de rire général accompagna sa remarque.

— Pas de blagues avec le miracle, des fois que la sainte se fâche après moi et n'aille du coup me rendre à nouveau aveugle ! rugit le père Miguel, rouge d'indignation. Et maintenant, mettez-vous en rang, car vous allez tous me signer une lettre pour le pape !

Et c'est ainsi, au milieu des cascades de rire et des rasades de vin, que tous les habitants du bidonville paraphèrent la requête en béatification de Juana de los Lirios.

Une vengeance

En cette mi-journée radieuse où l'on coiffa Dulce Rosa Orellano de la couronne de jasmin de reine du carnaval, les mères des autres candidates marmonnèrent qu'il s'agissait là d'une injustice, que si on lui avait décerné le titre, c'était uniquement parce qu'elle était la fille du sénateur Anselmo Orellano, l'homme le plus puissant de toute la province. Elles reconnaissaient que la jeune fille était gracieuse, qu'elle jouait du piano et dansait comme nulle autre, mais il y avait à ce prix d'autres postulantes bien plus belles qu'elle. Elles la virent, juchée sur l'estrade dans sa robe d'organdi, arborant sa couronne de fleurs, saluer la foule rassemblée, et elles la maudirent entre leurs dents. Aussi certaines allaient-elles se frotter les mains quand, quelques mois plus tard, la fatalité fit irruption dans la demeure des Orellano, y semant tant de malheurs qu'il ne serait pas trop d'un quart de siècle pour les moissonner tous.

Le soir de l'élection, un bal fut donné à la mairie de Santa Teresa, et les garçons accoururent des villages les plus reculés pour rencontrer Dulce Rosa. Elle était si gaie et dansait avec une telle légèreté que beaucoup ne se rendirent pas compte qu'elle n'était pas vraiment la plus jolie, et quand ils s'en retournèrent là d'où ils étaient venus, ils déclarèrent que jamais il ne leur avait été donné de contempler un visage comme le sien. Ainsi acquit-elle une réputation usurpée de beauté qu'aucun témoignage ultérieur ne put démentir. Les commentaires excessifs sur sa peau translucide et son regard diaphane se transmirent de bouche à oreille, chacun y ajoutant au passage quelque chose de son cru. Jusqu'aux poètes de villes lointaines qui en vinrent à composer des sonnets à une hypothétique damoiselle prénommée Dulce Rosa.

Le bruit qu'une telle beauté s'épanouissait au domicile du sénateur Orellano parvint également aux oreilles de Tadeo Céspedes, lequel ne se fût jamais imaginé la rencontrer un jour, car dans toutes les années qu'il avait déjà vécues, il n'avait guère trouvé le temps d'apprendre des vers ni de reluquer les femmes. Il n'avait que la guerre civile en tête. Dès qu'il avait commencé à se raser la moustache, il avait tenu une arme à la main, et cela faisait un bail qu'il évoluait dans le fracas des balles. Il avait perdu le souvenir des baisers maternels et oublié jusqu'aux cantiques de la messe. Il n'avait pas toujours disposé de motifs de livrer bataille, car en certaines périodes de trêve il ne trouvait pas d'adversaire à portée de sa bande, mais, même en ces temps de paix forcée, il avait vécu comme un flibustier. La violence était son élément. Il sillonnait le pays en tous sens, luttant contre des ennemis visibles quand il y en avait, contre des ombres quand il devait en inventer, et il aurait continué de la sorte si son parti n'avait remporté les élections présidentielles. Du jour au lendemain, il passa de la clandestinité à la responsabilité du pouvoir et c'en fut fini des prétextes à se rebeller plus longtemps.

L'ultime mission qui échut à Tadeo Céspedes fut l'expédition punitive à Santa Teresa. Avec cent vingt hommes, il entra nuitamment dans la bourgade pour faire un exemple et éliminer les meneurs de l'opposition. Ils criblèrent de balles les fenêtres des édifices publics, enfoncèrent le portail de l'église et pénétrèrent à cheval jusqu'au maître-autel, piétinant le père Clemente qui avait voulu s'interposer, puis poussèrent au triple galop, dans un fracas guerrier, jusqu'à la villa du sénateur Orellano qui se dressait orgueilleusement au faîte de la colline.

A la tête d'une douzaine de serviteurs fidèles, le sénateur attendait Tadeo Céspedes après avoir lâché les chiens et enfermé sa fille dans la toute dernière chambre donnant sur le patio. En cet instant, comme tant d'autres fois au cours de sa vie, il regrettait de ne pas avoir eu d'héritiers mâles qui l'eussent aidé en prenant les armes à défendre l'honneur de la maison. Il se sentait bien vieux, mais il n'eut pas le temps d'y songer davantage, car il aperçut sur le versant de la colline le scintillement terrifiant de cent vingt torches qui se rapprochaient, chassant la nuit devant elles. Tout était écrit : chacun savait qu'avant l'aube, il lui faudrait mourir en brave à son poste de combat.

— Le dernier prendra la clef de la chambre où se trouve ma fille et fera ce qu'il lui restera à faire, dit le sénateur en entendant les premiers coups de feu.

Tous ces hommes avaient vu naître Dulce Rosa et l'avaient tenue sur leurs genoux à l'âge où elle marchait à peine, ils lui avaient conté des histoires de revenants par les après-midi d'hiver, l'avaient écoutée jouer du piano et l'avaient applaudie, tout émus, le jour où elle avait été couronnée reine du carnaval. Son père pouvait mourir tranquille, la gamine ne tomberait pas vivante entre les pattes de Tadeo Céspedes. La seule chose à laquelle le sénateur Orellano n'avait pas pensé, c'est qu'en dépit de sa témérité au combat, il serait lui-même le dernier à mourir. Il vit l'un après l'autre tomber ses

compagnons et comprit qu'il était vain de vouloir continuer à résister. Il avait une balle dans le ventre, sa vue
était brouillée, il distinguait à peine les silhouettes
gravissant les hauts murs de sa propriété, mais il avait
gardé assez de présence d'esprit pour se traîner jusqu'à
la troisième cour intérieure. Les chiens reconnurent son
odeur malgré la sueur, le sang, l'infinie détresse qui
l'enveloppaient, et s'écartèrent pour le laisser passer. Il
introduisit la clef dans la serrure, poussa la lourde porte ;
à travers le brouillard qui avait envahi ses yeux, il aperçut
Dulce Rosa qui l'attendait. L'adolescente portait la même
robe d'organdi qu'elle arborait pour le carnaval et avait
orné sa chevelure avec les fleurs de la couronne.

— L'heure est venue, ma petite fille, dit-il en armant
son fusil, cependant qu'à ses pieds s'élargissait une flaque
de sang.

— Ne me tuez pas, père, répondit-elle d'une voix
ferme. Laissez-moi vivre pour vous venger et me venger.

Le sénateur Anselmo Orellano contempla le jeune
minois de quinze ans et se représenta ce que Tadeo
Céspedes était capable de faire de sa fille, mais il y avait
une telle détermination dans le regard diaphane de Dulce
Rosa qu'il sut qu'elle pourrait survivre afin de châtier
leur bourreau. La jeune fille s'assit sur le lit et il prit
place à ses côtés, son arme pointée vers la porte.

Quand le tumulte des chiens agonisants eut fait place
au silence, que le verrou de la porte eut cédé et que les
premiers hommes firent irruption dans la chambre, le
sénateur parvint encore à tirer six cartouches avant de
perdre connaissance. Tadeo Céspedes crut rêver lorsqu'il
découvrit un ange couronné de jasmin tenant dans ses
bras un vieillard moribond et dont la blanche robe
s'imbibait de sang, mais, ivre de violence, nerveusement

épuisé par plusieurs heures de combat, il était trop dépourvu de pitié pour lui accorder un second regard.

— La fille est pour moi, dit-il avant que ses hommes n'aient eu le temps de poser la main sur elle.

Le vendredi se leva une aube couleur de plomb, maculée par les lueurs de l'incendie. Un épais silence planait sur la colline. Les ultimes gémissements s'étaient tus quand Dulce Rosa put se relever et marcher jusqu'à la fontaine du jardin, la veille encore bordée de magnolias, à présent transformée en mare bouillonnante au milieu des décombres. De sa robe il ne restait plus que des lambeaux d'organdi dont elle se dépouilla à gestes lents jusqu'à se mettre nue. Elle s'immergea dans l'eau froide. Le soleil fit son apparition entre les bouleaux ; la jeune fille put voir l'eau virer au rose au fur et à mesure qu'elle lavait le sang de son père, séché dans ses propres cheveux, et le sien qui s'écoulait le long de ses cuisses. Une fois lavée, le visage impavide, sans une larme, elle s'en revint vers la demeure dévastée, chercha quelque chose pour se couvrir, puis ramassa un drap de brabante et s'engagea sur le chemin pour récupérer les restes du sénateur. On l'avait attaché par les pieds et traîné au triple galop à flanc de colline jusqu'à le réduire à l'état de misérable guenille, mais, guidée par l'amour, sa fille l'identifia sans la moindre hésitation. Elle l'enveloppa dans la pièce de toile et s'accroupit à ses côtés pour voir le jour se lever. C'est dans cette position que la découvrirent les voisins de Santa Teresa quand ils osèrent monter jusqu'à la villa des Orellano. Ils aidèrent Dulce Rosa à enterrer ses morts et à éteindre les derniers vestiges de l'incendie, puis ils la supplièrent d'aller vivre avec sa marraine dans un autre village où nul ne serait au courant de son histoire, mais elle refusa. Ils formèrent alors des équipes qui se chargèrent de rebâtir la maison et lui firent don de six molosses pour assurer sa garde.

A compter de l'instant où ils avaient emmené son père encore en vie, où Tadeo Céspedes avait refermé la porte derrière lui et dégrafé son ceinturon de cuir, Dulce Rosa n'avait vécu que pour se venger. Au cours des années qui suivirent, cette pensée la maintint éveillée durant chacune de ses nuits et occupa chacune de ses journées, mais elle ne gomma pas totalement son rire ni ne dessécha son cœur. Sa réputation de beauté ne fit que croître, les chanteurs vantant partout ses charmes imaginaires jusqu'à la transformer en légende vivante. Elle se levait tous les jours vers quatre heures du matin pour diriger les travaux agricoles et ceux de la maison, sillonnait à cheval la propriété, achetait et vendait en marchandant comme un Levantin, s'occupait des bêtes, soignait les magnolias et les jasmins de son jardin. A la tombée du jour, elle quittait ses bottes, son pantalon et ses armes et passait une de ces robes ravissantes qu'on lui livrait de la capitale dans des cartons odoriférants. Le soir venu commençaient à arriver ses invités qui la trouvaient au piano, cependant que des servantes préparaient les plateaux de petits fours et les verres de sirop d'orgeat. Au début, beaucoup s'étaient demandé comment il se pouvait que la jeune fille n'eût pas fini à l'asile dans une camisole de force, ou bien novice chez les carmélites, mais, comme les réceptions étaient fréquentes à la villa des Orellano, les gens, le temps passant, cessèrent de faire allusion à la tragédie et peu à peu s'effaça le souvenir du sénateur assassiné. Un certain nombre de messieurs en vue et fortunés, surmontant le stigmate du viol, attirés par la réputation de beauté et de sagesse de Dulce Rosa, vinrent lui proposer le mariage. Elle les refusa en bloc ; sa mission à elle, en ce bas monde, était la vengeance.

Tadeo Céspedes était lui aussi dans l'incapacité de chasser de sa mémoire cette nuit funeste. L'arrière-goût de la tuerie et l'ivresse du viol s'étaient dissipés en quelques heures, tandis qu'il cheminait vers la capitale pour y rendre compte de son expédition punitive. Mais c'est alors que lui revint à l'esprit la gamine en robe de bal et couronnée de jasmin qui avait enduré ses assauts sans mot dire, dans cette chambre sombre à l'air imprégné d'odeur de poudre. Il la revit à l'instant final, étendue par terre, à peine dissimulée par ses haillons rougis, plongée dans le somme compatissant de l'inconscience, et il continua à la revoir ainsi chaque nuit, au moment de s'endormir, tout le reste de sa vie. La paix revenue, l'exercice et l'habitude du pouvoir en firent un homme pondéré et travailleur. Le temps passant, les souvenirs de la guerre civile s'estompèrent et les gens se mirent à l'appeler don Tadeo. Il s'acheta un domaine de l'autre côté de la montagne, se consacra à rendre la justice et finit maire. N'eût été l'increvable fantôme de Dulce Rosa Orellano, peut-être eût-il accédé à un certain bonheur, mais chez toutes les femmes qui croisèrent sa route, chez toutes celles qu'il prit dans ses bras, en quête d'un peu de réconfort, dans toutes les amours après lesquelles il courut au fil des ans, c'est le visage de la reine du carnaval qui lui apparaissait. Et pour son plus grand malheur, les chansons qui véhiculaient parfois son nom dans leurs paroles de rimailleurs populaires ne lui laissaient pas le loisir de la tenir éloignée de son cœur. L'image de la jeune fille ne fit que grandir en lui, l'envahissant totalement, tant et si bien qu'un jour il n'en put plus. Installé au haut bout d'une table de banquet pour fêter son cinquante-septième anniversaire, entouré d'amis et de collaborateurs, il crut voir soudain sur la nappe une gamine entièrement nue parmi les jasmins à peine éclos, et il comprit que ce cauchemar ne le laisserait pas même en repos après sa mort. Il assena un coup de poing qui fit tressauter les assiettes et les verres et réclama sa canne et son chapeau.

— Où donc allez-vous, don Tadeo ? demanda le préfet.

— Réparer un mal très ancien, répondit-il en sortant sans avoir pris congé de personne.

Il n'eut guère besoin de partir à sa recherche, car il avait toujours su qu'elle n'avait point quitté la maison du drame, et c'est dans cette direction qu'il pilota sa voiture. Désormais, les routes étaient bonnes et les distances paraissaient plus courtes. En quelques dizaines d'années, le paysage s'était transformé, mais, passé le dernier virage de la colline, la villa surgit telle qu'il en avait gardé le souvenir avant que son détachement ne la prît d'assaut. Ici se dressaient les solides murs de galets qu'il avait fait sauter à la dynamite, là les vieux plafonds à caissons de bois sombre qui s'étaient embrasés d'un coup, là-bas les arbres auxquels il avait fait pendre les dépouilles des hommes du sénateur, plus loin encore, la cour où avait eu lieu le massacre des chiens. Il arrêta son véhicule à une centaine de mètres du portail et n'osa aller plus loin, car il sentit son cœur sur le point d'éclater dans sa poitrine. Il allait faire demi-tour et rebrousser chemin quand apparut entre les rosiers une silhouette auréolée du halo de ses jupes. Il ferma les yeux, souhaitant à toutes forces n'être pas reconnu. Dans la douce lumière de six heures du soir, il vit Dulce Rosa Orellano s'avancer en flottant dans les allées du jardin. Il détailla sa chevelure, son visage à la peau si claire, l'harmonie de ses gestes, les virevoltes de sa toilette, et il crut se retrouver projeté dans un songe qui durait depuis déjà un quart de siècle.

— Te voici enfin, Tadeo Céspedes, dit-elle en le toisant, sans se laisser abuser par son noir costume de maire, ni par ses cheveux gris de monsieur respectable, car il avait toujours les mêmes mains de flibustier.

— Tu m'as poursuivi sans répit. De toute ma vie je n'ai pu aimer personne en dehors de toi, murmura-t-il, la voix brisée par la honte.

Dulce Rosa Orellano émit un soupir de satisfaction. Pendant tout ce temps écoulé, de jour comme de nuit, elle l'avait convoqué en pensée, et il était enfin devant elle. Son heure était venue. Mais elle le regarda droit dans les yeux et n'y vit plus aucune trace du bourreau — seulement des larmes toutes nouvelles. Elle chercha dans son propre cœur la haine qu'elle avait cultivée tout au long de sa vie et fut incapable de la retrouver. Elle se remémora l'instant où elle avait prié son père de renoncer et de la laisser en vie pour qu'elle pût accomplir son devoir, elle revécut l'étreinte si souvent maudite de cet homme, et ce petit matin où elle avait enveloppé une misérable dépouille dans un drap de brabante. Elle se répéta l'impeccable plan de sa vengeance, tout en n'éprouvant plus la joie escomptée, mais, au contraire, une profonde mélancolie. Tadeo Céspedes lui prit délicatement la main et en baisa la paume, qu'il humecta de ses larmes. Atterrée, elle comprit alors qu'à tant penser à lui à tout moment, savourant d'avance l'heure du châtiment, ses sentiments s'étaient inversés et elle avait fini par l'aimer.

Les jours suivants, libérant les vannes de l'amour refoulé, et pour la première fois dans leurs rudes destinées, ils s'ouvrirent l'un à l'autre en toute intimité. Ils flânaient à travers les jardins, parlant d'eux-mêmes, sans omettre cette nuit fatale qui avait tordu le cours de leur existence. En fin d'après-midi, elle se mettait au piano et lui fumait en l'écoutant jusqu'à sentir ses os se ramollir, le bonheur l'envelopper comme une houppelande et chasser les cauchemars du temps passé. Après dîner,

Tadeo Céspedes se rendait à Santa Teresa où plus personne ne gardait souvenir de la vieille et horrible histoire. Il était descendu dans le meilleur hôtel et c'est là qu'il s'employait à préparer leurs épousailles, il voulait une cérémonie avec fanfare, festin et festivités à tout casser, à laquelle tout le village serait convié. Il avait découvert l'amour à un âge auquel les autres hommes en sont revenus et il en avait retrouvé toute l'énergie de sa jeunesse. Il désirait entourer Dulce Rosa d'affection et de beauté, lui offrir tout ce que l'argent peut acheter, afin de voir s'il parviendrait à compenser dans ses années de vieillesse tout le mal qu'il lui avait infligé dans son jeune âge. A certains moments, il se sentait pris de panique. Il scrutait son visage, y cherchant des signes de rancœur, mais il n'y découvrait que la douce lumière de l'amour partagé, et cela lui rendait confiance. Ainsi passa un mois de félicité sans nuages.

Quarante-huit heures avant la noce, alors qu'on montait déjà au jardin les grandes tables pour la fête, qu'on tuait volailles et cochons en prévision du banquet, qu'on coupait les fleurs pour décorer la maison, Dulce Rosa Orellano essaya sa robe de mariée. Elle découvrit son reflet dans la glace, si semblable à ce qu'elle avait été le jour où on l'avait sacrée reine du carnaval qu'elle ne put abuser son cœur plus longtemps. Elle sut qu'aimant l'assassin, elle ne pourrait jamais accomplir la vengeance qu'elle avait planifiée, mais qu'elle ne pourrait davantage faire taire le fantôme du sénateur. C'est ainsi qu'elle congédia la couturière, s'empara de la paire de ciseaux et se rendit dans la chambre située au fond de la troisième cour, laquelle était restée inoccupée depuis tout ce temps.

Tadeo Céspedes la chercha partout, criant son nom d'une voix désespérée. Les aboiements des chiens le conduisirent à l'autre bout de la demeure. Avec l'aide des jardiniers, il enfonça la porte fermée au verrou et pénétra dans cette chambre où il avait découvert autrefois un ange couronné de jasmin. Il trouva Dulce Rosa Orellano telle qu'il se reprendrait à la voir en rêve chaque nuit de son existence, dans la même robe d'organdi ensanglantée, et il eut alors la révélation qu'afin d'expier sa faute, il lui serait donné de vivre jusqu'à quatre-vingt-dix ans avec le souvenir de la seule et unique femme dont son âme pouvait s'éprendre.

Lettres d'un amour trompeur

La mère d'Analía Torres mourut de fièvre délirante en
lui donnant le jour. Son père ne put endurer ce chagrin
et, quinze jours plus tard, se tira un coup de pistolet en
pleine poitrine ; il agonisa plusieurs jours durant, le
prénom de son épouse sur les lèvres. Son frère Eugenio
géra les terres de la famille et disposa comme il le jugea
bon du destin de la petite orpheline. Jusqu'à l'âge de six
ans, Analía grandit accrochée aux jupes d'une nourrice
indienne dans les chambres de service de la résidence de
son tuteur, mais à peine fut-elle en âge d'aller en classe
qu'on l'expédia à la capitale comme pensionnaire au
collège des sœurs du Sacré-Cœur où elle passa les douze
années suivantes. C'était une bonne élève et elle aimait
bien la discipline qui y régnait, la sévérité du bâtiment
de pierres de taille, la chapelle avec son assemblée de
saints et ses arômes mêlés de lys et de cire fondue, les
couloirs nus, la pénombre des cours ; les chahuts d'élèves
et l'âcre odeur des salles de classe lui plaisaient moins.
Chaque fois qu'elle parvenait à déjouer la surveillance
des sœurs, elle allait se cacher au grenier parmi les statues
décapitées et les meubles brisés pour se raconter à elle-
même des histoires. En ces instants dérobés, elle se
laissait couler au plus profond du silence avec le sentiment de succomber à un péché.

Tous les six mois, elle recevait un mot bref de son oncle Eugenio lui recommandant de bien se tenir et de faire honneur à la mémoire de ses parents qui avaient été de leur vivant deux bons chrétiens et qui auraient été fiers que leur fille unique vouât son existence aux plus hauts préceptes de la vertu, autrement dit entrât comme novice au couvent. Mais, dès la première allusion, Analía lui fit savoir qu'elle n'y était point disposée et si elle maintint fermement sa position, ce fut simplement pour le contredire, car la vie religieuse, au fond, lui plaisait plutôt. Sous le couvert de l'habit, dans l'extrême solitude du renoncement à tout plaisir, peut-être trouverait-elle une paix durable, songeait-elle ; pourtant, son intuition la prévenait contre les conseils de son tuteur. Elle soupçonnait son comportement d'être inspiré par la convoitise des terres plus que par la fidélité familiale. Rien de ce qui émanait d'Eugenio ne lui paraissait digne de confiance, toute occasion lui était bonne pour tendre des traquenards.

Quand Analía eut seize ans révolus, son oncle vint pour la première fois lui rendre visite au collège. La mère supérieure convoqua l'adolescente dans son bureau et dut faire les présentations, car l'un comme l'autre avaient beaucoup changé depuis l'époque de la nourrice indienne et des chambres de l'arrière-cour, et ils furent incapables de se reconnaître.

— Je constate que les sœurs se sont bien occupées de toi, Analía, exposa-t-il en remuant sa tasse de chocolat. Te voilà bien portante et même un joli brin de fille. Dans ma dernière lettre, je t'ai notifié qu'à compter de ton anniversaire, tu recevrais chaque mois une certaine somme pour couvrir tes dépenses, ainsi que l'a stipulé dans son testament mon défunt frère — qu'il repose en paix.

— Combien ?

— Cent *pesos*.

— C'est tout ce que mes parents ont laissé ?

— Non, bien sûr que non. Tu sais que le domaine t'appartient, mais l'agriculture n'est pas un travail qui sied à une femme, surtout par ces temps de grèves et de révolutions. Pour l'heure, je te ferai parvenir une mensualité qui augmentera d'année en année jusqu'à ta majorité. Après quoi nous verrons.

— Nous verrons quoi, mon oncle ?

— Eh bien, nous verrons ce qui te conviendra le mieux.

— Quelles sont mes autres possibilités de choix ?

— Il te faudra toujours un homme pour diriger l'exploitation, ma petite fille. Je m'en suis chargé durant toutes ces années et ce ne fut pas une tâche facile, mais je ne fais là que mon devoir, je m'y suis engagé auprès de mon frère sur son lit de mort et je suis tout disposé à continuer pour toi.

— Vous n'aurez pas à le faire très longtemps encore, mon oncle. Dès que je serai mariée, je m'occuperai moi-même de mes terres.

— Quand elle se sera mariée, vient de dire la gamine ? Dites-moi, ma mère, serait-ce qu'elle a un petit ami ?

— Vous n'y pensez pas, monsieur Torres ! Nous veillons de très près sur nos jeunes filles. Ce n'est là qu'une façon de parler. Qu'est-ce que va donc chercher cette petite !

Analía Torres se leva, tira sur sa tenue de collégienne pour la défroisser, esquissa une révérence plutôt moqueuse et s'en fut. La mère supérieure resservit du chocolat à son respectable visiteur tout en exposant que les trop rares contacts de la jeune fille avec ses proches pouvaient seuls expliquer un comportement aussi malpoli.

— C'est la seule de nos élèves à ne jamais partir en vacances et à qui on n'ait jamais envoyé le moindre cadeau pour Noël, ajouta la religieuse d'un ton sec.

— Je ne suis pas un tonton gâteau, mais je vous assure que j'apprécie beaucoup ma nièce et que je veille comme un père sur ses intérêts. Mais vous avez raison, Analía a besoin d'un peu plus de tendresse, les femmes sont des sentimentales...

Il ne s'écoula pas un mois avant que l'oncle ne se présentât à nouveau au collège, mais, cette fois, il ne demanda pas à voir sa nièce ; il se borna à signifier à la mère supérieure que son propre fils souhaitait entretenir une correspondance avec Analía et à la prier de bien vouloir lui transmettre les lettres, afin de voir si cette camaraderie entre cousins ne serait pas propre à renforcer les liens familiaux.

Les lettres commencèrent à arriver régulièrement : simples feuilles de papier blanc couvertes à l'encre noire d'une écriture au tracé ample et précis. Certaines évoquaient la vie à la campagne, le cours des saisons et les bêtes ; d'autres, des poètes disparus et les méditations qu'ils avaient laissées. Parfois l'enveloppe renfermait un livre ou bien quelque dessin exécuté à traits aussi résolus que l'était l'écriture. S'en tenant à l'idée que tout ce qui pouvait avoir rapport avec son oncle recelait quelque danger, Analía s'était promis de ne point lire ces lettres, mais, dans l'ennui qui régnait au collège, elles représentaient pour elle la seule possibilité d'évasion. Elle allait se cacher au grenier, non plus pour y inventer d'improbables histoires, mais pour relire avec avidité les mots envoyés par son cousin, au point de bientôt connaître par cœur jusqu'à l'inclinaison des lettres et la texture du papier. Au début, elle n'y répondit pas, mais vint vite le moment où elle ne put s'en empêcher. D'une lettre à l'autre, tout était bon dans leur contenu pour déjouer la censure de la mère supérieure qui décachetait toute la correspondance. L'intimité entre les deux jeunes gens ne fit ainsi que grandir et ils eurent tôt fait de convenir d'un code secret grâce auquel ils commencèrent à se parler d'amour.

Analía Torres ne se rappelait pas avoir jamais vu ce cousin qui signait Luis, car à l'époque où elle vivait chez son oncle, le garçon était pensionnaire dans un collège de la capitale. Elle était convaincue que ce devait être un type laid, peut-être bien malade ou contrefait, car il lui semblait impossible qu'à une sensibilité si profonde et à une intelligence si aiguë vînt s'ajouter une apparence séduisante. Elle s'employait à esquisser mentalement l'aspect de son cousin : boulot comme son père, le visage grêlé, boiteux et le crâne à moitié chauve ; mais plus elle lui collait de défauts, plus elle inclinait à l'aimer. Le brillant de l'esprit était la seule chose qui comptait, la seule à résister sans s'abîmer à l'écoulement du temps et à se renforcer au contraire avec l'âge, la beauté des héros de rêve qu'on croisait dans les histoires n'avait aucune espèce de valeur, elle pouvait même être source de frivolité, décrétait l'adolescente tout en ne pouvant empêcher une ombre d'inquiétude de ternir son beau raisonnement. Elle se demandait à quel degré de mocheté elle pourrait se résoudre.

La correspondance entre Analía et Luis Torres dura deux ans ; à ce moment, la jeune fille avait un carton à chapeau rempli d'enveloppes et la reddition de son cœur était devenue définitive. Si l'idée l'avait effleurée que cette relation pouvait n'être qu'un plan de son oncle destiné à faire passer les biens qu'elle avait hérités de son père entre les mains de Luis, elle l'avait balayée aussitôt, honteuse de sa propre mesquinerie. Le jour de ses dix-huit ans, la mère supérieure l'envoya chercher au réfectoire, car elle avait de la visite. Analía Torres devina de qui il s'agissait et faillit courir se cacher au grenier parmi les saints relégués dans l'oubli, terrifiée à la perspective de se retrouver enfin face à face avec l'homme qu'elle s'était si longtemps représenté en imagination. Quand elle pénétra au salon et le découvrit soudain devant elle, sa désillusion fut telle qu'elle eut besoin de plusieurs minutes pour s'en remettre.

Luis Torres n'avait rien du nabot difforme qu'elle avait modelé en rêve et appris à aimer. C'était un homme vigoureux au visage avenant et aux traits réguliers, à la bouche encore enfantine, à la barbe noire bien soignée et aux yeux clairs à longs cils, mais vides d'expression. Il ressemblait un tantinet aux saints de la chapelle, dans le genre bellâtre un peu niais. Analía encaissa le coup et décréta que si elle avait admis dans son cœur un bossu, elle pouvait à plus forte raison aimer cet élégant jeune homme qui l'embrassait sur la joue en laissant une bouffée de lavande lui envahir les narines.

Dès le premier jour de sa vie de jeune épousée, Analía se mit à détester Luis Torres. A l'instant où il l'écrasa entre les draps brodés d'un lit trop mou, elle sut qu'elle était tombée amoureuse d'un fantôme et que jamais elle ne pourrait transférer cette passion imaginaire dans la quotidienneté de son mariage. Elle lutta contre ce sentiment avec une détermination farouche, d'abord en s'en détournant comme d'un vice, puis, quand il fut impossible de l'ignorer plus longtemps, en s'attachant à fouiller au plus profond d'elle-même pour l'extirper jusqu'à la racine. Luis était un garçon gentil et même drôle à certains moments, jamais il ne l'embêtait avec des exigences excessives ni n'essayait d'infléchir son goût pour la solitude et le silence. Elle-même reconnaissait qu'en y mettant un peu de bonne volonté, elle pouvait puiser dans leur relation quelques années de bonheur, au moins autant qu'elle en aurait trouvé sous l'habit de bonne sœur. Elle n'avait pas de motifs précis d'éprouver cette étrange répulsion pour l'homme qu'elle avait aimé deux années durant sans le connaître. Elle était tout aussi incapable de traduire en mots ce qu'elle ressentait ; au demeurant, y fût-elle parvenue qu'elle n'aurait eu personne avec qui en parler. L'impossibilité de faire coïncider l'image de son soupirant épistolaire et celle de son époux bien réel lui donnait l'impression d'avoir été bernée. Luis ne faisait jamais allusion à ces lettres et quand elle abordait le sujet, il lui fermait les lèvres d'un rapide baiser accompagné de quelque remarque badine sur ce romantisme si peu approprié à la vie conjugale dans laquelle la confiance, le respect mutuel, les intérêts communs, le souci de l'avenir de la famille comptaient bien plus qu'une correspondance d'adolescents. Il n'y avait entre eux deux aucune intimité véritable. Le jour, chacun s'acquittait de ce qu'il avait à faire ; la nuit, ils se retrouvaient entre les oreillers de plume où Analía, habituée au rude grabat du collège, croyait étouffer. De temps en temps, ils faisaient rapidement l'amour, elle le corps raide et figé, lui comme quelqu'un qui satisfait un besoin physiologique impossible à ignorer. Luis s'endormait sur-le-champ ; elle restait les yeux grands ouverts dans l'obscurité, ses protestations fichées en travers de sa gorge. Elle essaya divers moyens de vaincre la répulsion qu'il lui inspirait ; elle commença par récapituler mentalement chaque trait de son mari avec le ferme propos de l'aimer par un pur effort de volonté, puis elle finit par faire le vide dans son esprit, se transportant ainsi dans un univers où elle se trouvait hors de sa portée. Elle priait pour que ce ne fût là qu'une répugnance passagère, mais les mois passèrent et au lieu du relâchement escompté, son animosité ne fit que grandir jusqu'à se transformer en aversion. Une nuit, elle se surprit à rêver d'un homme affreux à voir, qui la caressait de ses doigts tachés d'encre noire.

Les époux Torres vivaient sur le domaine acquis par le père d'Analía à l'époque où cette région était encore une terre à demi sauvage livrée à la troupe et aux bandits. A présent, elle se trouvait à proximité de l'autoroute et à faible distance d'une bourgade prospère où avaient lieu chaque année comices agricoles et foires à bestiaux. Juridiquement, Luis était le gérant de l'exploitation, mais, dans les faits, c'était l'oncle Eugenio qui remplissait ce rôle, toutes ces affaires de culs-terreux ennuyant Luis. Après déjeuner, quand le père et le fils s'installaient dans la bibliothèque pour siroter un cognac et entamer une partie de dominos, Analía écoutait son oncle décider des investissements, du cheptel, des semailles et des récoltes. Les rares fois où elle se hasardait à intervenir pour donner son avis, les deux hommes lui prêtaient une oreille apparemment attentive, l'assurant qu'ils tiendraient compte de ses suggestions, mais ils n'en faisaient ensuite qu'à leur tête. De temps en temps, Analía s'en allait galoper à travers prés jusqu'aux contreforts de la montagne ; comme elle aurait voulu être un homme !

La naissance d'un fils n'améliora en rien les sentiments qu'Analía portait à son mari. Durant les mois de grossesse, son caractère se fit encore plus renfermé, mais Luis y vit une conséquence de son état et ne s'en agaça guère. De toute façon, il avait bien d'autres chats à fouetter. Après ses relevailles, Analía fit chambre à part dans une pièce uniquement meublée d'une couche étroite et dure. Quand le bébé eut un an, alors que la mère fermait toujours sa porte à clé et évitait toute occasion de se trouver en tête-à-tête avec Luis, celui-ci décida qu'il était temps d'exiger un traitement plus attentionné et prévint sa femme qu'elle avait intérêt à changer d'attitude avant qu'il ne défonce sa porte à coups de pistolet. Jamais elle ne l'avait vu si violent. Elle obtempéra sans mot dire. Au cours des sept années qui suivirent, la tension entre eux devint si forte qu'ils en vinrent à se transformer l'un pour l'autre en ennemis sournois, mais comme c'étaient des gens bien élevés, ils se traitaient devant les autres avec une prévenance exagérée. L'enfant était le seul à soupçonner toute l'étendue de l'hostilité qui régnait entre ses parents et il se réveillait en pleurs au beau milieu de la nuit dans son lit trempé. Analía se cuirassa de silence et on eût dit qu'elle se desséchait peu à peu de l'intérieur. Luis, de son côté, se fit plus expansif et futile, il se laissa aller à ses multiples appétits, se mit à boire plus que de raison et il lui arrivait de disparaître plusieurs jours d'affilée au cours d'inavouables escapades. Par suite, quand il ne prit plus le soin de dissimuler ses actes de débauche, Analía y trouva d'excellents prétextes pour s'éloigner encore davantage de lui. Luis cessa de porter le moindre intérêt aux affaires agricoles et son épouse l'y suppléa, fort satisfaite de cette nouvelle situation. Le dimanche, oncle Eugenio s'attardait à table pour discuter avec elle des décisions à prendre, tandis que Luis s'enfonçait dans une longue sieste dont il n'émergeait qu'en fin de journée, ruisselant de sueur et l'estomac barbouillé, mais toujours prêt à repartir faire la noce avec ses copains.

Analía initia son fils aux rudiments de l'écriture et de l'arithmétique et s'évertua à lui inculquer le goût des livres. Quand l'enfant eut sept ans, Luis décréta qu'il était temps de lui donner une éducation plus sérieuse, loin des cajoleries maternelles, et voulut l'expédier dans un collège de la capitale, mais Analía s'interposa avec une sauvagerie telle qu'il dut se rabattre sur une solution moins radicale. Il le mit à l'école du village où l'enfant vivait en internat du lundi au vendredi, et, le samedi matin, la voiture venait le chercher pour le ramener à la maison jusqu'au dimanche soir. Au bout de la première semaine, Analía observa son fils avec anxiété, en quête de bonnes raisons de le retenir près d'elle, mais sans pouvoir en trouver. Le jeune garçon paraissait content, parlait de son maître et de ses camarades avec un franc enthousiasme, comme s'il était venu au monde au milieu d'eux. Il cessa de faire pipi au lit. Un trimestre plus tard, il débarqua avec son carnet de notes et un mot bref de l'enseignant le congratulant pour ses bons résultats. Analía en prit connaissance en tremblant et sourit pour la première fois depuis longtemps. Émue, elle embrassa son fils, le questionnant sur le moindre détail, demandant comment étaient les dortoirs, ce qu'on lui donnait à manger, si les nuits n'étaient point trop fraîches, combien d'amis il s'était faits, à quoi ressemblait son instituteur. Elle parut rassurée et ne reparla plus de le retirer de l'école. Les mois suivants, le petit continua à rapporter de bonnes notes qu'Analía collectionnait comme autant de trésors et récompensait avec force pots de marmelade et corbeilles de fruits destinés à toute la classe. Elle essayait de ne point penser que cette solution valait tout juste pour les études primaires et que, d'ici quelques années, on ne pourrait faire autrement qu'envoyer l'enfant dans un collège de la capitale ; elle ne pourrait alors le voir qu'aux vacances.

Au cours d'une soirée agitée au village, Luis Torres, qui avait trop levé le coude, se mit en tête de faire des cabrioles sur un cheval qu'il ne connaissait pas afin d'exhiber ses talents de cavalier devant une bande de compagnons de beuverie. La bête lui fit mordre la poussière et, d'un coup de sabot, lui creva les testicules. Neuf jours plus tard, Torres mourut en hurlant de douleur dans une clinique de la capitale où on l'avait transporté dans l'espoir de juguler l'infection. A son chevet se tenait sa femme, versant des larmes de remords à cause de l'amour qu'elle n'avait su lui donner, et des larmes de soulagement car elle n'aurait plus désormais à prier pour qu'il trépassât. Avant de s'en retourner à la campagne avec le cadavre mis en bière afin de l'inhumer dans ses terres, Analía fit l'emplette d'une robe blanche qu'elle fourra tout au fond de sa valise. Elle arriva au village en grand deuil, le visage dissimulé par un voile de veuve afin que nul ne pût voir l'expression de ses yeux, et elle se montra de même aux obsèques, tenant par la main son fils, tout de noir vêtu lui aussi. A l'issue de la cérémonie, oncle Eugenio, toujours vert et bien portant en dépit de ses soixante-dix ans bien tassés, suggéra à sa bru de lui céder ses terres et de s'en aller vivre de ses rentes à la capitale où l'enfant pourrait terminer ses études et où elle serait à même d'oublier les chagrins du passé.

— Car il ne m'a pas échappé, Analía, que mon pauvre Luis et toi n'avez jamais été heureux, lui dit-il.

— Vous avez raison, mon oncle. Luis m'a trompée dès le premier jour.

— Grands dieux, ma petite fille, il s'est pourtant toujours montré plein de tact et de respect vis-à-vis de toi. Luis a été un bon époux. Tous les hommes connaissent de menues aventures, mais ça n'a pas la moindre importance.

— Ce n'est pas à cela que je fais allusion, mais à une irréparable tromperie.

— Je ne tiens pas à savoir de quoi il est question. Quoi qu'il en soit, je pense que le petit et toi serez beaucoup mieux à la capitale. Vous ne manquerez de rien. Je m'occuperai du domaine ; je suis vieux mais toujours valide, et encore en état de terrasser un taureau.

— Je vais rester ici. Mon fils aussi, car il doit m'aider aux travaux des champs. Au cours de ces dernières années, je me suis plus occupée des troupeaux que des tâches ménagères. La seule différence, c'est que c'est moi qui prendrai désormais les décisions, sans consulter personne. Cette terre est enfin à moi seule. Adieu, oncle Eugenio.

Dès les premières semaines, Analía organisa sa nouvelle existence. Elle commença par brûler les draps qu'elle avait partagés avec son mari et par déménager son lit étroit dans la chambre principale ; puis elle se plongea à fond dans les livres de comptes et les papiers du domaine, et à peine eut-elle une idée précise de tous ses biens qu'elle se mit en quête d'un chef d'équipe qui exécuterait ses ordres sans poser de questions. Quand elle eut le sentiment d'avoir les rênes bien en main, elle sortit sa robe blanche de la valise, la repassa avec soin, s'en vêtit et, ainsi parée, s'en fut dans sa voiture jusqu'à l'école du village, portant sous le bras un vieux carton à chapeau.

Analía Torres attendit dans la cour que la sonnerie de cinq heures eût annoncé la fin des classes de l'après-midi et que le troupeau d'élèves fût sorti en récréation. Au milieu d'eux venait son fils, gambadant gaiement, mais, à sa vue, il s'arrêta pile, car c'était la première fois que sa mère mettait les pieds à l'école.

— Montre-moi ta classe, j'aimerais faire la connaissance de ton maître, dit-elle.

Sur le pas de la porte, Analía pria le garçonnet de s'éloigner, car il s'agissait d'une affaire qui ne regardait qu'elle, et elle pénétra seule dans la salle spacieuse et haute de plafond aux murs couverts de cartes de géographie et de croquis de biologie. Y planait la même odeur de renfermé et de sueur enfantine qui avait imprégné sa propre enfance ; en la circonstance, elle n'en fut point incommodée, mais, au contraire, la huma avec plaisir. Les pupitres exhibaient leur désordre de fin de journée, on voyait des papiers jonchant le sol et des encriers non rebouchés. Elle distingua des chiffres en colonnes au tableau. A l'autre bout de la salle, assis à son bureau surélevé par une estrade, se trouvait le maître. L'homme leva un visage surpris mais ne se mit pas debout, car ses béquilles se trouvaient dans un coin, trop loin pour qu'il pût s'en emparer sans traîner jusque-là sa chaise. Analía emprunta l'étroit passage entre deux rangées de pupitres et s'immobilisa devant lui.

— Je suis la maman de Torres, dit-elle, n'ayant rien trouvé de mieux à dire.

— Bonsoir, madame. Je profite de l'occasion pour vous remercier pour les sucreries et les fruits que vous nous avez envoyés.

— Laissons cela, je ne suis pas venue ici pour échanger des politesses. Je suis venue vous demander des comptes, répliqua Analía en posant le carton à chapeau sur le bureau.

— Qu'est-ce que c'est que ça ?

Elle ouvrit le carton et sortit les lettres d'amour qu'elle y avait conservées depuis tout ce temps. Pendant un long moment, il laissa errer son regard sur le monceau d'enveloppes.

— Vous me devez onze années de ma vie, dit enfin Analía.

— Comment avez-vous su que c'est moi qui les avais écrites ? balbutia l'autre quand il eut recouvré sa voix après qu'elle fut restée bloquée quelque part.

— Le jour même de mon mariage, je me suis rendu compte que mon mari était bien incapable de les avoir rédigées, et quand mon fils a rapporté à la maison ses premières notes, j'ai reconnu l'écriture. Et à présent que je vous ai devant moi, je n'ai plus le moindre doute, car je vous ai vu en rêve depuis mes seize ans. Pourquoi avez-vous fait cela ?

— Luis Torres était mon ami et quand il me demanda de rédiger une lettre à l'intention de sa cousine, je n'y vis apparemment rien de mal. Il en alla ainsi de la deuxième, puis de la troisième ; ensuite, quand vous m'avez répondu, je n'ai plus pu reculer. Ces deux années furent les plus belles de ma vie, les seules où j'aie attendu quelque chose. J'attendais le courrier.

— Eh bien...

— Pourrez-vous me pardonner ?

— Cela dépend de vous, fit Analía en lui tendant ses béquilles.

Le maître d'école enfila sa veste et se leva. Tous deux sortirent dans le joyeux tumulte de la cour sur laquelle le soleil ne s'était pas encore couché.

Le palais imaginaire

Voici cinq siècles, quand les féroces forbans venus d'Espagne vinrent fouler le sol de Quinaroa sur leurs montures fourbues, dans leurs armures chauffées au rouge par le soleil d'Amérique, cela faisait plusieurs millénaires que les Indiens venaient au monde et le quittaient en ce même endroit. Les conquistadores signifièrent par leurs hérauts et leurs drapeaux la découverte de ce nouveau territoire, ils le déclarèrent propriété de quelque lointain empereur, y plantèrent la toute première croix et le baptisèrent San Jerónimo, nom imprononçable dans le dialecte indigène. Les Indiens observèrent ces arrogantes cérémonies d'un œil quelque peu surpris, mais ils avaient déjà entendu parler de ces barbus belliqueux qui sillonnaient le monde à grand fracas de fer et de feu, on leur avait rapporté qu'ils ne laissaient derrière eux que plaintes et gémissements et qu'aucun peuple connu ne s'était révélé capable de leur tenir tête, que toutes les armées succombaient face à cette poignée de centaures. C'était une très ancienne tribu, si pauvre que même le plus emplumé des monarques ne se donnait pas la peine d'en exiger le moindre impôt, si pacifique qu'on s'abstenait tout autant d'y lever des recrues pour la guerre. Ses membres avaient vécu en paix depuis l'aube des temps et n'étaient point disposés à changer leurs habitudes à cause de quelques brutes venues d'ailleurs. Ils eurent cependant tôt fait de prendre la mesure de l'ennemi et comprirent qu'il était vain de vouloir l'ignorer, car sa présence était aussi écrasante à supporter qu'un bloc de rocher sur leur échine. Au cours des années suivantes, ceux qui ne périrent pas en esclavage, ou sous l'effet des supplices divers destinés à imposer de nouveaux dieux, ou encore victimes de maladies inconnues, s'égaillèrent au plus profond de la forêt et en vinrent peu à peu à perdre jusqu'au nom de leur village. Dissimulés en permanence comme des ombres dans les feuillages, ils survécurent durant des siècles en parlant à voix basse et en ne se déplaçant que de nuit. Ils devinrent si experts dans l'art de passer inaperçus que l'Histoire n'a pas gardé leur trace et qu'au jour d'aujourd'hui, on ne dispose plus de preuves de leur passage sur terre. Les livres n'en parlent pas, mais les paysans de la région disent les avoir entendus au fond des bois, et chaque fois que le ventre d'une fille non mariée vient à s'arrondir sans qu'on puisse désigner le suborneur, ils attribuent l'enfant à l'esprit de quelque Indien concupiscent. Chez les gens de par ici, on se flatte de posséder quelques gouttes de sang de ces êtres invisibles, au milieu d'un tumultueux mélange de pirate anglais, de soldat espagnol, d'esclave africain, d'aventurier en quête de l'Eldorado, sans omettre tout immigrant assez chanceux pour échouer dans ces parages avec son baluchon sur l'épaule et la tête farcie d'illusions.

L'Europe consommait davantage de café, de cacao et de bananes que nous ne pouvions en produire, mais toute cette demande ne nous rendit pas plus prospères et nous continuâmes à vivre dans la même pauvreté que toujours. La situation bascula le jour où un Noir du littoral donna un coup de pioche dans le sol pour y creuser un puits et où un jet de pétrole lui jaillit à la figure. Vers la fin de la Première Guerre mondiale, l'idée s'était répandue que ce pays baignait dans l'abondance alors même que la plupart de ses habitants pataugeaient encore dans la boue. En vérité, l'or allait seulement remplir les coffres-forts du Bienfaiteur et de sa clique, mais on pouvait encore espérer qu'un jour il finirait bien par en déborder quelque chose pour le peuple. La démocratie totalitaire, comme le président Vitalicio nommait son mode de gouvernement, fêtait alors ses vingt ans, deux décennies durant lesquelles avait été écrasé pour sa plus grande gloire le moindre soupçon de subversion. On notait dans la capitale certaines manifestations du progrès : voitures à moteur, cinématographes, glaceries, un hippodrome et un théâtre où se produisaient des spectacles venus de New York ou de Paris. Tous les jours accostaient au port des dizaines de bâtiments qui emportaient le pétrole et apportaient des nouveautés, mais tout le reste du territoire demeurait plongé dans un assoupissement séculaire.

Un jour, les habitants de San Jerónimo furent tirés de la sieste par les terrifiants coups de marteau préfigurant l'arrivée du chemin de fer. Les rails devaient relier la capitale à ce village perdu, choisi par le Bienfaiteur pour y bâtir son Palais d'Été à la manière des monarques européens, bien que personne ne fût ici capable de distinguer l'été de l'hiver, l'année entière s'écoulant au rythme de l'humide et brûlante respiration de la nature. Seule raison pour élever là cette œuvre monumentale : un naturaliste belge avait prétendu que si le mythe du paradis terrestre avait quelque consistance, il n'avait pu que se trouver en cet endroit où le paysage était d'une prodigieuse beauté. D'après ses observations, la forêt abritait plus de mille variétés d'oiseaux multicolores et toute sorte d'orchidées sauvages, depuis les brasias, aussi larges que des chapeaux, jusqu'aux minuscules pleurothallis, seulement visibles à la loupe.

L'idée de ce palais était partie de constructeurs italiens

qui s'étaient présentés à Son Excellence avec les plans d'une résidence bigarrée, labyrinthe de marbre composé d'une ribambelle de colonnes, de vestibules, d'escaliers en colimaçon, d'arcades, de voûtes et de chapiteaux, de salons, de cuisines, de chambres à coucher et de plus de trente salles de bains équipées d'une robinetterie en or et en argent. Le chemin de fer constituait la phase liminaire des travaux, indispensable pour acheminer jusqu'à ce trou perdu les tonnes de matériaux et les centaines de manœuvres, sans compter les contremaîtres et artisans qu'on fit venir d'Italie. L'édification de ce puzzle s'étala sur quatre ans, créant des dommages irréparables à la flore et à la faune, et son coût atteignit un montant aussi élevé que l'ensemble des bâtiments de la flotte de guerre nationale, mais tout fut payé rubis sur l'ongle grâce à l'huile noire sortie de terre, et le jour anniversaire de la Glorieuse Prise du Pouvoir, le ruban inaugural du Palais d'Été put être coupé. Pour la circonstance, la locomotive du convoi avait été décorée aux couleurs de l'emblème national, et les wagons de marchandises remplacés par des voitures de voyageurs tendues de velours et de cuir anglais où avaient pris place les invités en tenue de gala, y compris quelques membres de la plus ancienne aristocratie qui, tout en détestant cet Andin sans foi ni loi qui avait usurpé le pouvoir, n'avaient osé refuser son invitation.

Le Bienfaiteur était un homme fruste aux mœurs paysannes, il se lavait à l'eau froide, dormait sur une natte à même le sol, sans ôter ses bottes et le pistolet à portée de main, il se nourrissait de viande grillée et de maïs et ne buvait que de l'eau et du café. Les cigarettes brunes étaient son seul luxe ; tout le reste s'apparentait pour lui à des vices de pédérastes ou de dégénérés, y compris l'alcool qu'il regardait d'un sale œil et que l'on voyait rarement servir à sa table. Avec le temps, il dut néanmoins accepter quelques raffinements autour de lui, car il avait compris la nécessité de faire bonne impression aux diplomates et autres visiteurs de marque afin qu'ils n'allassent pas lui créer à l'étranger une réputation de barbare. Il n'avait point d'épouse qui eût pu exercer quelque influence sur son comportement spartiate. Il considérait l'amour comme une dangereuse faiblesse et était convaincu que toutes les femmes, à l'exception de sa propre mère, étaient virtuellement perverses ; le plus prudent était donc de les maintenir à distance. Il disait volontiers qu'un homme assoupi dans les bras de sa partenaire était aussi vulnérable qu'un nourrisson prématuré, ce pour quoi il exigeait de ses généraux qu'ils résidassent à la caserne, limitant leur vie de famille à des visites sporadiques. Aucune femme n'avait passé une nuit entière dans son lit ni ne pouvait se targuer de quelque chose de plus qu'une étreinte à la sauvette ; aucune ne lui avait laissé de souvenir durable, jusqu'au jour où Marcia Lieberman fit irruption dans son destin.

L'inauguration du Palais d'Été marqua une date dans les annales du règne du Bienfaiteur. Deux jours et deux nuits durant, les orchestres se relayèrent pour interpréter les rythmes à la mode, et les cuistots mitonnèrent un interminable festin. Les plus belles mulâtresses des Caraïbes, parées de robes splendides confectionnées pour l'occasion, dansèrent dans les salons avec des militaires qui n'avaient au grand jamais pris part à la moindre bataille, mais n'en arboraient pas moins une poitrine constellée de médailles. Il y eut toutes sortes d'attractions et de divertissements : des chanteurs venus de La Havane et de La Nouvelle-Orléans, des danseuses de flamenco, des mages, des jongleurs et des trapézistes, des parties de cartes et de dominos, et jusqu'à une chasse aux lapins que les serviteurs libérèrent de leurs cages et firent s'enfuir à fond de train tandis que les invités les poursuivaient avec des lévriers pure race, laquelle partie de chasse trouva son épilogue quand un gros malin eut abattu à coups de carabine les cygnes à col noir qui évoluaient sur le plan d'eau. Quelques invités, n'en pouvant plus, s'écroulèrent sur les meubles, ivres d'alcool et de danses, tandis que d'autres se lançaient tout habillés dans la piscine ou s'égaillaient en couples dans les chambres. Le Bienfaiteur n'avait pas désiré connaître ces détails. Après avoir souhaité la bienvenue à ses hôtes dans une brève allocution et ouvert le bal en compagnie de la dame la plus haut placée dans l'ordre protocolaire, il s'en était retourné à la capitale sans dire au revoir à personne. Les fêtes le mettaient de mauvaise humeur. Le troisième jour, le train fit le voyage de retour, ramenant les convives exténués. Ils laissaient le Palais d'Été dans un état lamentable, les salles de bains transformées en dépôts d'ordures, les tentures dégoulinantes de pisse, le mobilier éventré et les plantes crevant dans leurs jardinières. Il fallut une semaine aux employés de maison pour nettoyer les traces de cette tornade.

Le palais ne fut jamais plus le théâtre de telles bacchanales. De temps à autre, le Bienfaiteur s'y faisait conduire pour échapper au poids de sa charge, mais ce répit ne durait jamais plus de trois ou quatre jours, à cause de la crainte que quelque complot ne vînt à mûrir en son absence. Les affaires de l'État réclamaient sa vigilance de tous les instants s'il ne voulait pas que le pouvoir lui échappât des mains. Seul resta à demeure dans l'énorme édifice le personnel chargé de son entretien. Quand fut retombé le fracas des engins de construction, puis celui du passage du train, que se furent éteints les échos de la fête inaugurale, le paysage recouvra sa sérénité, les orchidées refleurirent et les oiseaux revinrent faire leurs nids. Les habitants de San Jerónimo vaquèrent de nouveau à leurs occupations habituelles et réussirent presque à oublier l'existence du palais. Petit à petit, les Indiens invisibles rappliquèrent alors pour réoccuper leur territoire.

Les premiers signes de leur retour furent si discrets que personne n'y prêta attention : des murmures et des pas, des silhouettes furtives entre les colonnes, l'empreinte d'une main sur la claire surface d'une table. Peu à peu, la nourriture commença à disparaître des cuisines, les bouteilles des caves ; certains matins, des lits étaient défaits. Les domestiques s'accusaient les uns les autres, mais s'abstinrent de crier sur les toits, car nul n'avait intérêt à ce que l'officier de garde prît l'affaire en main. Impossible de surveiller toute la superficie de cette résidence : on n'avait pas plus tôt inspecté une chambre que des soupirs se faisaient entendre dans celle d'à côté, mais dès qu'on ouvrait la porte, on ne trouvait plus que des rideaux frémissants comme si quelqu'un venait juste de les écarter pour passer. La rumeur courut que le palais était ensorcelé et la frayeur ne tarda pas à s'emparer aussi des soldats qui suspendirent leurs rondes nocturnes et se bornèrent à demeurer figés à leurs postes, scrutant les alentours, cramponnés à leurs armes. Saisis d'épouvante, les domestiques ne se harsardaient plus dans les sous-sols et, par mesure de précautions, fermèrent plusieurs chambres à clef. Ils occupaient l'office et dormaient dans une aile de l'édifice. Le reste de la résidence demeura sans surveillance, livré à ces Indiens incorporels qui s'étaient partagé les pièces en y traçant des lignes imaginaires et qui avaient pris possession des lieux à la manière d'esprits espiègles. Ils avaient résisté à la marche de l'Histoire, s'adaptant aux changements quand ils ne pouvaient faire autrement, allant se cacher en cas de besoin dans un univers qui n'était qu'à eux. Ils avaient trouvé refuge entre les murs du palais, ils s'y aimaient sans bruit, y venaient au monde sans cérémonie, y mouraient sans larmes. Ils s'initièrent tant et si bien à tous les détours de ce dédale de marbre qu'ils en vinrent à évoluer sans problèmes dans le même espace que les gardes et les employés de maison, sans jamais les frôler, comme s'ils appartenaient à un autre temps.

L'ambassadeur Lieberman débarqua au port avec son épouse et une pleine cargaison de bagages. Il voyageait en compagnie de ses chiens, avec tous ses meubles, sa bibliothèque, sa collection de disques d'opéra et toutes sortes d'équipements sportifs, y compris un bateau à voile. Dès qu'on lui avait annoncé sa nouvelle affectation, il s'était mis à détester ce pays. Il laissait un poste de ministre-conseiller à Vienne, mû par l'ambition de se hisser au rang d'ambassadeur, fût-ce même en Amérique du Sud, ce continent extravagant qui ne lui inspirait pas la moindre sympathie. En revanche, Marcia, sa femme, avait mieux pris la chose. Si elle était disposée à suivre son mari dans ses pérégrinations diplomatiques, bien qu'elle se sentît de jour en jour plus éloignée de lui et qu'elle ne portât guère d'intérêt aux mondanités, c'est qu'elle bénéficiait à ses côtés d'une grande liberté. Une fois accompli le minimum qu'on est en droit d'attendre d'une épouse, le reste du temps lui appartenait. En vérité, son époux, trop absorbé par son travail et ses activités sportives, se rendait à peine compte qu'elle existait ; il ne s'en apercevait en fait que lorsqu'elle était absente. Aux yeux de Lieberman, sa femme était une sorte de complément indispensable à sa carrière, elle lui assurait un certain éclat en société et s'occupait efficacement des mille problèmes de leur train de vie. Il la considérait comme une fidèle associée, mais il n'avait jusque-là jamais montré le moindre empressement à s'enquérir de ce qu'elle ressentait. Marcia consulta des cartes et une encyclopédie afin de se renseigner sur ce lointain pays et se mit à l'espagnol. Elle profita des deux semaines de traversée de l'Atlantique pour lire les ouvrages du naturaliste belge et, avant même de le connaître, elle était tombée amoureuse de ce brûlant territoire. De tempérament timide, elle se sentait plus heureuse à cultiver son jardin que dans les salons où il lui fallait accompagner son mari ; elle conclut que dans un tel pays, elle pourrait davantage s'affranchir des contraintes sociales et se consacrer à la lecture, à la peinture, à la découverte de la nature.

La première disposition de Lieberman consista à faire installer des ventilateurs dans toutes les pièces de sa résidence. Puis il alla présenter ses lettres de créance aux hautes autorités du pays. Quand le Bienfaiteur le reçut dans son bureau, cela ne faisait que quelques jours que le couple se trouvait dans la capitale, mais le caudillo avait déjà eu vent de la beauté peu commune de l'épouse de l'ambassadeur. Pour sacrifier au protocole, il les convia à dîner, bien qu'il ne pût supporter la morgue et l'intarissable loquacité du diplomate. Ce soir-là, quand Marcia Lieberman fit son entrée au bras de son mari dans la grande salle de réception, pour la première fois de sa longue carrière, le Bienfaiteur eut le souffle coupé devant une femme. Il avait déjà rencontré plus de perfection dans les traits, plus de sveltesse dans le port, mais jamais une grâce pareille. Elle réveilla en lui le souvenir de ses conquêtes passées et une chaleur qu'il n'avait plus éprouvée depuis de nombreuses années lui mit le sang en ébullition. Au cours de cette soirée, il garda ses distances, examinant l'ambassadrice à la dérobée, séduit par la courbe de son cou, l'ombre de ses yeux, ses gestes des mains, la gravité de son attitude. Peut-être l'idée l'effleura-t-elle qu'il avait une bonne quarantaine d'années de plus qu'elle et que tout esclandre ne manquerait pas d'avoir d'imprévisibles répercussions hors des frontières du pays, mais, loin de le dissuader, cette idée ajoutait au contraire un certain piment à sa passion naissante, la rendant irrésistible.

Marcia Lieberman sentit le regard de l'homme lui coller à la peau comme une impudique caresse, mais, tout en mesurant le danger, elle n'eut pas la force de s'y soustraire. A un moment donné, elle songea à prier son époux de prendre congé, mais, au lieu de donner suite à cette idée, elle resta assise à sa place, ayant envie que le vieillard s'approchât d'elle et en même temps disposée à s'esquiver en courant s'il venait à le faire. Elle ne savait trop pourquoi elle s'était mise à trembler. Elle ne se berçait pas d'illusions sur son compte, elle pouvait distinguer à distance les marques de la décrépitude, la peau couverte de rides et de taches, le corps sec et noueux, la démarche vacillante, elle imaginait son odeur rance et devinait, sous les gants de chevreau blanc, des mains pareilles à des serres. Mais le regard du dictateur, voilé par l'âge et une longue habitude de la cruauté, conservait un éclat dominateur qui la tenait paralysée sur sa chaise.

Le Bienfaiteur ne savait faire la cour à une femme, il n'en avait jusque-là jamais eu besoin. Ce fut pour lui un bon point, car s'il s'était mêlé d'importuner Marcia en débitant des galanteries de séducteur, il n'eût fait que paraître répugnant et elle aurait reculé avec dégoût. En revanche, elle ne put se dérober quand, quelques jours plus tard, il vint frapper à sa porte, en civil, sans escorte, comme un grand-père à la mine affligée, pour lui dire que cela faisait bien dix ans qu'il n'avait pas touché une femme, qu'il était déjà mort pour ce genre de tentations, mais qu'il la priait très respectueusement de bien vouloir l'accompagner cet après-midi-là dans quelque lieu privé où il pourrait poser la tête sur ses genoux de reine et lui raconter à quoi ressemblait le monde à l'époque où il était encore un mâle en pleine possession de ses moyens et où elle-même n'était pas encore née.

— Et mon mari ? parvint à émettre Marcia dans un souffle.

— Votre mari n'existe pas, ma petite fille. Désormais, il n'existe que vous et moi, répondit le président Vitalicio en lui prenant le bras et en la conduisant jusqu'à sa Packard noire.

Marcia ne rentra pas chez elle et l'ambassadeur Lieberman regagna son pays au bout d'à peine un mois. Il avait remué ciel et terre pour retrouver son épouse, se refusant d'abord à admettre ce qui n'était déjà plus un mystère pour personne, puis, quand il ne put plus ignorer les preuves de l'enlèvement, il demanda audience au chef de l'État et exigea qu'on lui rendît sa femme. L'interprète s'évertua à édulcorer ses propos en les traduisant, mais leur ton n'échappa pas au Président qui saisit ce prétexte pour se débarrasser une fois pour toutes de l'imprudent conjoint. Il déclara que Lieberman avait insulté la nation en proférant ces absurdes accusations dépourvues de tout fondement et lui intima l'ordre de quitter le pays dans les trois jours. Il lui accorda la chance de le faire sans scandale, afin d'épargner la dignité de son gouvernement, car nul n'avait intérêt à rompre les relations diplomatiques et à gêner la libre circulation des pétroliers. Au terme de l'entrevue, il ajouta avec une expression de patriarche offensé qu'il était à même de comprendre que Lieberman eût perdu la tête, mais que celui-ci pouvait partir tranquille, car lui-même poursuivrait les recherches en son absence afin de retrouver cette dame. En gage de bonne volonté, il convoqua le chef de la police et lui donna des instructions en présence de l'ambassadeur. Si ce dernier fut à un moment tenté de refuser de s'en aller sans Marcia, il comprit, en y réfléchissant à deux fois, qu'il risquait de recevoir une balle dans la nuque, de sorte qu'il eut tôt fait de remballer ses affaires et quitta le pays avant que n'eût expiré le délai qui lui était imparti.

L'amour s'était emparé du Bienfaiteur par surprise à un âge où l'on n'a plus souvenir des impatiences du cœur. Ce cataclysme lui avait mis les sens en émoi, il retombait en adolescence, mais il s'en fallait de beaucoup que sa sagacité de renard s'en trouvât assoupie. Il ne lui échappait pas qu'il s'agissait d'une passion sénile et il ne pouvait croire que Marcia le payât de retour. Il ignorait pourquoi elle l'avait suivi, cet après-midi-là, mais sa raison lui soufflait que ce n'était pas par amour, et comme il ne connaissait rien aux femmes, il se dit qu'elle s'était laissé entraîner par goût de l'aventure ou par quelque appétit de pouvoir. En fait, elle s'était laissé vaincre par la pitié. Quand le vieillard l'eut étreinte avec avidité, les yeux embués de honte, sa virilité ne répondant plus comme autrefois, elle s'était employée avec patience et application à lui rendre son orgueil ébranlé. Au bout de plusieurs tentatives infructueuses, le pauvre homme était ainsi parvenu à forcer le seuil et à aller et venir quelques brefs instants dans le douillet jardin qui s'offrait à lui, avant de s'écrouler, le cœur rempli d'écume.

— Reste avec moi, l'implora le Bienfaiteur dès qu'il fut parvenu à surmonter la peur de trépasser sur elle.

Et Marcia était restée, émue par la solitude du vieux caudillo et parce que la perspective d'aller rejoindre son mari lui paraissait moins intéressante que la gageure de franchir le cercle de fer à l'intérieur duquel cet homme avait passé les quelque quatre-vingts ans de son existence.

Le Bienfaiteur cacha Marcia dans une de ses résidences où il lui rendait visite quotidiennement. Jamais il ne passa la nuit entière près d'elle. Le temps qu'ils partageaient ensemble s'écoulait en lentes caresses et en conversations.

Dans son espagnol hésitant, elle évoquait ses voyages, les livres qu'elle lisait ; il l'écoutait sans bien comprendre, bercé par le rythme de sa voix. D'autres fois, c'est lui qui parlait de son enfance sur les pentes arides des Andes, ou bien encore de sa vie de soldat, mais à peine formulait-elle quelque question qu'il se fermait aussitôt, la regardant de travers, comme un ennemi. Cette défiance maladive n'échappa point à Marcia qui comprit que cette habitude du soupçon était bien plus puissante, chez lui, que le besoin de se laisser aller à la tendresse, tant et si bien qu'au bout de quelques semaines, elle s'avoua vaincue. En abdiquant l'espoir de le gagner à l'amour, son intérêt pour cet homme retomba et elle émit le souhait de sortir des murs où on la tenait séquestrée. Mais il était trop tard. Le Bienfaiteur avait besoin d'elle parce qu'elle était ce qu'il avait connu de plus ressemblant à une compagne, son mari était retourné en Europe, elle n'avait nulle part où aller et son nom même commençait à s'estomper dans la mémoire des gens. Le dictateur perçut le changement qui s'était opéré en elle et sa méfiance augmenta, sans qu'il cessât pour autant de l'aimer. Pour lui faire oublier la claustration à laquelle elle était à jamais condamnée — son apparition en pleine rue eût corroboré les accusations de Lieberman, semant le bordel dans les relations internationales —, il lui procura tout ce qui lui faisait plaisir : musique, livres, animaux. Marcia passait ses journées dans un monde à part, de plus en plus coupée de la réalité. Quand elle eut renoncé à ranimer ses ardeurs, le vieillard se trouva dans l'incapacité de lui faire l'amour et leurs tête-à-tête tournèrent à de paisibles après-midi passés à siroter du chocolat et grignoter des gâteaux secs. Dans son désir de lui être agréable, le Bienfaiteur l'invita un jour à découvrir le Palais d'Été afin qu'elle pût voir de près ce paradis vanté par le naturaliste belge, sur lequel elle avait tant lu.

N'ayant pas resservi depuis la fête inaugurale, une dizaine d'années auparavant, le train était hors d'usage, de sorte qu'ils firent le voyage en voiture, précédés par une cohorte de gardes et de domestiques qui partirent sur place avec une semaine d'avance, trimbalant tout le nécessaire pour rendre au palais son luxe des premiers temps. La route était tout juste une piste défendue contre la végétation envahissante par des équipes de détenus. Sur certaines portions du parcours, il fallut employer les machettes pour dégager les fougères arborescentes, et recourir à des bœufs pour désembourber les véhicules, mais rien de tout cela n'entama l'enthousiasme de Marcia. Elle était éblouie par le paysage. Elle endura la moiteur de l'air et les moustiques comme si elle y avait été insensible, fascinée par cette nature qui paraissait l'envelopper de son étreinte. Elle avait l'impression d'avoir déjà vécu auparavant en ces lieux, peut-être en songe ou bien dans une autre vie, de faire corps avec eux, de n'avoir été jusque-là qu'une étrangère en ce monde, et que tous les pas qu'elle avait accomplis, y compris en quittant le domicile de son mari pour suivre un vieillard tremblotant, avaient été orientés par son instinct dans le seul but de la conduire jusqu'en cet endroit. Avant même d'entr'apercevoir le Palais d'Été, elle savait déjà que ce serait là sa dernière résidence. Quand l'édifice lui apparut enfin à travers les feuillages, resplendissant sous le soleil au milieu de sa couronne de palmiers, Marcia poussa un soupir de soulagement comme un naufragé à la vue de son port d'attache.

En dépit de la frénésie de préparatifs destinés à les recevoir, la vaste demeure paraissait désaffectée. Son architecture romaine, conçue pour figurer au centre d'un jardin géométrique, point de rencontre de majestueuses allées, était noyées dans l'enchevêtrement d'une végétation vorace. Le climat torride avait altéré les coloris des matériaux, les recouvrant d'une patine précoce ; quant à la piscine et aux parterres, il n'en subsistait rien de visible. Cela faisait belle lurette que les levriers avaient rompu leur laisse et qu'ils erraient aux abords de la propriété, meute affamée et féroce qui accueillit les nouveaux arrivants par un concert d'aboiements. Les oiseaux avaient fait leurs nids dans les chapiteaux et conchié les bas-reliefs. Partout se rencontraient les signes d'un formidable désordre. Le Palais d'Été s'était métamorphosé en une sorte de créature vivante ouverte à la verte invasion de la forêt vierge qui l'avait encerclé puis investi. Marcia sauta au bas de l'automobile et se précipita vers la porte à hauts battants où attendait l'escorte accablée par la canicule. Elle parcourut l'une après l'autre toutes les pièces : les grands salons ornés de lustres de cristal suspendus aux plafonds comme des grappes d'étoiles, décorés de meubles français et dont les tapisseries abritaient des nichées de lézards, les chambres aux lits à baldaquin fanés par l'intensité du jour, les salles de bains où la mousse s'insinuait entre les dalles de marbre. Elle allait, le sourire aux lèvres, comme quelqu'un qui rentre en possession d'un bien qu'on lui a ravi.

Les jours suivants, le Bienfaiteur vit Marcia si épanouie de bonheur qu'un reste de vigueur vint échauffer sa vieille carcasse et qu'il put l'honorer comme lors de leurs premiers tête-à-tête. Elle le laissa faire, distraite. Il se sentait si bien que les huit jours qu'ils pensaient passer là se prolongèrent d'une semaine supplémentaire. La fatigue accumulée à l'époque où il jouait les satrapes s'effaça, de même que s'estompèrent nombre des indispositions dues à l'âge. Il se promena dans les environs avec Marcia, lui montrant les multiples variétés d'orchidées grimpant aux troncs ou pendant en grappes des plus hautes branches, les nuées de papillons blancs qui recouvraient çà et là le sol, les oiseaux au plumage irridescent qui emplissaient l'air de leurs chants. Il joua avec elle au jeune soupirant enamouré, lui glissant dans la bouche la pulpe savoureuse des mangues sauvages, la lavant lui-même dans des bains aux herbes, la faisant rire aux éclats en lui donnant la sérénade sous sa fenêtre. Cela faisait des années qu'il ne s'éloignait plus de la capitale, hormis pour de brefs déplacements en bimoteur dans les provinces où sa présence était requise afin d'étouffer quelque amorce d'insurrection et de persuader à nouveau le peuple que son autorité ne pouvait être mise en question. Ces vacances inattendues le mirent d'excellente humeur, la vie lui parut subitement plus plaisante et il en vint à rêver qu'auprès d'une si belle femme, il pourrait continuer à gouverner éternellement. Une nuit, le sommeil le prit à l'improviste dans ses bras. A l'aube, il se réveilla atterré, avec le sentiment de s'être trahi lui-même. Il se leva en sueur, le cœur battant à tout rompre, et la contempla sur le lit, blanche odalisque au repos, sa chevelure cuivrée couvrant son visage. Il sortit donner des ordres à son escorte pour le retour à la capitale. Il ne fut nullement étonné que Marcia ne donnât aucun signe de vouloir l'accompagner. Au fond, peut-être préférait-il qu'il en fût ainsi, car il avait compris qu'elle constituait sa plus dangereuse faiblesse, la seule capable de lui faire négliger le pouvoir.

Le Bienfaiteur regagna la capitale sans Marcia. Il lui laissa une demi-douzaine de soldats pour surveiller la propriété et quelques domestiques pour assurer son service, et il lui promit de veiller à ce que le chemin soit maintenu en bon état afin qu'elle pût recevoir ses cadeaux, ses vivres, le courrier et quelques journaux. Il l'assura qu'il lui rendrait visite aussi souvent que le lui permettraient ses obligations de chef d'État, mais au moment de se dire au revoir, l'un comme l'autre savaient qu'ils ne se reverraient plus. Le cortège du Bienfaiteur disparut derrière les fougères arborescentes et, l'espace d'un instant, un profond silence enveloppa le Palais d'Été. Pour la première fois de son existence, Marcia se sentit vraiment libre. Elle ôta les épingles qui maintenaient ses cheveux en chignon et secoua la tête. Les gardes déboutonnèrent leur vareuse et déposèrent leurs armes, cependant que les domestiques allaient suspendre leurs hamacs dans les coins où il faisait le plus frais.

Au cours de ces deux semaines, les Indiens n'avaient cessé, dans l'ombre, d'épier les visiteurs. Sans se laisser abuser par la peau claire et l'admirable chevelure frisée de Marcia Lieberman, ils l'avaient reconnue pour l'une des leurs ; s'ils n'avaient pas osé se matérialiser devant elle, c'est que cela faisait des siècles qu'ils vivaient dans la clandestinité. Après le départ du vieillard et de sa suite, ils recommencèrent discrètement à occuper l'espace où ils avaient vécu pendant des générations. Marcia subodora qu'elle n'était jamais seule, que partout où elle allait, mille paires d'yeux la suivaient ; autour d'elle, elle sentait en permanence une sorte de murmure, un souffle tiède, une palpitation régulière, mais elle n'avait pas peur, au contraire, elle avait l'impression d'être protégée par de gentils esprits. Elle s'habitua à de menus dérangements : une de ses robes disparaissait pendant plusieurs jours, puis était retrouvée un beau matin dans une corbeille au pied de son lit, quelqu'un engloutissait son dîner juste avant qu'elle ne fasse son entrée dans la salle à manger, on lui barbotait ses aquarelles et ses livres, sur sa table surgissaient des orchidées fraîchement coupées, certains après-midi sa baignoire l'attendait avec des feuilles de menthe flottant sur l'eau fraîche, on entendait des notes de piano dans les salons déserts, des halètements d'amants dans les penderies, des voix enfantines au grenier. Les domestiques n'avaient aucune explication à donner de ces remue-ménage ; se figurant qu'ils faisaient eux aussi partie de ce complot sans méchanceté aucune, elle cessa bientôt de leur poser des questions. Une nuit, munie d'une lampe de poche, elle attendit, tapie derrière les rideaux, et dès qu'elle entendit un trottinement de pas sur le marbre, elle fit la lumière. Il lui sembla distinguer quelques silhouettes nues qui, l'espace d'un instant, tournèrent vers elle un regard empreint de douceur avant de s'évaporer. Elle les héla en espagnol, mais nul ne répondit. Elle comprit que pour découvrir la clé de ces mystères, il lui faudrait s'armer d'une infinie patience, mais cela lui était bien égal, car elle avait toute la vie devant elle.

Quelques années plus tard, le pays fut ébranlé par la nouvelle que la dictature avait pris fin pour une cause étonnante : le Bienfaiteur était mort. Quoique le vieillard n'eût plus que la peau sur les os et que cela fît plusieurs mois qu'il était en voie de décomposition dans son propre uniforme, bien rares en vérité étaient ceux qui imaginaient que cet homme pût être mortel. Nul ne se souvenait de l'époque qui l'avait précédé ; il était au pouvoir depuis tant de décennies que le peuple s'était habitué à le considérer comme un mal inéluctable, à l'instar du climat. Les échos des funérailles tardèrent quelque peu à parvenir jusqu'au Palais d'Été. A cette époque, la plupart des gardes et des employés, las d'attendre une relève qui n'arrivait jamais, avaient déserté leurs postes. Marcia Lieberman écouta les informations sans marquer le moindre trouble. En fait, elle devait faire effort pour se remémorer son passé, ce qui se trouvait par-delà la forêt, et ce vieillard aux petits yeux de faucon qui avait chamboulé son destin. Elle se rendit compte qu'à la mort du tyran disparaissaient les raisons qu'on avait eues de la tenir cachée, elle pouvait à présent regagner le monde

civilisé où personne à coup sûr ne se souciait plus du
scandale de son enlèvement, mais elle eut tôt fait de
rejeter cette idée, car il n'y avait rien qui l'intéressât hors
de cette inextricable région. Elle coulait des jours paisibles
au milieu des Indiens, immergée dans cette nature
verdoyante, vêtue d'une simple tunique, les cheveux
courts, parée de tatouages et de plumes. Elle était
foncièrement heureuse.

Au bout d'une génération, alors que la démocratie
s'était établie dans le pays et que de la longue chronique
des dictateurs ne subsistait plus rien, hormis quelques
mentions dans les manuels scolaires, quelqu'un se souvint
de la résidence de marbre et suggéra de la récupérer pour
en faire une Académie des beaux-arts. Le Congrès de la
République y dépêcha une commission afin de rédiger un
rapport, mais les automobiles se perdirent en chemin et
quand elles parvinrent enfin à San Jerónimo, personne
ne sut leur dire où se trouvait le Palais d'Été. L'idée vint
alors de suivre les rails du chemin de fer, mais ils avaient
été arrachés aux traverses et la végétation en avait effacé
les traces. Le Congrès envoya une patrouille d'éclaireurs
accompagnés de deux officiers du génie pour survoler la
zone en hélicoptère, mais la végétation était si dense
qu'ils ne purent davantage repérer l'endroit. Les traces
du palais avaient fini par se brouiller et se perdre dans
la mémoire des gens comme aux archives municipales,
son existence même était devenue un ragot de bonnes
femmes, les rapports furent engloutis par la bureaucratie
et comme la Patrie avait des problèmes plus urgents, le
projet d'Académie des beaux-arts fut renvoyé aux calendes
grecques.

De nos jours, une route a été aménagée qui relie San
Jerónimo au reste du pays. Les voyageurs racontent

qu'après un orage, quand l'air humide est chargé d'électricité, il arrive qu'on voie se dresser soudain à proximité un blanc palais de marbre qui, l'espace de quelques instants, reste suspendu en l'air à une certaine hauteur, pareil à un mirage, puis s'évanouit sans bruit.

De boue nous sommes faits

On vit la tête de la fillette au ras de la coulée de boue, les yeux grands ouverts, appelant sans voix. Elle portait un prénom de communion solennelle : Azucena[1]. Au milieu de cet immense cimetière vers lequel l'odeur de mort faisait converger du plus loin les vautours, où l'air était rempli des pleurs d'orphelins et des gémissements de blessés, cette gamine obstinée à survivre devint la figure emblématique de la tragédie. Les caméras diffusèrent à tant de reprises l'insupportable vision de sa tête émergeant de la glaise comme une sombre calebasse qu'il ne se trouva plus personne pour ignorer son existence ni son nom. Et chaque fois que nous la vîmes apparaître sur le petit écran, derrière l'objectif se tenait Rolf Carlé, attiré sur place par la nouvelle sans se douter qu'il rencontrerait là un morceau de son passé perdu de vue une trentaine d'années auparavant.

Ç'avait d'abord été comme un spasme souterrain qui avait agité les champs de coton, les faisant moutonner comme une houle écumante. Les géologues avaient installé leurs appareils de mesure plusieurs semaines à l'avance et n'ignoraient plus que la montagne s'était à nouveau réveillée. Cela faisait longtemps qu'ils prédi-

1. Lys blanc. *(N.d.T.)*

— 315 —

saient que la chaleur de l'éruption risquait de détacher les glaces éternelles des flancs du volcan, mais nul n'avait prêté cas à ces avertissements qui ressemblaient trop à des histoires de vieilles femmes. Les villages de la vallée avaient continué à mener leur petite vie, sourds aux geignements de la terre, jusqu'au soir de ce funeste mercredi de novembre où un interminable grondement annonça la fin du monde et où les parois neigeuses se détachèrent, dévalant les pentes en une avalanche de pierres, de boue et d'eau mêlées qui s'abattit sur les localités, les ensevelissant sous plusieurs mètres d'une couche compacte de vomissures telluriques. A peine remis de l'épouvante qui les avait paralysés sur place, les survivants purent constater que les maisons, les places, les églises, les champs immaculés de coton, les sombres plantations de caféiers, les enclos réservés aux taureaux de reproduction avaient disparu. Longtemps après, quand volontaires et soldats rappliquèrent pour porter secours aux rescapés et évaluer l'ampleur de la catastrophe, ils calculèrent que sous cette gadoue reposaient plus de vingt mille êtres humains et un nombre indéfini de bêtes en train de pourrir dans un bouillon gluant. Avaient été pareillement anéanties forêts et rivières, et l'œil n'embrassait plus qu'un immense désert de boue.

Lorsqu'on lui avait téléphoné de la chaîne aux aurores, Rolf Carlé et moi étions ensemble. Encore tout hébétée de sommeil, je sortis des draps et m'en fus préparer le café tandis qu'il s'habillait en hâte. Il fourra ses instruments de travail dans le sac de toile verte dont il ne se séparait jamais et nous nous dîmes au revoir comme tant d'autres fois. Aucun pressentiment ne vint m'effleurer. Je restai dans la maison à siroter mon café et à faire des plans pour les heures à passer sans lui, persuadée qu'il serait de retour dès le lendemain.

Il fut parmi les premiers sur place, car tandis que

d'autres reporters tentaient d'arriver à proximité du lac de boue en jeep, à vélo ou à pied, chacun se frayant un chemin au mieux de ses possibilités, il put profiter de l'hélicoptère de la télévision et passer à son bord au-dessus de l'avalanche. Sur les écrans défilèrent des séquences prises par la caméra de son assistant, dans lesquelles on le voyait enlisé jusqu'aux genoux, un micro à la main, au milieu d'un tourbillon d'enfants perdus, de blessés graves, de cadavres et de ruines. Son commentaire nous parvint d'une voix égale. Cela faisait des années que je le voyais aux actualités télévisées, enquêtant au cœur des combats et des catastrophes sans que rien ne pût l'arrêter, et j'avais toujours été saisie d'étonnement par son calme face au danger et à la souffrance, comme si rien n'était susceptible d'ébranler sa résolution ni de détourner sa curiosité. La peur ne semblait pas l'effleurer, mais lui-même m'avoua un jour qu'il n'était pas courageux, loin de là. Je crois que l'objectif de prise de vues avait un étrange effet sur lui, comme si cet accessoire le transportait dans un autre temps d'où il pouvait contempler les événements sans y prendre vraiment part. Quand je le connus mieux, je compris que cette distance fictive le mettait à l'abri de ses propres émotions.

Rolf Carlé se tint dès le début aux côtés d'Azucena. Il filma les volontaires qui l'avaient découverte et les premiers qui tentèrent de s'en approcher ; sa caméra ne lâchait pas la gamine, son visage brunâtre, ses grands yeux éplorés, sa tignasse compacte. La boue était profonde en cet endroit et il y avait danger de s'enliser au moindre pas. On lui lança une corde dont elle ne parut pas vouloir s'emparer jusqu'à ce qu'on lui eût crié de s'y accrocher : elle sortit alors une main et essaya de bouger, mais ce fut pour s'enfoncer aussitôt davantage. Rolf abandonna son sac et le reste de son équipement et s'avança dans le bourbier, déclarant vers le micro tendu de son assistant qu'il faisait froid et qu'on commençait déjà à respirer la puanteur des cadavres.

— Comment t'appelles-tu ? demanda-t-il à la fillette qui lui répondit en citant son nom de fleur. Ne bouge surtout pas, Azucena — lui ordonna-t-il, et il continua à lui parler sans réfléchir à ce qu'il lui racontait, seulement soucieux de distraire son attention tandis qu'il se traînait à gestes lents, de la glaise jusqu'à la ceinture. Autour d'eux, l'air paraissait aussi opaque que la boue.

Impossible de s'approcher d'elle par ce côté-là ; aussi rebroussa-t-il chemin et fit-il un crochet sur un terrain moins mouvant. Quand il fut enfin tout près de la fillette, il saisit la corde et la noua sous ses aisselles afin de pouvoir la hisser. Il lui adressa un de ces sourires dont il a le secret, qui lui rapetissent les yeux et le font retomber en enfance ; il lui dit que tout allait comme sur des roulettes, qu'il était à ses côtés, qu'on n'allait plus tarder à la sortir de là. Il fit signe aux autres de la haler, mais à peine la corde fut-elle tendue que la petite se mit à crier. Au terme d'une nouvelle tentative, ses épaules et ses bras émergèrent, mais ils ne purent la dégager davantage, elle était coincée quelque part. Quelqu'un émit l'idée qu'elle avait peut-être les jambes prises sous les décombres de sa maison ; elle le corrigea en disant que ce n'étaient pas seulement les gravats qui la retenaient prisonnière, mais les cadavres de ses frères et sœurs agrippés à elle.

— Ne t'en fais pas, nous allons te tirer de là, lui promit Rolf.

En dépit de la mauvaise qualité du son, je remarquai que sa voix s'était brisée et je me sentis d'autant plus proche de lui. La gamine le regardait sans répondre.

Au cours de ces premières heures, Rolf Carlé épuisa toutes les ressources de son génie inventif pour la sauver. Il usa de perches et de cordes, mais tirer dessus revenait à infliger un intolérable supplice à la petite prisonnière. Il eut l'idée de confectionner une sorte de levier avec des bouts de bois, mais sans résultat, et il dut également y renoncer. Il obtint pendant quelques instants le concours de deux soldats, mais ils le laissèrent bientôt tomber, nombre d'autres victimes appelant à l'aide. La gamine était dans l'incapacité de bouger et c'est à peine si elle pouvait respirer, mais elle n'avait pas l'air de céder au désespoir, comme si une résignation ancestrale lui avait permis de déchiffrer son destin. Le journaliste, en revanche, était bien décidé à l'arracher à la mort. On lui apporta un pneu qu'il lui plaça sous les aisselles à l'instar d'une bouée, puis il jeta une planche près du trou, sur laquelle prendre appui pour mieux attraper la petite. Comme il était impossible de dégager les décombres à l'aveuglette, il plongea par deux fois pour explorer cet enfer, mais il remonta en rage, dégoulinant de boue, recrachant des éclats de pierre. Il en conclut qu'il fallait une pompe pour aspirer cette vase et il envoya quelqu'un en réclamer une par radio, mais on lui rapporta le message que les moyens de transport faisaient défaut et qu'on ne pourrait lui en envoyer une que dans la matinée du lendemain.

— On ne peut pas attendre jusque-là ! protesta Rolf Carlé, mais, dans tout ce branle-bas, nul ne s'arrêta pour partager son émoi.

Il allait encore devoir s'écouler de nombreuses heures avant qu'il ne se fît à l'idée que le temps s'était arrêté et que la réalité venait de subir une distorsion irrémédiable.

Un médecin militaire s'était approché pour examiner les enfants ; il affirma que le cœur de la gamine fonctionnait bien et que si elle ne prenait pas trop froid, elle pourrait tenir jusqu'à l'aube. Rolf Carlé s'évertua à la réconforter :

— Prends patience, Azucena, demain on va faire venir la pompe.

— Ne me laisse pas toute seule, supplia-t-elle.

— Mais non, bien sûr que non.

On leur apporta du café et il en fit boire gorgée après gorgée à la fillette. Le chaud breuvage la ravigota et elle se mit à parler de sa petite existence, évoquant sa famille et l'école, à quoi ressemblait ce morceau de terre avant l'explosion du volcan. Porté par un optimisme prématuré, le journaliste se persuada que tout se terminerait bien, que la pompe finirait par arriver, qu'on aspirerait l'eau, qu'on dégagerait les décombres et qu'Azucena serait acheminée par hélicoptère jusqu'à un hôpital où elle se remettrait rapidement et où il pourrait lui rendre visite, les bras chargés de cadeaux. Il se dit qu'elle n'était plus en âge de jouer à la poupée et il se demanda ce qui pourrait bien lui faire plaisir : peut-être une robe ? Je ne connais pas grand-chose aux filles, conclut-il avec amusement, calculant qu'il en avait eu une ribambelle dans sa vie, mais qu'aucune ne lui avait enseigné ce genre de détails. Pour tromper les heures, il se mit à raconter à la gamine ses voyages et ses aventures de chasseur de nouvelles, et quand il eut épuisé son stock de souvenirs, il recourut à son imagination pour inventer n'importe quoi qui pût la distraire. De temps à autre elle se mettait à somnoler, mais il continuait à lui parler dans le noir, aussi bien pour lui montrer qu'il ne s'était point éloigné que pour vaincre le tenaillement du doute.

Ce fut une très longue nuit.

A de nombreux milles de là, je regardais Rolf Carlé et la gamine sur un petit écran. Je ne pus supporter d'attendre ainsi chez moi et courus à la Télévision nationale où j'avais si souvent passé des nuits blanches à ses côtés, quand il mettait la dernière main à tel ou tel programme. Je me trouvai ainsi plus près de lui et pus me pencher sur ce qu'il lui fut donné de vivre au cours de ces trois journées fatales. Je m'adressai à tout ce que la capitale comptait de gens importants, aux sénateurs de la République, aux généraux des forces armées, à l'ambassadeur nord-américain et au président de la Compagnie pétrolière, les suppliant de trouver une pompe pour aspirer la boue, mais ne parvins à obtenir que de vagues promesses. Je me mis alors à lancer des appels pressants à la radio et à la télévision, pour le cas où quelqu'un aurait pu nous venir en aide. Entre deux messages, je me précipitais à la régie pour ne pas manquer les images transmises par satellite qui apportaient à tout instant de nouveaux détails sur la catastrophe. Tandis que les journalistes sélectionnaient les plans les plus saisissants pour les actualités télévisées, je scrutais ceux où apparaissait Azucena dans sa fosse. L'écran réduisait le cataclysme à deux dimensions, accentuant la terrible distance qui me séparait de Rolf Carlé, mais je n'en étais pas moins avec lui, j'éprouvais le même sentiment d'échec, la même impuissance que lui. Dans l'impossibilité de communiquer avec lui, il me vint l'idée chimérique de me concentrer pour le joindre par la seule force de la pensée et de lui donner ainsi courage. A certains moments, je m'étourdissais en activités aussi fébriles que vaines ; à d'autres, la détresse me submergeait et je me mettais à pleurer ; d'autres fois encore, vaincue par la fatigue, j'avais l'impression de contempler au télescope l'éclat d'une étoile morte depuis un million d'années.

Au premier journal télévisé de la matinée, je découvris cet enfer où flottaient des cadavres de bêtes et d'êtres humains charriés par les eaux de nouveaux torrents formés en l'espace d'une nuit par la fonte des neiges. De la nappe de boue dépassaient la cime de quelques arbres et le clocher d'une église à l'intérieur de laquelle plusieurs personnes avaient trouvé refuge et attendaient patiemment les équipes de secours. Des centaines de soldats et de volontaires de la Protection civile s'évertuaient à remuer les décombres en quête de survivants, cependant que de longues cohortes de spectres en haillons faisaient la queue pour recevoir un bol de soupe. Les stations de radio informèrent que leurs standards étaient débordés par les appels de familles qui proposaient d'héberger les enfants orphelins. L'eau potable, l'essence, les vivres venaient à manquer. Les médecins, résignés à amputer des membres sans anesthésie, réclamaient pour le moins du sérum, des analgésiques et des antibiotiques, mais la plupart des voies d'accès étaient coupées et par-dessus le marché, l'administration retardait tout. Pendant ce temps, la boue contaminée par les cadavres en décomposition menaçait les vivants d'épidémie.

Azucena tremblait, appuyée au pneumatique qui la maintenait à la surface. L'immobilité et la tension de l'attente l'avaient beaucoup affaiblie mais elle demeurait consciente et pouvait encore s'exprimer d'une voix perceptible quand on lui tendait un micro. Son ton était humble, comme si elle demandait pardon d'être cause de tant de dérangement. Rolf Carlé arborait de sombres cernes sous les yeux, sa barbe avait poussé et il paraissait exténué. Même à cette énorme distance, je pus discerner la nature de son épuisement, différent de toutes les fatigues qu'il avait connues précédemment dans sa vie. Il avait totalement oublié la caméra, il ne lui était plus possible de regarder l'enfant à travers un objectif. Les images qui nous parvenaient n'étaient pas de son assistant, mais d'autres reporters qui s'étaient approprié Azucena, lui assignant la responsabilité pathétique d'incarner toute l'horreur de ce qui était advenu en ces lieux. Dès l'aube, Rolf s'efforça à nouveau d'ébranler les obstacles qui retenaient la gamine dans ce tombeau, mais il ne disposait que de ses deux mains, n'osant pas se servir d'un outil de peur de la blesser. Il tendit à Azucena le bol de bouillie de maïs et de banane verte que distribuait l'armée, mais elle le vomit aussitôt. Un médecin accourut et constata qu'elle avait de la fièvre, mais il ajouta qu'on n'y pouvait pas grand-chose, les antibiotiques étant réservés aux cas de gangrène. Un prêtre s'approcha à son tour pour la bénir et lui suspendre au cou une médaille de la Vierge. Dans l'après-midi, il se mit à tomber sans arrêt une petite pluie fine.

— Voilà le ciel qui pleure, murmura Azucena, et elle se mit à son tour à pleurer.

— N'aie pas peur, l'implora Rolf. Ne gaspille pas tes forces, reste tranquille, tout finira bien, je suis à côté de toi et m'en vais te tirer de là d'une manière ou d'une autre.

Les reporters s'en revinrent la prendre en photo et lui reposer les mêmes questions auxquelles elle n'essayait même plus de répondre. Entre-temps avaient débarqué de nouvelles équipes de cinéma et de télévision avec rouleaux de câbles, pellicules, cassettes vidéo, téléobjectifs, magnétophones, consoles de son, projecteurs, réflecteurs, moteurs et batteries, magasins de recharge, électriciens, ingénieurs du son et opérateurs, qui expédièrent le visage d'Azucena sur des millions d'écrans à travers le monde. Rolf Carlé, quant à lui, continuait à réclamer une pompe. Le déploiement de moyens techniques donna des résultats et au siège de la Télévision nationale, nous commençâmes à recevoir des images plus nettes, un son plus distinct ; la distance paraissait soudain s'être raccourcie et j'eus la sensation atroce qu'Azucena et Rolf se trouvaient tout à côté, séparés de moi par une vitre impossible à briser. Je pus suivre les événements heure par heure, j'assistai à tout ce que tenta mon ami pour arracher la gamine à l'étau qui la retenait prisonnière et pour l'aider à endurer son calvaire, j'entendis des bribes de ce qu'ils se disaient et ne fus pas en peine de deviner le reste, j'étais là quand elle apprit à prier à Rolf, là encore quand il s'évertua à la distraire en lui narrant ces histoires que je lui avais contées au long de mille et une nuits sous la blanche moustiquaire de notre lit.

Lorsque les ténèbres du second jour tombèrent, il chercha à la faire dormir en lui chantant de vieux refrains autrichiens appris de sa mère, mais elle était déjà au-delà du sommeil. Ils passèrent une grande partie de la nuit à parler, à bout de forces l'un et l'autre, l'estomac creux, grelottant de froid. Peu à peu s'entrouvrirent ainsi les lourdes vannes qui avaient contenu le passé de Rolf Carlé depuis de si nombreuses années, et le flot de tout ce qu'il avait enfoui dans les couches les plus profondes et les plus secrètes de sa mémoire jaillit enfin, déblayant sur son passage les obstacles qui avaient si longtemps bloqué sa conscience. Il ne put se raconter totalement à Azucena, peut-être ignorait-elle qu'il existait d'autres continents par-delà les mers, voire un temps antérieur au sien, peut-être était-elle incapable d'imaginer l'Europe à l'époque de la guerre, aussi s'abstint-il de lui narrer la débâcle, et cet après-midi où les Russes le conduisirent au camp de concentration pour enterrer les détenus morts de faim. Pourquoi aller lui expliquer que les corps nus, empilés comme un tas de bûches, paraissaient faits de porcelaine fragile ? Comment parler des fours et des potences à cette gosse à l'agonie ? Il ne fit pas non plus allusion à cette nuit où il vit sa mère dévêtue, chaussée de souliers rouges à talon aiguille, pleurant d'humiliation. Il garda silence sur beaucoup de choses, mais, pour la première fois, il revivait au cours de ces heures tout ce que son esprit avait tenté de gommer ; Azucena s'était déchargée sur lui de sa peur et, sans le vouloir, avait ainsi contraint Rolf à affronter la sienne. Là, près de ce gouffre maudit, il se trouvait dans l'impossibilité de continuer à se fuir lui-même et la terreur viscérale qui avait marqué son enfance l'avait repris à l'improviste. Ramené en arrière à l'âge d'Azucena, voire en deçà, il se retrouva comme elle happé par un gouffre dont il ne pouvait se dégager ; enterré vivant, la tête au ras du sol, il vit près de son visage les bottes et les jambes de son père qui avait ôté sa ceinture et la faisait tournoyer en l'air avec un inoubliable sifflement de vipère en colère. La douleur l'envahit, intacte et précise, telle qu'elle était restée tapie dans son esprit. Il regagna le placard où son père l'enfermait à clef pour le punir de fautes imaginaires et y resta une éternité, les yeux clos pour ne pas sonder les ténèbres, se bouchant les oreilles pour ne pas entendre son cœur battre la chamade, tremblant de tous ses membres, recroquevillé comme un animal. Dans le brouillard de la mémoire, il tomba sur sa sœur Katharina, douce enfant débile qui avait passé sa vie à se cacher dans l'espoir que le père oublierait le malheur de sa naissance. Il rampa près d'elle sous la table de la salle à manger ; là, dissimulés sous une ample nappe blanche, les deux gosses demeuraient blottis dans les bras l'un de l'autre, épiant les pas et les voix. L'odeur de Katharina lui parvint, mêlée à celle de sa propre transpiration, aux effluves de la cuisine, ail, soupe, pain sorti du four, et à un remugle étranger de glaise putréfiée. La main de sa sœur dans la sienne, son halètement terrifié, le frôlement de sa chevelure rebelle contre sa joue, l'expression candide de son regard... Katharina, Katharina... Elle se dressa devant lui, flottant comme une bannière, drapée dans la nappe blanche transformée en linceul, et il put enfin verser des larmes sur sa mort, sur le fait de l'avoir abandonnée. Il comprit alors que ses exploits de journaliste, ceux-là mêmes qui lui avaient valu succès et renommée, n'avaient été qu'une tentative pour contrôler cette peur très ancienne, la circonvenir en s'abritant derrière un objectif afin de voir si la réalité ne lui devenait pas ainsi plus tolérable. Il prenait des risques excessifs pour mettre son courage à l'épreuve, s'entraînant le jour à vaincre les monstres qui le tourmentaient la nuit. Mais son heure de vérité était arrivée et il ne pouvait continuer à esquiver son passé. Il était Azucena, il était enseveli dans la boue, sa terreur n'avait plus rien à voir avec les lointaines émotions d'une enfance presque oubliée, c'était une serre qui le prenait à la gorge. Étouffé par les sanglots, il vit sa mère lui apparaître, vêtue de gris, son sac à main en croco pressé contre sa poitrine, telle qu'il l'avait contemplée pour la dernière fois sur le quai lorsqu'elle était venue lui dire adieu avant qu'il ne s'embarquât pour l'Amérique. Elle ne venait pas sécher ses larmes, mais lui dire de prendre une pelle, car la guerre était désormais terminée et le moment était arrivé d'enterrer les morts.

— Ne pleure pas. Je n'ai pas mal du tout, je vais bien, lui dit Azucena au petit matin.

— Je ne pleure pas à ton sujet, je pleure au mien, car j'ai mal partout, lui sourit Rolf Carlé.

Au troisième jour se leva sur la vallée du cataclysme une aube blafarde entre de gros nuages noirs. Le président de la République s'était transporté sur place et fit son apparition en tenue de combat afin de bien montrer qu'il s'agissait du plus grand malheur du siècle, la nation était en deuil, les pays frères avaient proposé leur aide, l'état de siège avait été décrété, les forces armées seraient sans pitié, elles fusilleraient sans préavis quiconque serait pris à commettre des actes de pillage ou autres méfaits. Il ajouta qu'il serait impossible d'extraire tous les corps et de dénombrer les milliers de disparus, de sorte que la vallée entière était instituée cimetière et que l'épiscopat viendrait célébrer une messe solennelle pour les âmes des victimes. Il se dirigea vers les tentes militaires où s'entassaient les survivants afin de leur prodiguer le réconfort de vagues promesses, puis vers l'hôpital de fortune afin de dispenser quelques mots d'encouragement aux médecins et infirmières, épuisés par l'interminable pénurie de moyens. Il se fit ensuite conduire à l'endroit où se trouvait Azucena, alors déjà célèbre, son image ayant fait le tour de la planète. Il la salua de sa main mollassonne d'homme d'État, puis les micros enregistrèrent sa voix émue et son ton paternel quand il lui dit que son courage était un exemple pour la Patrie. Rolf Carlé l'interrompit pour lui demander une pompe, et il lui promit de s'en occuper personnellement. Je parvins pendant quelques brefs instants à distinguer Rolf accroupi près de la fosse. Au journal du soir, je le retrouvai dans la même position; et moi, penchée sur l'écran comme une voyante sur sa boule de cristal, je m'aperçus que quelque chose de primordial avait changé en lui, je devinai que durant la nuit, ses défenses étaient tombées et qu'il s'était abandonné à la douleur, enfin vulnérable. Cette gamine avait su toucher une région de son âme à laquelle lui-même n'avait jamais eu accès et dont il ne s'était jamais ouvert à moi. Rolf avait voulu la réconforter et c'est Azucena qui lui avait apporté son réconfort.

J'eus conscience du moment précis où Rolf cessa de se battre et ne se donna plus que la peine de veiller l'agonie de la fillette. J'avais été avec eux trois jours et deux nuits, les scrutant depuis l'autre rive de la vie. Je me trouvais encore là-bas quand elle lui dit qu'en ses treize années d'existence, aucun garçon ne l'avait aimée et que c'était bien dommage de quitter ce monde sans avoir connu l'amour, et il lui jura qu'il l'aimait davantage qu'il n'aimerait jamais personne, plus que sa mère et sa sœur, plus que toutes les femmes qui avaient passé la nuit entre ses bras, plus même que moi, sa compagne, qu'il aurait donné n'importe quoi pour être retenu prisonnier à sa place dans cette fosse, qu'il aurait troqué sa vie contre la sienne, et je le vis se pencher sur sa pauvre tête et lui déposer un baiser sur le front, succombant à une émotion douce et mélancolique à laquelle il n'aurait su donner de nom. Je les sentis à cet instant s'arracher ensemble au désespoir, s'extraire de la boue, s'élever au-dessus des hélicoptères et des vautours, survoler de conserve l'immense bourbier en proie à la pourriture et aux lamentations. La mort leur était enfin acceptable. Rolf Carlé pria en silence qu'elle rendît l'âme sans plus tarder, car il n'était plus supportable d'endurer une telle douleur.

J'avais alors obtenu une pompe et étais en contact avec un général disposé à l'acheminer dès l'aube du lendemain par avion militaire. Mais, au crépuscule de ce troisième jour, sous l'implacable éclat des lampes à quartz et les objectifs de cent appareils de prises de vue, Azucena capitula, le regard noyé dans celui de cet ami qui l'avait soutenue jusqu'à la fin. Rolf Carlé lui ôta sa bouée, lui ferma les paupières, la tint serrée quelques minutes contre sa poitrine, puis la lâcha. Elle s'enfonça lentement, petite fleur dans la boue.

Te voici de retour près de moi, mais tu n'es plus le même homme. Souvent, je t'accompagne à la chaîne et nous visionnons de nouveau les vidéos d'Azucena, tu les scrutes avec attention, en quête de quelque chose que tu aurais pu faire pour la sauver et qui ne t'est pas venu à l'esprit en temps utile. A moins que tu ne les examines pour te voir comme dans un miroir, nu. Tes caméras sont reléguées dans un placard, tu as cessé d'écrire et de chanter, tu restes des heures assis devant la fenêtre à contempler les montagnes. A tes côtés, j'attends que tu parachèves ce voyage au fond de toi-même et que tu guérisses de tes vieilles blessures. Je sais que le jour où tu t'en reviendras de tes cauchemars, nous pourrons de nouveau marcher la main dans la main, comme avant.

A ce moment de son récit, Schéhérazade vit le jour se lever et eut la sagesse de se taire.

Les Mille et Une Nuits.

Table

Composition réalisée par C.M.L., Montrouge
Achevé d'imprimer en janvier 1991
sur presse CAMERON
dans les ateliers de la S.E.P.C.
à Saint-Amand-Montrond (Cher)
pour le compte de la librairie Arthème Fayard
75, rue des Saints-Pères — 75006 Paris

Dépôt légal : janvier 1991.
N° d'Édition : 1385. N° d'Impression : 203.
35.67.8306.01
ISBN 2.213.02534.7

Imprimé en France